За чужими
окнами

Читайте повести и рассказы
Мария Метлицкой
в серии «За чужими окнами»

Мария Метлицкая

Я буду любить тебя вечно

Москва
2018

УДК 821.161.1-31
ББК 84(2Рос=Рус)6-44
М54

Оформление серии и иллюстрация
на первой сторонке переплета *П. Петрова*

Метлицкая, Мария.

М54   Я буду любить тебя вечно / Мария Метлицкая. — Москва : Издательство «Э», 2018. — 352 с.

ISBN 978-5-699-99058-0

Все в детстве читали сказку про Золушку. И все мечтали оказаться на ее месте — встретить принца, который приведет в прекрасную, блестящую жизнь и сделает счастливой.

Милочка встретила принца, который исполнил ее мечту — из нищего барака привел ее в шикарную квартиру, завалил подарками, сделал счастливой. Но главное — она его полюбила. По-настоящему, на всю жизнь.

Сказка про Золушку на этом закончилась. Началась жизнь. А жизнь порой бывает несправедлива и сурова. Человек слаб, соблазн поменять одного принца на другого, более удачливого, есть всегда. Как поступит Милочка — как в сказке или как в жизни?

УДК 821.161.1-31
ББК 84(2Рос=Рус)6-44

ISBN 978-5-699-99058-0

Я буду любить тебя вечно

Лето семьдесят второго выдалось чудовищно жарким. Даже не просто жарким, а удушающим, в Подмосковье горели торфяники. Москва задыхалась, больницы не справлялись с потоком несчастных сердечников, которым зачастую просто не успевали оказывать помощь — прямо из приемного покоя они попадали в больничный морг.

Но Милочка от жары не страдала: в ее, точнее их с мужем, квартире мерно гудел кондиционер — редкая, почти неизвестная по тогдашним временам вещь. Муж, привыкший, казалось бы, к жизни в жаркой стране, переносил московскую жару на удивление плохо, поэтому и привезли из далекого Баку это громоздкое, но необходимое приспособление.

Да и плотные шторы на окнах были нелишними.

Обычно Милочка просыпалась к полудню. Долго лежала с закрытыми глазами, словно не хотела смотреть на происходящее вокруг. Впрочем, ничего и не происходило — в квартире было оглушительно тихо. Муж давно был на службе, а домработница Зина ходила по дому босиком — не дай бог потревожить хозяйку! Деревенская Зина была непроста — горничные, водители, слесаря и прочий персонал, обслуживающий дипломатов, был «при погонах». А по-другому и быть не могло.

Милочка припомнила, какой сегодня день: четверг! Значит, вредоносной Зинки сегодня не будет. Да и слава богу. Кофе она себе сварит, справится. А вечером они с мужем идут на прием, там и поужинают. Впрочем, проблемы питания ее не волновали — сама, как говорится, не едок, а муж почти все вечера по ресторанам. Он так привык еще с холостяцких времен. А в холостяках ее драгоценный супруг ходил много лет. Да не просто в холостяках — женихом он был завидным!

Подумав о нем, о своем благоверном, Милочка громко вздохнула. Вот перевернуться бы на другой бок, закрыть покрепче глаза и... Вставать не хотелось. Потому что знала — сегодня (и завтра, и послезавтра) все будет абсолютно одинаково — утро, день, вечер, ночь. До оскомины на зубах, до тошноты. Ничего нового не случится — сценарий ее жизни был расписан и утвержден — мужем, судьбой и привычками. Значит, нового ждать не приходилось. А старое было неинтересным.

И все-таки Милочка встала — начинала болеть голова, а это означало, что срочно необходимо выпить кофе — крепкого, сладкого, со знакомой и любимой горчинкой. К хорошему кофе ее приучил муж — сам большой знаток и любитель. Восточный человек, это понятно. Кофе ему доставляли с родины — тот, что продавался в магазинах столицы (если, кстати, еще и продавался!), он не признавал.

В квартире было прохладно и даже холодновато. Жужжал кондиционер. Милочка поежилась, накинула теплый халат, поставила варить кофе и подошла к окну. Распахнув шторы, открыла окно. В ту же минуту в квартиру ворвался шум, запах и жар улицы. Окно она тут же захлопнула — как надоела эта жара! Ей захотелось зимы — морозной, белоснежной, свежей и ароматной от запаха хвои.

Кофе она выпила с удовольствием. А вот есть не стала, открыв высоченный «Розенлев», глянула туда и тут же захлопнула. Ничего не хотелось — ни копченой колбасы, ни черной икры, ни французского сыра.

Выпив кофе, пошла в ванную и долго разглядывала себя в огромное зеркало, висящее над голубой раковиной. Потом открыла баночку с кремом — французским, дорогущим. С удовольствием вдохнула его запах — земляника и мандарин.

Потом не спеша переместилась в гостиную и прилегла на диван, рядом с которым, на мраморном столике, стоял телефон. Пару минут Милочка смотрела на него, а потом набрала номер. На том конце провода раздался хрипловатый и вялый голос.

— Это я, — проговорила Милочка. — Ну как дела?

В общем, начинался день. Ее день — обычный и похожий на все остальные.

Устроившись поудобнее, она принялась слушать подругу. Хотя какую подругу? Подруг у нее не было. Так, приятельницы.

Не то чтобы это было ей интересно. Просто... Это тоже было привычкой. Надо же было как-то начать наконец этот день. Иначе... Иначе можно было рехнуться.

* * *

Свое детство и отрочество Милочка вспоминать не любила — да и что там была за радость! Все было тускло, уныло, тоскливо. Так, что возненавидела она ту жизнь навсегда.

Комнатка в бараке в Орехове-Зуеве. Комбинат, где работала мать. Вся жизнь поселка крутилась вокруг комбината — камволки, как называли его местные. Шелкопрядное производство братьев Морозовых после революции переродилось в камвольный комбинат. Рабочих селили в бараки, оставшиеся еще с тех дальних времен. Удобств не было — туалет на улице, вода из колонки, а готовили на газовых плитках, стоящих в коммунальных кухнях, периодически меняя баллоны.

Ад — так называла свою молодость Милочка, но только про себя. В той новой жизни, к которой она так стремилась и куда, собственно, и попала, про ее прошлое никто не знал. Той жизни она стыдилась.

Мать работала на камволке — тяжело, сменами. Приползала усталая, с потухшими глазами и серым от пыли лицом. На хозяйстве была бабка Нюра, тетка матери, приехавшая из деревни. Вызвали ее для дела — растить девочку Милочку.

Отца своего Милочка не знала и не видела никогда — мать отмалчивалась, а вредная бабка поджимала губы и выдавала всегда одно и то же: «Сволочь он. Сволочь как есть. И чего про него говорить?»

В детстве Милочка мечтала — вырастет, поедет в Москву и найдет отца. Папу. Папочку. Он, конечно же, ей страшно обрадуется и умилится, что они похожи: ах, какая выросла девочка! Какая красавица — гордость отца. Он, ее папочка, будет, конечно же, известный и очень богатый — например, артист кино или театра. Большого — других театров Милочка и не знала. Или он может оказаться известным футболистом — они тоже богатые. Или писателем. Какая разница? Главное — что он есть.

Конечно, папочка оставит ее у себя. Никаких сомнений. В большой, нет — в огромной квартире с видом на Кремль. Ну или на Москву-реку. Там будет блестящий паркет, по которому она, Милочка, будет плавно скользить как балерина. У отца будет много вкусной еды — торты, пирожные, шоколадные конфеты. Конечно, мороженое — разноцветное: розовое — фруктовое, белое — сливочное и коричневое — шоколадное. Ешь сколько хочешь, никто слова не скажет.

К нему будут приходить красивые и нарядные гости — актеры, писатели, музыканты. Может быть, даже Майя Плисецкая. Или Сергей Бондарчук. И все они станут, конечно же, восхищаться красавицей Милочкой. А папа будет очень доволен!

Мечты, мечты... Но Милочка верила.

Бабка Нюра целый день торчала на кухне — цапалась с соседками, крутилась у плиты, сплетничала. А после обеда выходила во двор.

9

Двор был грязным, захламленным старым, ненужным барахлом: колченогими табуретками, поломанными игрушками, сдутыми и рваными футбольными мячами, окурками, огрызками, шелухой от семечек, ржавыми консервными банками и обрывками газет. И никому не приходило в голову его подмести или хотя бы собрать мусор.

Женщины — в основном старые, молодые были на работе — сидели на лавочке, сбитой Восьмого марта, в Международный женский день, добродушными по случаю праздника мужиками. Правда, это было давно, еще до рождения Милочки. Теперь лавка покосилась и почернела, но на повторный подвиг мужики так и не сподобились, как бабы их ни упрашивали.

На улице женщины отдыхали — приглядывали за детьми, щелкали семечки, поносили мужей и сплетничали. Это и было их основным развлечением в тяжелой, горькой и постылой жизни.

Летом во дворе столбом стояла пыль, но никому и в голову не приходило включить шланг и прибить ее водой.

Конечно же, мужики пили. И пили горько, с размахом. Напивались с зарплаты и аванса. В эти «священные» дни многие жены торопились встретить мужей у проходной — а вдруг не успеет пропить? Многие соседи сидели. Бывали и драки — между супругами, соседями, детьми.

Летом во дворе стояли тазы со стиркой — в бараках нечем было дышать. Во дворе стирали, варили варенье, вынеся из дома керогаз и кастрюли. Тогда в августе и сентябре по двору плыл сладкий запах ягод и фруктов.

На веревках полоскалось от ветра белье — мальчишки, конечно, попадали в него мячом, а женщины с криком бросались за ними.

Милочка ни с кем не дружила. Во двор почти не выходила — зачем? Слушать крики детишек и их заполошных мамаш?

Разборы, скандалы между соседями? Противно. Она ненавидела свой двор, своих соседей, свой городок. Ненавидела все — отвратные запахи дешевой еды — вареной капусты, горелого молока. Звуки рыдающей гармони, пьяные выкрики, громкие проклятия, покосившиеся темные бараки, пыльные и чахлые редкие деревца. Серую от пыли, вытоптанную траву.

Она ненавидела все. «Папочка, папочка! — шептала она по ночам. — Пожалуйста, забери меня отсюда! Очень тебя прошу!»

Спасало то, что бабка Нюра в комнате почти не бывала — то торчала на кухне, то во дворе. Почти до вечера Милочка была хозяйкой в их узенькой темной комнатке — две кровати, старая раскладушка, со скрипом разбирающаяся только перед сном, иначе в комнате было бы не пройти. На раскладушке спала мать.

Мать возвращалась с работы, и садились ужинать — вечерять, как говорила деревенская Нюра. При этих словах Милочка морщила нос и закатывала глаза.

Нюра обижалась и жаловалась матери. Измученная мать махала рукой: дайте в себя прийти, господи!

От усталости она начинала плакать, но Милочке было ее не жалко. Сама виновата — не смогла удержать отца. Папочку.

На ужин обычно была каша — перловая или пшенная. Или картошка. После зарплаты — с куском колбасы или рыбы. Рыба воняла, от жирной колбасы болел живот. Иногда «подавались» макароны — серые, клейкие. Но — посыпанные сахаром. Их Милочка ела. Отодвинув тарелку с недоеденной кашей, она резко вставала со стула.

— Не нравится, барышня? — Бабка Нюра сверлила ее злобным взглядом. — Ишь, королева!

— Оставь ее, — коротко бросала мать. — Не хочет, да бог с ней! Проголодается — холодное съест.

Но Милочка не ела — на десять копеек покупала себе булочку с маком. Запивала газировкой из автомата. Да пропадите вы пропадом с вашими кашами!

Пенсию свою бабка Нюра копила, не отдавала. Оплачивала только «квартирные»: «Я у вас тут не за просто так — я на законных!» Но мать молчала — тетка и стирала, и гладила, и толкалась в очередях за продуктами. И как-никак, а готовила. Называла она Милочку Люськой. Так и орала в окно: «Люська, ты где?» Милочка злилась. Имя «Люська» казалось ей простым, каким-то шалавистым — что это за Люська? То ли дело Милочка! Настаивала на Милочке, а вредная бабка смеялась: «Милочка? Да так в деревне коров кличут! Выдумала чего — Милочка!»

А однажды... Стерва эта старая навсегда перечеркнула светлые Милочкины мечты — недобро усмехнувшись и глядя ей в глаза, вдруг выдала:

— Папашу своего ждешь?

Милочка затаила дыхание.

— А ты не жди, девка! Сгинул твой папаша — тю-тю! В тюрьме подох. Собаке — собачья смерть!

— В тюрьме? — глухо спросила Милочка. — В какой тюрьме, баба Нюра?

— В какой, какой? В обныкновенной! Куда людей содят! Нет, не людей — убийц и воров! Вот и папаша твой — убийца!

— Почему? — еще тише спросила Милочка. — Почему он убийца?

— А я почем знаю? — разозлилась Нюра. — Брата своего укокошил! Вот и сел, сволочь такая!

Милочка медленно встала из-за стола и вышла из комнаты.

Бабку Нюру она теперь ненавидела.

И самым страшным было то, что в тот день навсегда рухнули светлые Милочкины мечты. Мечты о том, что отец, папа, папочка, заберет ее из этого ада и пригласит, поведет в новую счастливую жизнь.

Нюра умерла, когда Милочке было двенадцать. Мать горевала: во-первых — единственная и последняя родня, а во-вторых — помощница. У самой сил ни на что не было — камволка забирала все.

Но задышалось им с Милочкой после этого легче. Нюрины накопления нашлись через полгода, когда наконец собрались выкидывать старую кровать. Нычку увидела Милочка — грубый шов на обратной стороне матраса.

Вспороли легко — а там... Куча денег! Красная от возбуждения мать в который раз пересчитывала потертые купюры и не верила своему счастью: «Дочь, а мы ж теперь богачи!»

И принималась мечтать:

— Купим кровать — тебе, новую! А я уж посплю на твоей! Поедем в Москву и справим пальто — мне и тебе, а? А давай холодильник? — вскрикивала мать, улегшись в постель. — А, Милунь? Надоело уж за окно! И будем как люди! А может, — мать замирала, словно боялась это произнести, — может, на море? Как думаешь, дочь?

Милочка громко вздыхала и, не отвечая, переворачивалась на другой бок. А что изменится, господи? Ну пальто. Ну холодильник. Ну даже море! И там они будут как... Нищенки. Считать копейки, отказывать себе во всем. Обедать в душной столовке теми же щами. Жить в таком же бараке.

Потом мать начинала сетовать:

— А как мы будем без Нюры? Мы же с тобой совсем ни к чему не приспособленные!

Конечно, это была полная глупость, потому что зажили они без бабки Нюры хорошо. Не просто хорошо — отлично зажили! Правда, денег им теперь всегда не хватало, то есть кончались они моментально, спустя пару дней после зарплаты. Вести хозяйство мать с Милочкой не умели. Зато теперь они покупали себе все, что хотели, — кексы с изюмом, вафельные тортики, шоколадки, мороженое, докторскую колбасу и шпроты в масле — если удавалось достать. И еще — сгущенное молоко, Милочка его обожала.

Мать приходила с работы и, растерянно улыбаясь, выкладывала из сумки все эти вкусности. Так и ужинали — шпроты с хлебом и чай с тортиком. Красота! И никто больше не ворчал, не шипел, не ругал маму и не обзывал ее бестолковой неумехой, дурочкой и транжирой.

Мать, кстати, тоже словно освободилась от вечного бабкиного ворчания и скандалов («Я тута пашу на вас, а вы?»), сбросила с плеч тяжелый груз, стала улыбаться и даже изредка что-то напевать себе под нос. Правда, когда теперь она раскрывала кошелек, то сразу расстраивалась и бледнела.

— Как же так, Милочка? — удивлялась она. — И как мы дотянем до зарплаты?

Милочка беспечно махала рукой:

— С голоду не помрем! Как-нибудь, мам!

— Как-нибудь, — повторяла та и заметно грустнела.

С голоду, разумеется, не помирали — на картошку и макароны всегда хватало. Ели пустую картошку и смеялись.

— Вот она, расплата за удовольствие! — шутила мама. — Нет, все-таки Нюра была права: я жуткая неумеха и совсем безголовая!

— А ты мне такой нравишься, мам! — отвечала Милочка.

И мать улыбалась и молодела.

Без Нюры была свобода: гуляй — не хочу! Никто не заглядывал в тетрадки с уроками, никто не зудел за плечом. Не заставлял есть перловую кашу.

В пятнадцать лет Милочка поняла, что она красавица. Как поняла? Да очень просто — на нее обращали внимание, оборачивались. Сосед Пал Васильич при ее появлении громко крякал и сильно краснел, с испугом оглядываясь на свою суровую супружницу Галю. Галя сводила брови и грозила пальцем:

— Я тебе! Старый хрен! Ишь, разохотился! — И тут же начинала смеяться. — Ну посмотри, посмотри! Чё тебе еще остается? Только глазками твоими бесстыжими и лупать! А потомушта... Сам знаешь, почему!

Пал Васильич белел и быстро скрывался за своей дверью.

— От же старая кобелина! — теперь уже грустно вздыхала Галя. — Всю жизнь ведь... Никого, сволочь, не пропускал.

Одноклассники не давали Милочке проходу — подкладывали в портфель записки, оставляли в парте шоколадки или открытки, караулили ее у школы и торчали под ее окнами.

В девятом классе она увлеклась шитьем — девчонки передавали друг другу выкройки, срисованные из «Крестьянки», «Работницы», «Силуэта». Шить у нее получалось лучше всех в классе — даже вредная учительница труда ее хвалила: «Талант у тебя, Иванова! Просто талант!»

За тканями девчонки ездили в столицу. Иногда удавалось «урвать» что-нибудь из косметики: польскую помаду, ленинградскую тушь, лак для волос. А там заодно и гуляли — парк Горького, Сокольники, ВДНХ. Ели мороженое, пили сладкую воду.

Теперь Милочка, по словам матери, «была одета» — появились платья в горох и в полоску, пышные, на подкладке юбки, блузочки в талию. А уж талия у Милочки была будь здоров — всем на зависть!

Подводила только обувь — и дорого, и не достать.

— И в кого она такая? — удивлялись соседки. — Вон, Вера-то совсем обыкновенная! — Они провожали взглядом Милочкину мать. — А Милка у нее — высший класс!

Милочка разглядывала себя в зеркале.

— Да, ничего, — скромничала она.

Но «ничего» — это было не совсем то слово, которое было уместно. Была она хороша фантастически — карие, с рыжинкой глаза, изящный и тонкий носик, пухлые губы и нежная смугловатая кожа. Густые, мягкой волной, русые волосы, тонюсенькая талия и высокая, большая, не по годам, грудь. Ну и стройные, очень стройные и красивые, длинные ноги.

Училась Милочка средне — науки были ей неинтересны — ни точные, ни гуманитарные. Читать она не любила, к музыке была равнодушна. Увлечения девчонок стихами не понимала и не разделяла, считая все это полными глупостями. Она вообще ко всему была равнодушна. Ко всему и ко всем. О чем она мечтала? Да она бы и сама сформулировала это с трудом. О любви? Да как-то... Не очень. О хорошем муже, о детях? Нет, замуж ей не хотелось, дети раздражали. А, вот! Милочка мечтала жить *красиво*. Безбедно, сытно, нарядно.

В красивой жизни она понимала немного — так, впечатления от иностранных фильмов, редких журналов, да, пожалуй, и все.

Но — знала точно — красивая жизнь есть! И кстати, где-то совсем рядом, недалеко. Скорее всего, в столице, в Москве. А это рукой подать! Только с умом надо к этому подойти. Вот тогда и получится.

Плюс — есть у нее кое-что поважнее семьи или там образования. У нее есть красота. А с этим богатством все достижимо, не правда ли? Особенно если вспомнить старые сказки, «Золушку» или там — Милочка задумывалась — что еще? В литературе она была не сильна.

Любила она, пожалуй, только мать — единственного близкого человека. Но и к матери относилась с легким презрением — скучно, тоскливо и даже страшно проживала та свою жизнь, в нищете, тяжелом труде, в вечном подсчете копеек, в вечном страхе — перед начальником цеха камволки, перед Нюрой, перед соседями. Даже от участкового Мишки, горького пьяницы, шарахалась. Спрашивается — почему? Что она такого сделала, чтоб бояться этого урода? Всех боялась, перед всеми заискивала.

Продавщица в молочном вечно подсовывала ей просроченный кефир. Обнаруживалось это только дома — там, в магазине, матери было неловко посмотреть на срок изготовления. Милочка пеняла ей, что она трусиха и растеряха, требовала вернуть брак обратно. Мать начинала плакать и отказывалась идти разбираться.

— Кого ты боишься? — негодовала дочь. — Эту тварь?

Милочке было пятнадцать, когда она не выдержала и сама отправилась в молочный. Подойдя к прилавку, со стуком шмякнула бутылку с кефиром и бросила пачку с творогом.

— Угощайся! — сказала она наглой и высокомерной продавщице.

Та, известная хамка, оторопела. Очередь замерла, а Милочка, прищурив глаза, повторила:

— Ну что же ты? Растерялась? Угощайся! Кефирчику выпей. Может, пронесет, а?

Продавщица засуетилась, покраснела как рак и заменила Милочке кефир и творог.

Милочка удовлетворенно кивнула и удовлетворенно добавила:

— Вот и правильно! Так и дальше делай! — И гордо, с достоинством удалилась под тихий шепот ошарашенной очереди.

С той поры мать никогда не приносила просроченные продукты.

И Гальку, вредную соседку, Милочка поставила «куда надо», та вечно придиралась к матери по всяким пустякам: то чайник забыла выключить, то свет в ванной оставила, то с ботинок в прихожей натекло, то с зонта накапало.

— Не нравится — убери! — цыкнула Милочка. — Возьми тряпку и убери! Весь день на кухне болтаешься, языком чешешь! А люди работают, если ты не заметила!

И вредная Галька заткнулась.

Мать удивлялась, умилялась и, как всегда, боялась.

— Милочка! Я понимаю, ты моя защитница и ты молодец. Но... все же, так грубо... Зачем портить с соседями отношения? Можно же было и как-то помягче...

— А если «помягче», как ты выражаешься, — фыркала Милочка, — тогда лови в супе плевки! Хамы ведь по-хорошему не понимают! Ты что, не заметила?

Милочка часто думала о том, что мать в молодости была симпатичной, да только всю жизнь в шкафу у нее висело два платья — летнее и на зиму.

— А мне больше не надо! — говорила она.

Не надо... Страшно-то как! Не то страшно, что платьев всего два, а то, что *не надо*. Милочка так не хотела. Да и вообще ей вся эта убогая, нищая, «паучья», скандальная, мелкая и грубая жизнь порядком поднадоела. Противно все это. Мышиная жизнь — не человеческая, а именно мышиная. И она, конечно же, этого избежит! Очень постарается избежать! И это у нее получится, поверьте.

После школы она устроилась на работу в регистратуру медсанчасти. Работа была сменная: день—утро, день—вечер. Отличный график. Да и работа не бей лежачего — найти в картотеке карту больного и, собрав их с десяток, разнести по кабинетам врачей. Правда, и платили копейки — но на чулки, сигареты, польскую тушь и помаду хватало. Матери она ни копейки не отдавала. Та была не слишком довольна, но молчала. Спорить с Милочкой, на чем-то настаивать? Да что вы, о чем?

В медсанчасти за Милочкой принялся ухаживать доктор Ваня — так его называли сотрудники. Был он парнем симпатичным и веселым, без конца травил анекдоты, на взгляд строгой Милочки — пошлые и несмешные.

Робея и краснея, пробовал пригласить на свидание. Милочка, осмотрев его в головы до пят и почти заморозив ледяным и презрительным взглядом, усмехнулась:

— И что?

Растерянный Ваня молчал.

— А дальше-то что? — повторила Милочка с еще большим презрением.

— В каком смысле? — наконец выдавил неудачливый кавалер.

— Да в прямом! — жестко ответила та. — Что ты, например, можешь мне предложить?

Ваня удрученно молчал, лихорадочно думая, чем бы удивить эту красивую и необычную девушку.

Понимая, что попадет в немилость, жалко пробормотал:

— Ну... В кино, например. Или в кафе! А хочешь — в Москву мотанем! А, Мил?

Милочка рассмеялась:

— В кино? На рваных креслах слушать, как впереди и сзади сношаются? Как катаются бутылки между рядов? Мат трехэтажный? Нет уж — уволь! — Она помолчала. — В кафе, говоришь? Тоже дело! Липкий стол, портвешок и пирожные с кислым кремом? И та же компания, что и в кино. Здорово, да? Ну просто мечта всей моей жизни! Ну, допустим — у нас все получится. Слюбимся, как говорила моя бабка Нюра. Ну а что потом?

Опустив глаза в пол, Ваня молчал.

— Так вот, про потом, — оживилась Милочка. — Соберем мы на свадьбу, предположим, хотя и трудно будет. Зарплата-то у тебя — сам понимаешь. На дешевое платье соберем, на дешевый костюм. На дешевые кольца. Сыграем свадьбу — все в той же вонючей «Ромашке». Все напьются, набьют друг другу морды, потом помирятся. Потом снова набьют — ну ты же знаешь, как это бывает. А потом, Ванечка... Потом мы переедем к тебе! Да-да, к тебе — в общежитие! Ко мне-то некуда — места нет, да и мама. А у тебя — комнатуха в шесть метров. Ни мебели — да и куда ее ставить? — ни люстры, ни тумбочки и ни шкафа. Где брать? Снова копить! И ждать — долго ждать, когда тебе *выделят* комнату! Не в общежитии, а в бараке — там-то будет своя! Своя, Вань! Возможно — побольше! Метров восемь или, допустим, десять.

А дальше? А дальше — *всё*! Ну и начнем мы копить — на шифоньер. На телевизор. На холодильник. На сапоги и пальто. На отпуск не хватит — какой уж тут отпуск? Ну мотанем к твоей родне в деревню — милое дело! А там — огород, хлев, дороги размыты, потому что дожди. Да! Ребеночек народится — куда ж без него? Так ведь положено, правда? Без него будут косо смотреть соседи, родня. Мне-то, Ваня, конечно же, наплевать... А тебе? Ну и дальше будем колотиться — в той же лачуге, в той же нищете. Только теперь — с ребенком.

Ты когда меня начнешь ненавидеть, Ваня? Молчишь? А ты подумай! Хорошо, я скажу сама. Я тебя — месяца через два после свадебки этой убогой. Ну а потом ты запьешь — здесь у нас по-другому и не бывает, потому что жизнь такая собачья, ты мне поверь! Все пьют, Вань! Оглянись! Ну и еще, — она недобро усмехнулась, — знаешь, в кого я превращусь? А, не знаешь! В склочную и мерзкую бабу. Как Лидка-санитарка. Как тетя Дуся — повариха. Как соседки мои и твои. А ты... Ты, Ваня, ты тоже... Брюхо наешь — обязательно, на картошке-то, а? Полысеешь. Озлишься. На все — на эту жизнь, на меня. Потому что тоже начнешь меня ненавидеть: ною, как пила. Придираюсь. Недовольна всем и всегда. Ты — меня, я — тебя... Такие дела. — Милочка замолчала и громко выдохнула. — Ну как, Вань? Хорошо?

Он, не глядя на нее, коротко мотнул головой:

— А по-другому, Мил? Не бывает?

— Нет, Ваня! — уверенно ответила она. — Здесь — не бывает. Я всю жизнь здесь живу! И вижу, что происходит вокруг. Не бывает! Потому что, — она помолчала, — в хлеву и живут по-скотски. Иначе нельзя. Ты вот как хочешь, а я... Я, Ваня, буду жить по-другому! Ты меня слышишь? А не получится — лучше в петлю. Не по зубам я тебе, доктор Ваня! Ты уж прости. Не по зубам.

— А кому по зубам? — зло спросил он. — Подобрала уже?

— Нет пока! — рассмеялась Милочка. — Но подберу! Ты не волнуйся!

— Наполеоновские у тебя, Мила, планы! — усмехнулся он.

— Ага! — беспечно ответила Милочка. — Именно так! А что тут плохого?

Ваня кивнул:

— Ну да! Рыба ищет, где глубже. Я понял. А человек...

Она его перебила и повторила:

— А что тут такого? На то он и человек, а не рыба. На то у него и мозги!

И, круто развернувшись, Милочка пошла прочь.

Обескураженный молодой доктор Ваня растерянно смотрел ей вслед. Ваня, лучший и перспективный жених в поселке. А тут... такой вот конфуз...

* * *

Милочка тосковала. Она знала и понимала, что рядом — совсем рядом, только протяни руку! — есть совершенно другая, радостная и прекрасная жизнь. Но как? Как выйти на эту дорожку? Как попасть туда, в это волшебное Эльдорадо, где вкусно пахнет французскими духами, хорошими сигаретами, натуральной кожаной обувью, шоколадом и спелой клубникой? Ах, если бы она была студенткой... Например, Института иностранных языков, что на Остоженке. Как хороши они, эти девицы! Как одеты, как держат себя — королевы! Как важно потягивают «Шампань-Коблер», затягиваясь тонкой сигаретой! А если честно, ни одна ей не годится в подметки.

Там, в институте, в кафе, эти девицы и знакомятся со своими кавалерами. А где знакомиться ей, Милочке? В медсанчасти, где шаркают тапками вонючие деды?

А ее наряды? Это мама думает, что ее дочь — куколка. Заблуждается мама. Все эти юбочки из дешевого ситца, сатиновые кофтюльки — жалкая подделка! А обувь? Счастье, если румынская или чешская. И ее не достать. А эти чертовы духи, пахнущие дешевым мылом? А жизнь, между прочим, проходит...

Вырваться бы из этой серости, тусклости, затхлости. От этой убогости, из этого ада! От этих тетьгаль, иванвасильевичей, марьиванн. От их нестерпимых запахов щей и котлет, от сохнущего в ванной омерзительного, потрепанного, перештопанного белья. От их склок, зависти, нищеты. Бедная мама... Чему она радуется? Отрезу ситца, тощей курице, «оторванной» в очереди? Новым набойкам на босоножках? Клеенке в пошлый цветочек, пахнувшей всеми химзаводами мира? Мама, мама... Как нелепо ты прожила свою жизнь. Но я, твоя дочь, достойна лучшего. И оно, это лучшее, у меня будет! Поверь.

* * *

В восемнадцать Милочка прижала мать к стенке:

— Давай рассказывай! Все без утайки — кто мой папаша и где.

Тайная надежда, что вредная Нюра соврала, оставалась.

Но ничего не вышло. Мечты снова разбились в полный прах. Мать долго сопротивлялась, а потом рассказала: случайная и короткая связь. В Полтаве, у родни, куда ее отправили на летние месяцы. Там и случилась ее первая любовь. Как потом оказалось — первая и последняя. Звали его Виталий.

— Господи, какое пошлое имя! — сказала Милочка и скривила губы.

— Почему? — удивилась мать. — А по-моему, очень красивое!

— Витася, Виталя, Витек — ужас, мам! Очень пошло. Вот если бы Эдуард! Или Аркадий!

В общем, погуляли по красавице Полтаве с месяцок, и уехал Виталька. Куда и на сколько? Сказал, что на пару недель и по делам. Ну а уж когда вернется, там и распишемся.

И мать, дурочка эта, поверила. Виталька, Витасик, Витуля не вернулся. Никогда. Пошла она к его тетке, сестре по отцу. А та удивилась:

— Виталька? Да он же женат, девка! Гуляла с ним? Ох, кобелячья порода, весь в отца! — Кажется, тетка этим гордилась. — Да и жена у Виталика беременная — ребеночек должен вот-вот появиться, — продолжила она. — Езжай, девка, до дому! Вот тебе мой совет. И не ищи его, у него таких, как ты, огород!

А дома Вера обнаружила, что беременна. Тогда и поехала к тетке Нюре в деревню — совета просить. Родня ведь. Та, естественно, в крик. На аборте настаивала — две недели пилила, со свету сживала. Ну а потом смирилась — что с тебя, дуры, взять? Ладно уж, как-нибудь. Переберусь к тебе, дуре. Буду помогать. Как ты одна, с ребенком? Только в петлю.

Все правильно, в те дни Вера часто думала о петле. Вот бы разом, мигом — и все! Но испугалась.

— А кем он был, твой Виталька? — презрительно перебила ее дочь.

— На заводе работал. Наладчиком, кажется...

Наладчиком. Вот уж правда, подарок! Наладчик Виталька. Хотя а что она ожидала от своей матери? Что дурочка эта подцепит профессора или летчика? Смешно. Наладчик Виталька — вот короткое и светлое мамино счастье.

А мать, громко всхлипнув, тихо сказала:

— Ты, доченька, вся в него! Копия просто! Он ведь красавчиком был, мой Виталя.

Ну хоть за это спасибо. Низкий поклон. Эта ведь дурочка могла бы меня и от урода родить — с нее-то станется! Пожалела бы какого-нибудь убогого и...

— Ну а дальше что было? — спросила Милочка, сведя брови. — Договаривай!

Мать вздрогнула, испуганно посмотрев на суровую дочь.

— Дальше? А что?

— Не прикидывайся! — оборвала ее Милочка. — Дальше он сел! Так или нет?

Мать опустила голову.

— Сел. Я потом, с тобой, с маленькой, в Полтаву ездила — вдруг... К тетке его снова ходила. Ну, та все и рассказала. Про пьянку, про драку. И про топор... Жалко его было, дурака. Так жизнь загубить.

Милочка истерично расхохоталась.

— Тебе его жалко? Этого подонка и урода? Ну ты даешь! Тогда... — Она на секунду задумалась. — Тогда мне не жалко тебя! Слышишь, не жалко! Совсем!

Мать не ответила.

* * *

На выходные Милочка уезжала в Москву. Иногда ночевала на вокзале — возвращаться домой не хотелось. По Москве просто гуляла — мороженое, кино, Парк культуры. А однажды повезло, сказочно повезло — встретила бывшую одноклассницу Лильку Цветкову. Встретила и обалдела — ничем не примечательная Лилька превратилась в роскошную, сногсшибательную красавицу. Прическа, косметика, платье, туфли. Господи, и это Лилька? Даже не верилось.

Лилька тоже всегда хотела вырваться из поселка. Но это была совершенно другая история. Во-первых, у Лильки была семья: папаша — начальник цеха и мамаша — заведующая парикмахерской. Во-вторых, они не жили в бараке, а в отдельной квартире.

А в-третьих, Лилька прекрасно училась, везде успевала.

Что сравнивать несравнимые вещи — Милочкину жизнь и Лилькину?

Лилька тоже с интересом оглядывала ее. Правда, интерес быстро погас, уступив место легкому сожалению — весь Милочкин вид этому сильно способствовал.

«Где ты? Как ты? Что ты?» — задавались обычные вопросы, исключительно из любопытства.

Лилька рассказала, что учится в Полиграфическом — она всегда хорошо рисовала, — живет бурно и весело, с компанией повезло. Ребята все солидные, из хороших семей. Ну и не бедные, «ты ж понимаешь!». Девчонки им под стать. Лилька снова скользнула взглядом по Милочке — с головы и до ног.

Милочка залилась бордовой краской от унижения и обиды. И еще — от злости. Так бы и послала эту Цветкову! Однако тут же сообразила: может, Лилька и есть тот самый ключ в ее новую, прекрасную жизнь? Чем черт не шутит?

Мозгов у Лильки не много — вряд ли сообразит, что Милочка ей будет соперницей. Да и самомнение у нее — выше крыши! Как же, студентка!

И Милочка разлилась соловьем:

— Лилька, какая ты стала! Красавица просто. Нет, нет, конечно, ты всегда была хороша, но сейчас — расцвела! Расцвела, как майская роза, глаз от тебя не отвести, честное слово!

Ну Лилька зарделась — приятно, конечно, — и снизошла:

— Ну а как ты, Иванова?

И все глазами шарит, как по увечному инвалиду — с сочувствием.

Хвастаться Милочке было нечем:

— Так, работаю, ничего интересного. Лилька! А может, куда-нибудь сходим? Ну в смысле... — Милочка задумалась, что она может предложить столичной студентке.

Лилька скорчила обезьянью гримаску. В глазах читалось: «С тобой? Да со стыда сгорю, что ты! Видок у тебя, подруга...» Но тут же сообразила:

— Слушай, Иванова! Ты, говоришь, в медсанчасти? А справку мне сделать можешь? На год, освобождение от физры?

Милочка пожала плечом:

— Да запросто! Сделаю, мне это раз плюнуть! Ну и баш на баш — я тебе справку, а ты меня в свою компанию, а? Совсем я засиделась. — И Милочка притворно-лениво зевнула.

Лилька вздохнула и согласилась — в конце концов, плата не так велика.

Все оказалось в точности, как Милочка себе представляла.

Квартира на Кутузовском, куда позвала ее Лилька, была огромной: четыре комнаты, большущая кухня и просторный, длинный коридор — хоть на велосипеде катайся. Свет был притушен, а народу полная коробочка, не протолкнешься. То и дело кто-то вваливался «на новенького», входная дверь на замок не закрывалась. На столе и подоконнике в изобилии толпились бутылки всех мастей и фасонов — невиданные, заморские, с яркими этикетками. В плотном сигаретном дыму были неразличимы фигуры и лица — как в фантастическом кино. Никого не разглядишь, а разговоров почти не слышно — гремит музыка. Видны только взмахи рук, и иногда сквозь музыку прорывается смех. Мир теней. Кто-то общается, кто-то дремлет в кресле, кто-то варит кофе на кухне, кто-то слушает музыку, а кто-то танцует, топчется на свободном пятачке ковра, плотно сплетясь телами. Похоже, никому и ни до кого нет ни малейшего дела. Все — по интересам. Хозяин квартиры — невысокий и щуплый парень, затянутый до скрипа в узкие джинсы, уже изрядно пьяный, громко и радостно приветствует приходящих, предлагая им выпить. Еле стоит на ногах. Какая-то девица уводит его в спальню — Бобу нужно поспать. Другая девица, в открытом сарафане на тоненьких лямках, роется в холодильнике и, найдя жестяную красивую банку, требует открыть ветчину: «Сейчас сдохну от голода!» Ветчину тут же вспарывают, и несколько человек, подоспевших на запах яичницы — ее жарит симпатичный толстяк в красной рубашке, — приступают к поспешной трапезе. Едят стоя, со сковородки, тыча в нее вилками.

«Золотая молодежь, — фыркает Милочка, — а жрут, как свиньи, хуже теть Гали с Васильичем!» Она выходит на балкон — вдохнуть свежего воздуха. Ей плохо — подташнивает от табачного дыма, выпитого сладкого вишневого ликера (хотя очень вкусно, очень!) и голода — ей тоже хочется есть. Но не полезет же она в общую сковородку хватать яичницу!

Еще Милочке хочется спать, но она понимает, что если сейчас отсюда уйдет... Хотя она очень разочарована. Ей представлялось, честно говоря, все по-другому. А здесь как-то очень по-свински. В эту минуту на балкон выходит парень, невысокий и крепкий, светлоглазый, кудрявый блондин.

«Симпатичный», — мелькает у Милочки.

— Скучаешь? — улыбнулся он.

Милочка пожала плечами.

— Слушай! А может, сбежим? Что-то здесь как-то невесело. И все уже напились. Зоопарк!

Милочка с минуту помолчала, очень хотелось спросить: «А куда?» Но она оробела, застеснялась, боясь показаться глупой, наивной, деревенской дурой. Вдруг ляпнет не то? Вдруг у них не принято отказываться от таких предложений?

Она осторожно пожала плечом:

— Ну я не знаю.

Он кивнул, взял ее за руку и увел.

«Куда?» — снова хотела спросить она. Было страшно. Куда он ее ведет? Может, в новую жизнь?

На улице уже было прохладно. Милочка поеживалась. Блондин тем временем ловил машину. Наконец одна из них остановилась, и новый знакомый махнул ей — мол, иди скорее. Она не спешила, по-прежнему раздумывая, — может, сбежать? Рвануть сейчас по проспекту — вряд ли он погонится за ней. Однако на дрожащих ногах она неуверенно подошла к машине и уселась на заднее сиденье, блондин плюхнулся рядом с ней.

За руки он ее не хватал, под кофту не лез, и Милочка слегка успокоилась. Ехали они недолго — минут пятнадцать.

— Командир, — обратился блондин к шоферу, — притормози у пятнадцатого!

Пятнадцатый — это номер дома, сообразила Милочка. Ее начало мутить от страха. Она держалась изо всех сил, но, выйдя из машины, тоскливо оглянулась — может, рвануть сейчас? Переулок тих и пуст — почти час ночи. Блондин же тем временем расплатился с шофером и властно взял ее за руку.

— Ну что, подруга? Вперед?

Милочка кивнула и обреченно пошла вслед за ним как на Голгофу. Дверь подъезда была высоченная, тяжелая — даже он с усилием открыл ее. Широкая мраморная лестница с коваными перилами. Чтобы глянуть на потолок, надо закинуть голову. Второй этаж, две квартиры на лестничной клетке. Массивная дверь в квартиру — деревянная, темная, с резными завитками и тускло поблескивающей латунной ручкой.

Блондин открыл дверь и кивнул:

— Проходи! Чего встала? Столбняк? Или робеешь? Не бойся, не съем — сегодня поужинал! — Он почти беззвучно засмеялся, а Милочку обдало горячим и тревожным жаром.

Она зашла вслед за ним и оглянулась, таких прихожих она не видела никогда: темные обои отсвечивали матовым серебром, высокий, до потолка, шкаф был плотно уставлен книгами. Ковер на полу, вешалка с завитушками, длинная люстра с цветными висюльками.

«Что же там в комнатах, если так здесь, в коридоре?» — подумала завороженная и обалдевшая Милочка.

Блондин развел руками и улыбнулся, теперь уже внимательно разглядывая ее:

— А мы ведь не познакомились, а? Ну, мать! Мы даем! Какие же мы идиоты. Точнее, я идиот! — Он протянул Милочке руку: — Сергей. Можно Серега.

— Мила, — хрипло ответила она и тоже протянула руку.

Рука у нее была холодная и влажная, и ей снова стало неловко.

— Слушай, а ты есть не хочешь? — неожиданно поинтересовался он и, не дожидаясь ответа, снова рассмеялся. — Лично я голоден как волк! Хотя и поужинал! — Он вспомнил собственную шутку.

Милочке сразу стало так легко и просто, будто знала она этого Серегу сто лет, с самого детства. Она расплылась в счастливой улыбке и кивнула:

— Лично я — тоже! Ну в смысле — как волк!

— Ты — как волчица! — расхохотался он, качая кудрявой головой. — А ты волчица, Мила? — вдруг уточнил новый знакомый, глядя на нее с прищуром.

Милочка снова растерялась, не понимая, шутит он или всерьез, и лихорадочно размышляя, что ему ответить, чтобы не попасть впросак, не выглядеть смешной и не разочаровать своего нового и, кажется, приятного знакомого.

— Ты волчица, Мила, — ответил он за нее, — только пока, — он хитро прищурил левый глаз, — не знаешь об этом!

Она покраснела, не понимая, обрадоваться ей или все же обидеться.

— Я тут займусь, а ты отдыхай! — Он кивнул на дверь комнаты. — Располагайся!

Мила вошла и замерла как вкопанная. Дворец. Это дворец! Точно как когда-то в музее — те же бордовые, с золотом стены. Та же люстра — яркий, переливающийся хрусталь. Мебель — конечно, старинная — темная, тяжелая даже на вид. Вазы, картины. Старинные фотографии — подойти поближе она побоялась, вдруг зайдет Серега. Снова будет неловко.

Милочка присела на диван и от волнения и усталости заснула. Проснулась она лишь под утро и не сразу поняла, где она. Потом испуганно подскочила, поправила одежду и волосы и осторожно вышла в коридор. Там было тихо. Она на цыпочках подкралась к входной двери, но тут услышала голос хозяина:

— Куда собралась? Рано еще, даже метро закрыто!

Милочка обернулась. Сердце билось так сильно, что она боялась, как бы Серега не услышал его бешеный стук. А он стоял в коридоре — в трусах, с голым торсом и широко и громко зевал.

— Ну что? С добрым утром?

— С добрым утром, — ответила она тоненьким, чужим голосом.

Он снова зевнул.

— Ну что же ты, Мила! Нехорошо! Я вчера, как дурак, картошки пожарил. А ты? Раз — и уснула! Нехорошо.

Милочка покраснела и снова испугалась. Но, увидев в его глазах хитрые смешинки, тут же успокоилась и взяла себя в руки.

— А я ночью не ем! Слежу за фигурой! — выпалила она, чувствуя, как тут же вспотели ладони.

Он медленно и равнодушно с головы до ног ее оглядел:

— Фигуру? Ну это зря! У тебя и так все в порядке!

И у нее перехватило дыхание — от радости и даже от счастья.

Так начался их роман. С того самого раннего тихого утра в квартире на Патриарших прудах.

Потом выяснилось: беспечный Серега — внук известного артиста кино. Отсюда и квартира, и дача на Николиной Горе, и маленький домик под Сочи — все, что милостиво откинула советская власть своему любимцу. Дед был стар, вдов и доживал свой длинный век на огромной роскошной даче. Ухаживала за ним домработница, которая, как посмеивался внучок, ублажала его дряхлые члены.

Родители мотались по заграничным командировкам, и выходило, что сынок и внучок никого особенно не волновал — денег давали, тряпки присылали, квартира и машина у мальчика имелись.

Учись, сынок, и все будут счастливы. Но знаменитый МГИМО, а вместе с ним и перспективу дипломатической карьеры паршивец быстро оставил — вылетел со второго курса. Родители, живущие за границей, об этом еще не знали, а знаменитому деду было вообще все равно. Он давно уже жил между небом и землей, радуясь вкусной еде и ласкам кроткой услужливой Томочки, своей немолодой и верной домработницы.

Серега скучал. Денег полно — родители не обижают. Модными тряпками забиты шкафы. Но —

скучно! Скучно, господа! Кабаки, гулянки, девицы. Да нет, все прекрасно, но однообразно и слегка утомительно. Ему была нужна деятельность. Даже не так — дело. И желательно острое, с перчиком, адреналином, на грани фола. Погони, перестрелки, темные подвалы. Суровая, опасная, но интересная гангстерская судьба. Чушь, конечно. Какие перестрелки, какие погони? И все-таки хотелось риска и драйва.

И Серега подался в фарцу. Сначала толкал свое — джинсы, батники, пластинки, сигареты, кассеты, духи, косметику, жвачку и прочую чушь. Потом серьезнее — технику, магнитофоны. Родители удивлялись, но присылали — чем бы дитя ни тешилось. Влился он быстро, и скоро в его лексиконе появились новые слова — «гренки» (валюта, «грины») «самострок» и «фирма́», «капуста», «лаве» (деньги, «бабки»), «ю́ги» — югославы, «бундеса́» — немцы из ФРГ, «дедероны» — немцы из ГДР, «бритиша́» — туристы из Англии. И «штатники» — американцы.

Фарцевал он у «Интуриста», потом перебрался к «Березке» — там было потише и поспокойнее. Но все равно нервно оглядывались, ждали ментов. Иногда подъезжала «канарейка», и фарцовщики бросались врассыпную — им были известны все близлежащие дворы, переходы и подъезды. Пережидали. Ну а потом все по новой. Денег, конечно, «поднимали». Но Серега рисковал не за деньги — Серега рисковал за идею. Довольно быстро прятки эти ему надоели, и с фарцы он «спрыгнул», ушел. Снова стало тоскливо. Но возвращаться к жвачке и джинсам он не хотел. Мелко плавать — какой интерес?

Спустя полгода, когда он совсем отчаялся и загрустил, давний приятель, еще с «Интуриста», красавчик Анзор, посвятил его в свой новый бизнес — он со товарищи «ломал» валюту у форинов (иностранцев) и валютные чеки у скромных советских тружеников, вернувшихся из загранкомандировок у той же «Березки». Серега оживился и принялся уговаривать Анзорчика взять его в дело. Но для начала предстояло освоить эту нелегкую, щекотливую и тонкую профессию. Он оказался способным учеником и уже через пару месяцев пас форинов в гостинице «Украина».

Боялся? Конечно! Статья-то валютная! Да плюс мошенничество — хватит с лихвой. И никакой дедушка ему не поможет.

Но здесь он нашел тот кайф и тот драйв, которых ему так не хватало. Дело было, конечно, рискованное, однако сладкое очень. И Серега ожил.

Конечно, похожая на капризную кошку продавщица Ларочка, торговавшая в киоске меховыми шапками из норки и лис, глянцевыми матрешками с одинаковыми глупыми лицами, икрой и прочей чепухой, была в доле. В доле были и гостиничные менты — Вовик и Славик. И все-таки это был риск!

За первый год новой деятельности у Сереги появилось столько денег, вот только потратить их было абсолютно некуда. В Советском Союзе с этим были проблемы. Тряпки? Да бросьте. Этого добра у него было навалом. Все атрибуты красивой жизни имелись. Что дальше? Поехать отдохнуть? Широко, с размахом, с шампанским, черной икрой и девочками? Ну да. Хотя «за пределы», как говорила его матушка, вход был закрыт. Оставались Сочи, Пицунда и Ялта — вот и вся география. Ну там, конечно, гуляли, отрываясь по полной. И все равно мелковато. Его подельники и напарники, тот же красавчик Анзор, ощущали себя королями мира. А Серега снова скучал. Днем — «работа». Это хоть как-то бодрило. Вечером — кабак и девочки. Ночью — девочка, лучше «свежая». Девочки были лучшие. Но день был похож на день, а месяц на месяц. Словом, тоска.

Серегины подружки менялись как перчатки — похожие друг на друга как родные сестры, они манерно вытягивали губы, потягивая коктейль, с шумом выпускали сигаретный дым и жадно оглядывали наряды соперниц. Они были ушлые, жадноватые, замуж хотели за иностранцев, а романы крутили с фарцой. Встреча с Милочкой поразила его — он быстро оценил ее наряд и увидел растерянность и смущение в ее глазах. Она явно была не из тех, с кем Серега «крутился». «Хороша!» — подумал он, углядев в той шумной компании Милочку. И, кажется, не ошибся. А уж их первая ночь его удивила — Милочка оказалась к тому же девственницей. Во дела! Неужели такие остались? И все ей было в новинку — и мятный ликер, и сигареты «Кент», и гусиный паштет из крошечной, словно игрушечной, баночки. И английский шампунь, пахнувший морем, и душистое французское мыло.

Серега наблюдал за ней и продолжал удивляться: Милочка была до смешного наивна и не искушена. Анахронизм. Ископаемое. Атавизм, пережиток. А уж ее красота, чистая и наивная, робкая и не наглая. «Чукча какая-то, — думал он. — И откуда?» И Серега влюбился. Циник Серега, скептик Серега. Искушенный, избалованный, грубый, жестокий Серега. Смелый, безбашенный Серега по кличке Шалый. Кличка ему подходила. Милочкина наивность и скромность, ее вечное стеснение и смущение подкупали и в который раз его удивляли. К тому же она ничего не просила. Все просили, а она нет. Чудеса. Он такого не видел. Только вспыхивала, сжималась вся, когда он бросал на диван подарки — яркие пакеты со шмотками, французские духи, итальянскую обувь. А уж когда под зиму широким купеческим жестом бросил на пол в прихожей пушистую шубку, Милочка расплакалась, закрыв лицо руками... Так, что он ее утешал.

А для Милочки... Милочка ахнула и бросилась, словно в волну, в бушующее море, в эту новую и прекрасную жизнь. Жизнь, о которой она столько мечтала. Но не это было главное — не тряпки, не духи и не рестораны. Главным был Шалый, ее Серега. Потому что она его очень любила. Так любила, что было страшно.

И часто щемило сердце.

С работы она ушла — настоял Сергей. «Зачем тебе, милая? Ты нужна мне всегда, постоянно. Зависеть от твоего графика? Нет, извини!» А разве Милочка сопротивлялась? Да ни минуты! Через месяц после знакомства она, не задумываясь, перебралась на Патриаршие. Мама, конечно, плакала:

— Кто он, что он? Милочка! Да как же?

— Что? — резко перебивала Милочка. — Что тебя не устраивает?

— А вы распишетесь? — робко спрашивала мама. — Ну чтобы по закону.

— По какому закону, мама? — злилась Милочка. — Лично нам на ваши законы глубоко наплевать!

— Не по-людски все это, — приговаривала мать, горестно качая головой. — Не по-людски!

— А ты живешь по-людски? — вскидывалась дочь. — А бабка Нюра жила по-людски? А тетя Галя? А Марь Иванна? Эта ваша убогая жизнь — по-людски?

Милочка перебирала свои вещи и со злостью откидывала их в сторону — зачем брать эту дрянь туда, в новую жизнь? Зачем ей это дерьмо? Эта дешевка?

Ничего не взяла. Мать не обняла и не поцеловала — пусть тоже призадумается, может, дойдет? Хотя что там у этой курицы в голове? Ясно же — одна солома.

Спали до обеда. Нехотя поднимались — Серега бывал по утрам мрачен и неразговорчив, молча пил кофе и листал журнал, шел в душ, а уж после этого приходил в себя — настроение менялось у него моментально. Только что сидел мрачный и молчаливый Серега, которого ни за что нельзя было трогать — Милочка уже это поняла, — а из душа возвращался совершенно другой Серега, улыбающийся, хохмящий, родной. Быстро собирался и уезжал «по делам». По каким, она не спрашивала. Заявлялся к вечеру.

— Ну, ты готова?

Милочка была готова. Всегда. И начинались карусель и круговерть — ресторан, валютный бар, гости, шампанское, кофе, коньяк. Снова кофе. Возвращались под утро — еле держались на ногах.

Конечно, Серега одел ее, как королеву, во все новое. Приносил шуршащие пакеты с заморскими вещами: платья, блузки, юбки, брюки, белье. Французские духи — пять флаконов на полочке в ряд. Часы, браслет, сережки, колечки. К следующей зиме появилась вторая шубка — теперь из ондатры. Милочка заблестела. Засверкала как елочный шар, прекрасная, стройная, юная Милочка. Теперь она замечательно разбиралась в винах и коньяках, в черной икре — зернистая, паюсная, севрюжья, осетровая, белужья. Она оказалась хорошей и толковой ученицей — Сергей ею гордился. И кстати, был в нее сильно влюблен, пожалуй что, в первый раз так ему снесло голову.

А Милочка? Сначала он сомневался — странная она, его женщина. Для других, для чужих и посторонних — прохладная, спокойная, высокомерная, равнодушная. Снежная королева. Со всеми, но только не с ним! Его-то она любит. С ним она другая. Да что сомневаться? Ему-то, с его жизненным опытом, с его чуйкой и интуицией. Вспомнить их ночи, ее слова, ее руки. Ее глаза поутру. И все станет ясно. Да и потом, Серегу обмануть было трудно — волчья хватка, орлиный глаз, собачье чутье. В этом ему не откажешь. И на всю жизнь запомнил.

— Я буду любить тебя вечно, — среди ночи прошептала Милочка. Понятно, что среди ночи! А когда говорятся такие слова? Он все понимал. И знал цену словам, особенно бабьим. Но здесь поверил.

Он по-прежнему заваливал ее подарками, возил

на море, брал билеты на пароход в самую большую
и дорогую каюту. Останавливались они в лучших го-
стиницах, в самых дорогих номерах. Для них игра-
ли музыканты в самых дорогих ресторанах — Серегу
знали все и везде. Его уважали. За что? За ловкость,
смелость, за хитрость. И еще — за щедрость. В том
мире это ценилось. И Милочку знали — как его женщину.

К матери она заезжала раз в месяц — привозила
продукты и деньги. Мать охала, всплескивала руками, перебирая красивые баночки с деликатесами,
и снова пугалась:

— Господи, Милочка! Такое богатство! И откуда
все это?

— Оттуда, мам! — закатывала глаза дочь. — Ты что
думаешь? Все стоят часами за мерзлой картошкой?

Деньги мать брать отказывалась, и Милочка под-
кладывала их в сервант.

Их с Серегой сладкая, счастливая и веселая
жизнь продлилась три года. И закончилась в одно-
часье — Серегу «приняли», взяли. Арестовали. Растерянная Милочка бродила по огромной темной
квартире и не понимала, что же ей делать. Вскоре
пришел участковый и невежливо попросил ее уби-
раться.

— Прописаны, гражданочка? А ну-ка, позвольте
паспорт!

Испуганная Милочка кое-как собралась, побро-
сала в чемодан, что попалось. Пришлось вернуться
к маме. Та, увидев ее с вещами, всплеснула руками
и, конечно, заплакала.

— Выгнал? Вот ирод! Я же тебе говорила!

Милочка, не говоря ни слова, отодвинула ее, прошла в комнату, легла на кровать и закрыла глаза. Что теперь делать, как жить? Этого она не понимала, и ей было страшно. Как жить без Сережи? Две недели пролежала на диване, уткнувшись лицом в стену. Мать умоляла поесть — Милочка вяло отмахивалась и выпивала пару глотков сладкого чаю. В голове было пусто — ни одной мысли. Спать, спать. Забыть все, что было, а лучше всего умереть. «Это был сон, — повторяла она про себя. — Прекрасный и сказочный сон. Потому что взаправду так не бывает!» А может, это и вправду ей приснилось? Квартира на Патриарших с шелковыми обоями, ванная с мраморными полами, шампанское и белужья икра. Тихая музыка в ресторане — для нее, для Милочки, загадочно, хрипловатым голосом поет по-французски щуплый певец со странной кличкой Цыпа. Это ей, Миле Ивановой, цветочница подносит огромную корзину белых роз и приседает в неловком реверансе. И Милочка снова ощущает себя принцессой. Это ее, Милочку, ждет сюрприз в ее день рождения — вот он лежит на краю подушки, узкий бархатный синий футляр, который страшно открыть. Но она открывает. И тут же солнце «приседает» в открытую коробку и начинает так радостно и игриво бликовать, что Милочка невольно зажмуривает глаза. В футляре браслет. В браслете — бриллианты. Сколько их там, господи... Поди сосчитай.

Поездка в Суздаль — милый городок, где пахнет покоем, стариной, медовухой, шибающей в нос, свежим снегом и мочеными яблоками. Они с Серегой выуживают их прямо из бочки, и сладкий, ядреный сок течет по рукам — ох, как вкусно. И очень весело. С Серегой всегда было весело... И упряжка, русская тройка, несет их вдоль темного леса. И звенит колокольчик — тонко и жалобно. И дрожит прозрачный воздух, и у нее снова захватывает дыхание — от щипучего мороза, от невозможного счастья. Теперь она не принцесса — молодая купчиха со своим миленьким.

Пляж в Гаграх — ей нравится теплая, мелкая, серая галька, а Серега злится — он любит песок. Про песок она ничего не знает — на юге в первый раз. Она осторожно заходит в море, и вода почему-то ее обжигает — она уже обгорела на солнце. Милочка громко охает и вскрикивает, а Серега над ней смеется. Он часто над ней смеется. Но ей совсем не обидно. После пляжа она гуляет по городу — у Сереги свои дела, важные деловые встречи. А она глазеет на пальмы — господи, пальмы! Настоящие пальмы! Трогает жесткие и колючие листья агавы, наступает на упавший инжир — вся мостовая усыпана крупными желтыми ягодами. Ой, как жалко. Столько добра. Бредет вдоль колоннады, не замечая восторженных мужских взглядов и не слыша прицокивания языков — она давно к ним привыкла, что замечать? Садится на скамейку в парке и любуется розами — их тут много, всех цветов и сортов — красные, бордовые, бледно-розовые, белые, желтые. Запах вокруг такой приторный и густой, что у нее начинает болеть голова.

Серега ждет ее в номере. Она быстро меняет туалет.

— Надень то красное платье! — просит, скорее, даже требует он.

Она надевает платье — узкое, в талию, из струящегося трикотажа, с легкой блестинкой. Итальянское. Туфли на каблуке, яркая помада — в тон платью.

Он лежит на кровати и неотрывно на нее смотрит.

У него странный и немного пугающий взгляд — застывший, стеклянный.

— Сережа, ты что? — испуганно спрашивает она.

Он молча кивает и подзывает ее рукой.

Она подходит, и он резким движением опрокидывает ее на кровать. Через какое-то время она пытается восстановить прическу и снова приводит себя в порядок. И дальше ресторан «Гагрипш», сказочный деревянный дворец. Стол уставлен яствами — и как все это съесть? Невозможно. И льется красное вино — терпкое, сладковатое, с одуряющим ароматом спелого винограда.

И ей лично, Милочке Ивановой, нищей девчонке, выросшей в грязном бараке, важный, напыщенный метрдотель, похожий на короля, объясняет, что это место любили и Чехов, и Шаляпин, и Максим Горький, и Иван Бунин. И даже сам царь. Рассказывает и то, как сделан «дворец» — без единого гвоздя, из скандинавской сосны и привезен в разобранном виде. Он ведет ее на балкон, и оттуда открывается сказочный вид на весь город. Милочка замирает от восторга — неужели это все происходит с ней наяву? Ночью она просыпается — очень хочется пить — и видит, что Сереги нет рядом. Значит, опять дела. Какие? Он ничего не рассказывает. Ей, конечно, интересно но она его не теребит вопросами — знает ответ: не женское дело, меньше знаешь — крепче спишь. Все, конечно, так, но немного обидно. Он приходит под утро — только начинает светать. Злой и пьяный, здорово пьяный. Рвет рубашку, и мелкие пуговицы сыплются на ковер. В испуге Милочка отползает к стене, а Серега, не говоря ни слова, падает рядом, и тут же раздается его пьяный, лающий храп.

Делать нечего — сна как не бывало. Она осторожно встает — хотя его и пушкой не разбудить — и собирается на пляж. На улице еще почти темно и серо.

На пляже очень холодно, и она, укутавшись в полотенце и свернувшись в комок, засыпает. Возвращается только к обеду. Серега проснулся, сидит на балконе и пьет пиво. Лохматый и злой. Потом проговаривается — играл в карты. Просадил кучу «капусты» — это его слова. «Развели как лоха, — добавляет он. — Зверски болит голова и хочется жрать». Милочка дает ему таблетку и приносит из ресторана еду. Он ест жадно, руками. Мясной сок течет по подбородку, руки в томатном соусе. Неопрятно и совсем не похоже на ее Серегу.

Но, поев, он приходит в себя и начинает шутить.

— Прорвемся, Милка! — смеется он. — Что нам, бабок не хватит? На всю нашу жизнь? А не хватит — слупим еще! Да, малыш?

Милочка кивает и про себя радуется: «На всю нашу жизнь»! Значит, он собирается прожить с ней всю жизнь? «Я буду любить тебя вечно! — с восторгом повторяет она про себя. — Ты мне веришь, Серега?» И все налаживается, и опять все прекрасно.

Однажды они пошли в кино — для нее это праздник, обычно она ходила в кино одна. Серега, конечно, зевал и говорил, что фильм — полная глупость, в жизни так не бывает. Милочка тихо спорила и жарко убеждала его, что бывает — бывает любовь до гроба, и ожидание любимого из тюрьмы, и десятки лет одиночества.

— Так бывает! — повторила она и слегка обиделась. — Значит, и мне ты не веришь?

Долгим, пристальным, внимательным взглядом он посмотрел на нее, словно видел впервые, и улыбнулся:

— Эх, Милка, не знаешь ты жизни!

— Лично я, — тихо ответила она, немного смутившись, — лично я тебя бы ждала. Ждала бы, сколько надо — десять лет, двадцать... Ты мне не веришь?

Серега засмеялся:

— Не-а, не верю! Вот ни минуты не верю!

И она начала плакать — так это прозвучало обидно. И почему он ей не верит? Ну почему, почему? Вспоминая все это, Милочка тихо, беззвучно и горько заплакала. Свернувшись в комок, заскулила, как щенок.

Через пару недель она встала. Кое-как умылась, расчесала волосы и поела — жадно прихлебывая и причмокивая. Съев кастрюльку «нищего» супа — картошка, морковка, пшено, — добавила тарелку серых, разваренных макарон и выпила две чашки сладкого чая с печеньем.

Мать смотрела на нее не дыша, словно боялась спугнуть это счастье. Потом Милочка, не сказав матери ни одного слова, быстро оделась и вышла на улицу. Бабки у подъезда проводили ее молчаливыми и жалостливыми взглядами. И только потом, когда она скрылась за поворотом, громко и жарко, торопливо перебивая друг друга, принялись ее обсуждать. Беременная, что ли, Веркина девка? Али бросил жаних? По-любому — горе, что тут говорить. И дружно вздохнув, замолчали, пожевывая губами, — у всех было что вспомнить. Жизнь всех покусала.

Милочка поехала к Анзорчику. Он был дома, но, открыв дверь, долго раздумывал, приглашать ли нежданную гостью в дом. Вздохнув, наконец пропустил в коридор. Глаза прятал.

— Да ничего я не знаю, Мил! Ну честное слово! — Ну а потом признался: — Да, сидит. Да, дело плохо. Дед свалился с инфарктом. Прилетела из Лондона мать. Ходит, стучится, бьется во все двери, куда только можно. А помогать не хочет никто — кому это надо? Статья-то светит валютная, страшная. Кому охота мараться? Свидание? Да ты что, одурела? Кто тебе даст? Ты ему же никто! Передачи? Да за это ты не волнуйся — мать все приносит. Письмо? А как я его передам? Через мать? Нет, подруга, это — сама. Со мной разговаривать она не станет. Все причитает, что это мы, друзья, сбили ее честного мальчика с верной дороги. Смешно, правда? — И Анзорчик весело рассмеялся.

Милочка вздрогнула и нажала кнопку лифта.

Поехала на Патрики. Долго звонила в дверь — не открывали.

Наконец дверь приоткрылась.

— Вам кого, что вам надо?

Милочка что-то залепетала, а растрепанная женщина в темном халате ее перебила:

— Все это меня не волнует! Подруга Сергея? Да ради бога! У него этих подруг... Какое письмо? Вы что, обалдели? Нам сейчас не до вашего письма. Вы что, не в себе? Не понимаете? И вообще не до вас. Идите домой и не лезьте в нашу семью!

Дверь захлопнулась, Милочка медленно пошла прочь. Она еще долго металась по знакомым — в поисках любой информации, любого известия. Все тщетно.

Позже узнала — был суд, осудили. Дали пятерку — как повезло! По восемьдесят восьмой — и пятерку! Удача. Конечно, мать, конечно, дедовы связи. Правда, дед помирает — это его подкосило. Да и мать еле жива. И у папаши карьера накрылась.

Ей было наплевать и на деда с повторным инфарктом, и на «еле живую» мать, и на карьеру отца. Пять лет! Всего-то пять лет! Какая ерунда, какая чепуха! Они пролетят — и не заметишь. И Милочка воспрянула духом. «Какие пустяки — пять лет! — без конца повторяла она. — Конечно, я его дождусь, это даже не обсуждается. И мать его меня поймет, и мы с ней подружимся! Я поеду туда, на зону, к нему. А кто мне запретит? А там мы поженимся — я слышала, так бывает». Жизнь снова обретала смысл. Милочка ожила.

Пришла к его матери еще раз. Та, кажется, постарела еще лет на тридцать. Смотрела на нее невидящим взглядом — не узнавала. А потом вздрогнула:

— А, это вы... Подождите. — И вынесла листок бумаги: — Это, кажется, вам.

Милочка схватила его и бросилась вниз по ступенькам. На крыльце развернула.

Там было всего пару слов: «Не дергайся и ничего не предпринимай — сделаешь хуже. И вообще, живи, как будто ничего не было. Устраивай жизнь. Значит, такая судьба. Больше ты мне не нужна. Все забудь».

Все. Брела куда-то, куда ноги несли, и ревела. Споткнулась, упала, разодрала в кровь коленки. Поднял какой-то мужчина:

— Девушка, помощь нужна?

Мотнула головой и дальше пошла, еле передвигая ноги. В голове гулко стучало: «Сделаешь хуже. Устраивай жизнь. Ничего не было. Больше ты мне не нужна. Все забудь».

Как это — не было? Милочка остановилась. Не было? Да вы что? Это же жизнь была! Самая настоящая жизнь! Это до Сереги у нее ничего не было! Вычеркнуть, перечеркнуть? Забыть все, что было? Она оторопела, наконец осознав. Он от нее отказался. Вот так просто: забудь — и все! Он-то, наверное, уже забыл.

И тут подступила обида: ты со мной так? Ну хорошо. Значит, и я так же.

Правильно, надо слушаться маму: нельзя себя в такие годы в землю зарыть. Закопать, со всей своей красотой, юностью, нежностью, горячими руками и губами, гладким телом, крепкой грудью.

Мама плачет ежевечерне:

— Доченька, хватит себя убивать! В жизни такое бывает — ты мне поверь!

Глупая мама думает, что Милочку бросил парень. Если бы так. Ее не бросили — ее предали. А предательства она никогда не простит.

Глянула на себя в зеркало — страшная, господи! Чернота под глазами, нос острый, как у покойницы. Волосы тусклые, тощая — просто баба-яга.

Нет, так не пойдет. Я бы тебя ждала, Серега. Я бы все сделала. Передачи бы тебе возила, ждала тебя. Сколько надо ждала бы.

Да там бы, на краю зоны твоей, поселилась! В крестьянской избе. Черт с ней, с Москвой! Лишь бы видеть тебя, знать, что ты где-то здесь, совсем рядом. Но ты не захотел. Ну значит, так. У всех своя судьба, ты прав. У тебя — такая, выходит. А у меня будет другая. Назло тебе, милый. Назло, любимый, тебе! «Я буду любить тебя вечно!» Какая же я дура! Наивная глупая дура!

Теперь она знала, куда пойти — друзей было много. Это им с Серегой никто был не нужен — спешили остаться одни. Правда, были ли это друзья — вопрос.

И закружилась жизнь — опять закружилась. Квартиры, бары, кабаки. Гремящая музыка, танцпол, коньяк, сигареты, незнакомые лица. Шум, грохот, громкий натужный смех. Чужие жесткие руки, плечи, глаза. Чужой запах. Все чужое. Ненужное. И ненавистное. До тошноты.

Короткие поездки — спонтанные, внезапные, глупые.

Вдруг кто-то объявлял: «А не махнуть ли нам, братцы?» Все оживлялись: «Махнуть? Да раз плюнуть!» И поднимался спор — куда. Предлагали ленинград — он ближе всех. Потом — Ригу, Вильнюс, Ташкент или Сочи. Два — от силы три дня. Так, проветрить мозги.

Желающие тут же шумно и быстро собирались, подбадривая друг друга и посмеиваясь над собой, и спешили на вокзал или в аэропорт. Билеты были всегда — знакомые кассирши все устраивали по звонку или за «красненькую».

Иногда получалось не очень. В апреле рванули в Ригу, в Москве уже было тепло, а там — ноль и снег. А все одеты кое-как — джинсы, юбочки, майки. Дрожали на ветру, словно цуцики. Сразу отправились в универмаг — бегали по отделам, хватали все подряд и ржали как сумасшедшие, напяливая на себя теплые фуфайки и куртки. Блондинистые продавщицы с холодными каменными лицами смотрели на весь этот зоосад и не думали улыбаться. Рассмеялась одна — самая юная, совсем девочка. А следом прыснули остальные — ну вы страшный десант, москвичи! На такую наглость способны только вы, это точно. Оккупанты.

Мотались потом по городу клоунами — в нелепых, не по размеру одежках. Разместились, конечно, в «Интуристе» — деньги-то позволяли отсыпать швейцару червончик и тетке-администратору с пышной бабеттой на голове «фиолетовую» — двадцатьпятку.

Гостиничная благообразная публика, включая иностранных гостей, смотрела на этих чудиков во все глаза — и чего не бывает?

Но к вечернему ужину этикет был соблюден — девицы надели то, что успели уцепить в валютном

«Альбатросе», и зашли королевами. Присутствующие ошарашенно оглядывали красоток на длинных ногах и растерянно переглядывались — такой концентрации красивых девушек здесь еще не видел никто. В Ленинграде останавливались в «Астории» — не меньше. Ненадолго заглядывали в музеи — так, пробежаться по залам. Дальше по антикварным — поглазеть, и в кабак. Славились тогда «Кавказ», «Европа», «Невский». Для смеха и прикола забегали и в «Минутку» — лучшую пирожковую в городе.

А вот в Ташкент летали поесть — точнее, пожрать, уж извините. Приезжали на сутки — и сразу в «Яму». Так назывался старый район, где стояли частные дома. Почти в любом дворе был накрыт стол и дымились мангал и тандур. Калитки были открыты. Усаживались за большой стол, покрытый дешевой клеенкой. Из дома выбегала крикливая детвора и степенно выходили молчаливые женщины. Ставили на стол горячие лепешки, подавали чай и фрукты. А в это время мужчина-мангальщик или пловщик начинал колдовать. По двору, над столом и пышными чинарами, поднимался дымок, и разносились невозможные пряные и острые запахи.

Подносились расписные блюда с дымящимся пловом, золотым от моркови, и румяные, блестящие от жира шашлыки. В сине-золотых пиалах переливался на солнце лагман или чучвара. Запивалось все это крепким и душистым ароматным горячим чаем. Наевшись так, что ни встать, ни вздохнуть, отправлялись на послеобеденный отдых — девушки в доме, парни во дворе, под чинарами, на матрасах и подушках. После тяжелого сна снова чай и — дорога в аэропорт. Отвозил, как правило, сам хозяин двора. Стоило все это копейки. По дороге прихватывали фрукты — сочные персики, огромные золотистые груши, юсуповские помидоры размером с мужской кулак, орехи, курагу, чернослив, вяленую дыню.

Гуляли.

В Таллин ездили посмотреть на красивую «заграничную» жизнь — тогда Прибалтика казалась Европой.

А однажды рванули в Грузию — с трудом уговорили сильно упирающегося Анзорчика. Тот выглядел растерянным и смущенным и когда к трапу подали черную «Волгу», и когда лимузин с кавказским отчаянным шиком подкатил к особняку в центре Тбилиси. И когда хмурый человек с небритым лицом открыл перед ними, притихшими, высокие, мощные кованые ворота. А уж когда они очутились во дворе особняка — а это точно был особняк, настоящий, с колоннами и мраморными портиками, то и вовсе лишились дара речи. Увидели деревья, усыпанные лимонами, и огромные пышные кусты роз. Зашли в дом — холл, камин, деревянные темные резные потолки, бронзовые светильники, словно из рыцарских веков. Это была новая, совершенно незнакомая им роскошь. Растерянно переглядывающиеся, они не знали, как вести себя дальше. А после был обед в огромной столовой со стенами, обитыми изумрудным шелком. Подавали две женщины в черных платках и черных, строгих платьях. Все — молча, без единого слова.

Обедали они в полной тишине — обалдевшие, ничего не понимающие, растерянные. Молчал и смущенный Анзорчик, пояснений не давал, лишь изредка предлагал закуски.

— Это пхали, — объяснял он, не поднимая глаз. — Очень вкусно, попробуйте! А это — чакапули, ягнятина с травами и кислыми сливами.

К вечеру, порядком уставшие и объевшиеся, расположились в огромной бильярдной. Девушки дремали в креслах, а парни вяло гоняли шары. Дверь распахнулась, и в бильярдную тяжелой поступью зашел высокий и полный мужчина в черном костюме и поскрипывающих блестящих ботинках. Его холеное, красивое, жесткое лицо казалось непроницаемым.

Окинув комнату невозмутимым взглядом, с неожиданной улыбкой кивнул:

— Добрый вечер, дорогие гости! Милости просим!

Публика вздрогнула, переглянулась и с готовностью закивала:

— Да, да, спасибо! А мы-то как рады! А вкусно как у вас! А дом какой! Ну просто дворец!

Улыбка сползла с его лица, он снова обвел честную компанию своим тяжелым, неторопливым взглядом, остановился на Анзорчике. Со вздохом кивнул:

— А ты иди сюда! Слышишь?

Анзорчик, вжавшись в огромное кожаное кресло, не поднимая глаз, вяло кивнул, нехотя, медленно встал и так же медленно, обреченно поплелся за важным дядей.

— Народ! — подал голос кто-то. — А что это значит?

Начались предположения — это, скорее всего, папаша Анзорчика. Ну или дядька. Точно из близких, родня — это понятно. Кто он есть? Хозяин мандариновой плантации? Эту версию отмели — мандарины растут в Абхазии, как авторитетно заявил кто-то из присутствующих. Хозяин коньячного или винного завода? Помолчали, обдумывая. Да, похоже. Цеховик? И это возможно. Кто-то засомневался — цеховик вряд ли. Они так, в открытую, богатство не выставляют, даже здесь, в Грузии. Хотя здесь все возможно.

А потом дошло — дяденька важный наверняка из партийных боссов. Вот ему и позволена вся эта роскошь. Кавказ — все напоказ. Потом притихли, пригорюнились — ждали Анзорчика с объяснениями. Он появился спустя пару часов, поникший, вялый, растерянный и смущенный — видно, получил от важного хозяина особняка нагоняй. И объяснил:

— Да, это папа, ага. А я что, виноват? Да, партийный бонза, а что? Я-то при чем?

— Ну и куда теперь? — тихо спросил кто-то. — В аэропорт?

Анзорчик замотал головой и замахал руками:

— Что вы, при чем тут вы? Гость — это святое! Остаемся тут, папа будет рад.

Правда, последнее, надо сказать, вызывало сомнения, и у самого Анзорчика, кажется, тоже. Постановили голосованием — остаемся до завтра, а там будет видно. А назавтра все успокоились и забыли про важного хозяина — поехали на двух машинах на Куру — по здешнему Мтквари. Купались в бурной и холодной речке и ели сочные шашлыки в придорожном шалмане. Милочка спросила у Анзорчика:

— А как так вышло, что ты фарцуешь? У тебя же все было? Да не просто все — больше, чем все?

Она искренне не понимала — этот дом, эта прислуга, эта машина?

И Анзорчик, «ломающий бабки» у «Березки»? И ментура, и ожидание самого страшного? Зачем?

Анзорчик криво усмехнулся и кивнул:

— Права, Милка! Только... — Он замолчал и продолжил: — Только надоело мне это все, понимаешь? До тошноты надоело! Мама умерла, когда мне было пятнадцать. И жизнь вообще... — Анзорчик громко сглотнул. — Вообще жизнь тогда кончилась... Для меня. Отца я никогда не любил — ну, ты и сама все видела. Не любил и презирал. К маме моей он относился паршиво. Сволочь, короче. Да и дружки его все — такие же твари. Коммунисты. И все воруют. Все взятки берут. Я их всегда ненавидел. Да, здесь у меня все было. И даже больше, чем все. Ты права, Милка! Но мне захотелось свободы, и от него в первую очередь. Ну я и свалил в столицу. Денег он мне не давал — решил посмотреть, как я буду от голода загибаться. Да и я брать не хотел — помнил обиды за маму. Он потом подсылал ко мне то своего секретаря, то лучшего друга. Просил, чтоб я вернулся. Умолял. А я отказывался. Я вольная птица! — И вдруг Анзорчик рассмеялся: — А я не загнулся, как он мне обещал!

— Назло ему, я поняла, — кивнула Милочка.

— И это тоже, — подумав, согласился Анзорчик. — И еще назло себе! Скучно было — как на кладбище жил. А тут...

— Стало весело? — горько спросила Милочка. — А Сереге моему весело особенно.

В общем, поговорили. И все-таки она не понимала — ни Анзорчика, ни Серегу. И чего им не хватало, господи? Дураки. Да если б у нее были такие родители...

* * *

От знакомых она кое-что знала — Серегин дед умер, не вынеся позора. Мать курсировала из больницы в больницу, отца с дипломатической службы сразу же выперли, и теперь он тихо спивался. К Сереге пару раз съездили друзья, но все довольно скоро о нем забыли. Все, кроме нее, Милочки. Ее не отпускали ни боль, ни обида. За что он с ней так? Почему отверг ее любовь? Пожалел? Ее пожалел, ее молодую жизнь? Нет, вряд ли. Серега — большой эгоист.

От матери она вскоре съехала — у блондинки Марины, ее приятельницы, появился богатый сожитель, оперный певец из Узбекистана. Он поселил Маринку в роскошную хату на Полянке — хрустальные люстры, персидские ковры, бархатная мебель. Чья была хата, непонятно, но здесь вопросы не задавали. Узбек приезжал пару раз в месяц. Шофер затаскивал тяжелые корзины со снедью: темные помидоры, свежие огурцы среди зимы, пучки ароматной зелени, освежеванные туши молочных ягнят. Пряные и невероятно приторные и жирные сладости, истекающие соком персики, груши и прозрачный виноград. Бутыли со сладким вином и терпким коньяком, банки с икрой и гладкие, блестящие рыбины — осетры, лосось. Маринка сидела среди этого великолепия как принцесса в гареме. Узбек ее обожал, но жизнь ее сладкую и разгульную прекратил.

Теперь она не выходила из дома, объедалась, пухла, как на дрожжах, и очень злилась.

Милочка приходила к ней в гости, естественно, когда Падишаха — так Маринка называла любовника — не было дома.

Маринка жаловалась:

— Зачем мне это? Нет, ты ответь — зачем? Жопу я себе уже отъела — смотреть противно. Сижу тут в четырех стенах и дурью маюсь. Нет, уйду я от него, уйду! Он, конечно, хорош — щедрый, веселый. Денег дает, цацки горстями возит. Только куда это мне? Ходить-то некуда! Надену все это — вон, шкафы ломятся — и в зеркало пялюсь. На рожу свою разжиревшую. А он говорит: «Маринка! Ты ж у меня хорошеешь день ото дня!» Представляешь? — И Маринка жалобно всхлипывала.

Милочка понимала: и вправду, не жизнь. Клетка и есть клетка — пусть и золотая. Только кому это надо? И шкафы, полные тряпок, и коробки с восточным золотом — блескучим, красно-розовым, купеческим. Но советов не давала — у нее был свой интерес. Конечно, квартира! Жила она в Маринкиной однокомнатной у метро «Спортивная» — не центр, конечно, но район приличный. Квартирка чистенькая, хоть и небогатая, — красота. А уйдет Маринка от Падишаха? Куда возвращаться? К маме в поселок?

* * *

Милочке снова стало невообразимо скучно. Нет, в выходные было отлично — жизнь кипела, это да. А когда гульба затихала, тоска подступала острее —

Милочка маялась в одиночестве: скука, тоска и печаль стали ее подружками, тремя вечными спутницами. И тремя мучительницами.

Сердце разбито. Время идет. И — ничего. Ниче-го.

Именно тогда, кажется, это был сентябрь — да-да, сентябрь, — они собирались в Пицунду всей не самой честной компанией — к ней на улице подошел приятный мужчина. Представился:

— Алексей Алексеевич, модельер. Конструктор одежды. Знаете, что это?

Милочка усмехнулась и почти сразу поверила — мужчина был модно и хорошо одет, гладко выбрит и очень ухожен: маникюр, дорогой одеколон, ухоженная, гладкая кожа.

— Модельер? — усмехнулась она. — Я за вас рада. И? Что дальше?

Мужчина тихо и мягко рассмеялся:

— Имею, так сказать, интерес к вашей прекрасной фактуре.

Модельер и конструктор пригласил ее в кафе поблизости — дурацкое кафе-мороженое, где сидели мамаши с детьми, — круглые шаткие столики, металлические вазочки с мороженым, лимонад и жиденький кофе.

Сели и начали разговор. Он предложил ей работу: «Да, манекенщицей. А что тут такого? У нас прекрасные девочки! Чудные просто. И замечательный коллектив».

Пока новый знакомый разливался соловьем, Милочка думала, что все он, разумеется, врет. Слышала она про расчудесных девочек, готовых вцепиться друг другу в глотку. Про замечательный коллектив, где все друг на друга стучат. Ну и про все прочее — богатых и влиятельных любовников с самых верхов, про дорогие подарки, про командировки, про райкомы партии, про склоки и непрекращающиеся войны.

Но ей было так скучно и так пусто.

Милочка задумалась. «В конце концов, а чем черт не шутит? Может, стану звездой? Или просто чемто займусь, а то окончательно чокнусь, как Маринка, от скуки. Да и денег почти нет — откуда деньги? То, что осталось от Сереги, почти уже все проела. И в ломбард нести уже нечего, и занимать у друзей неудобно».

Сквозь сумбур, творящийся у нее в голове, услышала:

— Денег, конечно, у нас много не платят, но, вы ж понимаете, льгот предостаточно! — И он, вздохнув, развел руками и улыбнулся.

— Я подумаю. — Милочка резко поднялась.

— Только недолго! — Новый знакомец игриво пригрозил ей пальцем. — Не упустите свой шанс!

Милочка усмехнулась.

— Я же сказала — подумаю!

Он протянул ей узкий и плотный кусочек бумаги.

— Визитная карточка. Здесь вся информация.

Милочка кивнула, взяла карточку и, высоко подняв голову, направилась к выходу.

Алексей Алексеевич внимательно смотрел ей вслед. «Эта подойдет, — подумал он. — Да, подойдет. Что-то в ней есть, в этой Людмиле. Холодность какая-то, равнодушие. Спокойствие. Ее, кажется, ничем не проймешь. А мне такие нужны. Хватит с меня истеричек. Гонору многовато, конечно, но ничего, жизнь обломает. И не таких, как говорится, на место ставили».

* * *

Алексей Алексеевич Божко приехал в столицу из крошечного села Ватуевка, что в Архангельской области. Был он тогда типичным провинциалом — смущенным, зажатым, тихим и вечно голодным, тощим деревенским пацаном с пятнадцатью рублями в кармане. И никто — поверьте, никто! — не разглядел бы в то время в нем будущего лощеного ловеласа с отличными манерами и барскими замашками.

Что делать и чем заниматься — не знал, но надеялся, что большой город выкормит, пропасть с голоду не позволит — так и случилось.

Мотался по вокзалам, разгружал вагоны. Ночь на вокзале — десятка. Хорошие деньги! Можно безбедно прожить всю неделю. Ночевал на «рельсах». Вместе с такими же мыкавшимися без угла ребятами уходили на запасные пути, залезали в пустые вагоны. Летом это хорошо, а вот зимой... Из зала ожидания их нередко выгоняли. Были милицейские и добрые и злющие — как повезет.

Из вагонов тоже кое-что перепадало — зависело от бригадира. Добрый бригадир распарывал мешок и раздавал оттуда «гостинцы» — то арбуз или дыню, то по пакету крупы, то ссыпал по кулькам картошку или яблоки. А иногда шиковали — вскрывали ящики и брали консервы, мясные и рыбные, по бутылке вина или конфеты россыпью.

Потом Лешка разжился, снял угол на Преображенке у глухой вредной старушки. Спал на раскладушке, в аккурат у сортира. Зато там он не слышал богатырского храпа хозяйки. И горячая вода и газ были всегда.

Но он загрустил. Не для этой убогой и нищей жизни он рвался в Москву.

Мыкался по углам он недолго. Года через два — два с половиной оказался в постели одной ну очень известной — разумеется, в узких кругах — дамы. С дамой — нет, лучше так: с Дамой этой он познакомился случайно.

В погожие солнечные деньки, будучи свободным от разгрузки вагонов, он выбирался на пленэр с маленьким мольбертиком и тюбиками дешевой акварельной краски. Леша Божко любил рисовать. Пейзажики его были скромными, как он сам, но милыми и искренними. Увлекшись, он не сразу заметил Даму, что стояла за его неширокой спиной. А когда обернулся, то замер. Дама была прекрасна. От нее прямо-таки веяло красотой, роскошью и деньгами.

Она задумчиво посмотрела на доморощенного художника и нежно улыбнулась.

— А у вас получается! Есть в этом что-то такое... — Она задумалась. — Свежее и неизбитое.

Леша Божко вздрогнул и покраснел. Надо бы поблагодарить, но язык словно распух и не шевелился. Он с трудом сглотнул вязкую слюну, кивнул и нарочитым басом прогудел:

— Ну спасибо! Это очень приятно!

Дама звонко рассмеялась, слегка откинув прекрасную голову с легкими золотистыми волосами, и, прищурив глаз, спросила:

— А еще у вас что-нибудь есть?

Леша окончательно растерялся, покраснел словно рак и замычал что-то невразумительное — типа, есть, но мало. Но если надо, так я ж могу и еще!

Дама беспечно махнула рукой:

— Да ладно! Не переживайте вы так!

Он так оторопел, что подумал, а не издевка ли это? Шляется тут без всякого дела и пристает со всякими глупостями! А он уши развесил. Но Дама достала из шикарной красной лакированной сумочки бумажку:

— Здесь мой телефон! Будет нужно — звоните!

Обворожительно улыбнувшись, махнула рукой и быстро пошла по аллее.

Алексей Божко растерянно повертел бумажку в руке: «Дана Валерьевна» было написано там.

Он сложил мольберт, убрал кисти и краски и в тяжелой задумчивости направился к дому. Что это значит: «Будет нужно — звоните»?

Нужно — что? Нет, это все же какой-то бред! Видение. Дана. Дана, повторял он. Имя и то какое, а? Раньше он и не слышал. Ночью, намучившись от бессонницы и неясной тревоги, он неожиданно осмелел и решил, что позвонит этой Дане. В конце концов, будь что будет. Ну не съест же она его по телефону! В крайнем случае — пошлет куда подальше. А уж к этому он привычный. Еле дождался утра. В восемь взялся за телефонную трубку, но взглянул на часы и вовремя остановился. Сообразил — такие фифы наверняка спят до обеда. Но к полудню нервишки окончательно сдали, и он позвонил.

Голос в трубке был бодр и деловит:

— Алексей? А, тот, из Сокольников? Художник с мольбертом? Да, разумеется, помню! Я же еще не в маразме! Что вы там мямлите, Алексей? Вас плохо слышно! Послушайте, а вы можете сегодня подъехать ко мне? Ну, скажем, часов в восемь вечера?

Он что-то буркнул в ответ.

— Да? — Ему показалось, что она обрадовалась. — Ну тогда записывайте адрес! Это в самом центре, у Покровских ворот.

Он положил трубку и медленно опустился на стул.

Что все это означало, он не понимал совершенно. Однако сердце подсказывало — ничего плохого и страшного. А что будет дальше... Так дальше мы и узнаем. В конце концов, это — столица! Это — Москва! А здесь случаются разные чудеса. И он в них все еще верит. Алексей долго брился и разглядывал себя в зеркале. Поворачивал голову вправо и влево, растягивал в улыбке рот, сводил к переносью брови, сужал глаза, распахивал их и — размышлял. Он знал, что красавчик. Так его называли еще в школе. Лешка Красавчик — почти кличка. Он стеснялся своих густых и длинных ресниц, больших синих глаз. Пухлого, словно девичьего, рта. Белой и нежной кожи, волнистых и темных кудрей.

Парни относились к нему с пренебрежением. А как еще можно относиться к красавчику? Он был совсем не деревенский, этот Лешка Божко. Даже мать вздыхала, искоса глядя на сына. Удивлялась —

и в кого он такой? Но когда Лешка решил уехать из села, за брючину не держала — понимала, здесь такому не место. Не приспособлен ее Лешка для грубой деревенской жизни. Может, в городе повезет.

К визиту к Прекрасной Даме готовился тщательно — постирал и погладил единственную приличную голубую рубашку — знал, что голубое к лицу. Отгладил стрелки на единственных брюках, долго и яростно натирал гуталином ботинки.

По дороге задумался, остановившись у цветочного магазина — идти налегке? Вроде бы неудобно. Подумал и решился на три гвоздики алого цвета. Ровно в восемь он позвонил в богато обитую дверь. Хозяйка открыла почти сразу — красивая, душистая, воздушная. Фея из сказки. Увидев его, неловко сжимающего скромный букетик, рассмеялась.

— Ох! А вы — джентльмен! — И, отсмеявшись, пригласила пройти.

Откровенно шарить по стенам глазами было неловко. Но он понял сразу — попал во дворец! Подобную роскошь случалось видеть в кино и однажды в театре — купил с рук контрамарку в Малый.

Сели за огромный овальный стол, покрытый бархатной скатертью. Хозяйка, Дана, уселась напротив и, подперши голову рукой, смотрела на него с легкой, почти незаметной усмешкой. Он так был смущен, что не знал, куда деть руки, и прятал глаза.

— А вы голодны, Алексей? — вдруг встрепенулась Дана.

Он отчаянно запротестовал:

— Нет, нет! Что вы!

— Ну тогда чай! — кивнула она и легко нырнула в недра квартиры.

Тут он огляделся. Тяжелая хрустальная люстра точь-в-точь как в театре. И как такая не падает? Картины по стенам, под ногами ковры. Да такие, что страшно ступить! Огромное зеркало в человеческий рост. Он мельком глянул на себя и ужаснулся: перед ним предстал неловкий провинциальный юноша, смешной и жалкий. А тем временем Прекрасная Дама накрыла чай.

Он с ужасом глянул на чашку — она была такой изящной и тонкой, что было боязно взять ее в руку. Но справился, взял. И чай был такой, что он поперхнулся, — крепкий, терпкий, ароматный. До сей поры он пил нечто больше похожее на заваренную тряпку или сено. А вот пирожное — маленькое, шоколадное, с прозрачным цукатом — взять постеснялся.

Потом хозяйка попросила его рассказать о себе. Он начал рассказывать про село, про мать, про то, как он любит рисовать — больше всего на свете. Как приехал в Москву. Ну и так далее. Дана смотрела на него с улыбкой и подбадривала взглядом. А он снова терялся и прятал глаза.

— Ну, — наконец спросила она, — и какие планы на жизнь?

Алексей, красный как рак, закашлялся и с тихим ужасом поднял на нее глаза.

— Да вот... не знаю. Хотелось бы рисовать, но только кому это нужно? Хотелось бы... устроить, чтобы как-то... работать нормально. Не знаю... — Он вконец расстроился и даже решил сбежать, чтобы прекратить это мучение.

Дана смотрела на него внимательно и наконец кивнула:

— Все так. Рисунки твои никому не нужны — это правда! Художников здесь завались. И пробиться трудно, если ты не гений, конечно! А ты, Леша, не гений, прости. А вот талант у тебя несомненно имеется! Да. У меня глаз наметан — не сомневайся.

Он молча кивнул.

— И что из этого следует? — хитро улыбнулась она.

Он пожал плечами и еле промямлил:

— А я почем знаю... Что я понимаю в вашей столичной жизни?

— А из этого следует, что надо найти что-нибудь такое... — Она задумалась и пощелкала пальцами. — Что еще не так занято, вот! Ты меня понял, Леша Божко?

Он сокрушенно покачал головой, хотя это признание далось ему нелегко. Но подумал: прикидываться не буду, буду таким, как есть. Выгонит — и слава богу! И вообще — зачем я пришел? Он не понимал, зачем эта красивая и определенно богатая женщина заговорила с ним. И уж совсем не понимал, зачем она пригласила его домой.

Понял позже — Прекрасная Дана скучала. В подругах она давно разочаровалась, в мужчинах тоже. Покойный муж — известный скрипач — был старше ее на двадцать два года. Человеком он был неплохим, но болезненным — гипертоник, сердечник и явный невротик. Сказывалась долгая жизнь в Большом, полная интриг и борьбы. Отпущено счастливой семейной жизни им было немного — всего-то семь лет. Правда, он оставил неплохое наследство.

Не прошло и двух лет, как у нее появился любовник, генерал от космических дел. Это был самый яркий и самый красивый период в ее жизни. Генерал вхож был на самые верха — выше некуда. К тому же был он человеком с богатым духовным миром — коллекционер, страстный меломан и театрал.

Генерал был женат, но от света ее не скрывал — пережив самого генералиссимуса, не боялся уже ничего.

К тому же его тихая и безропотная жена, отстрадавшая и привыкшая к его страстным и долгим романам, давно жила своей жизнью. Дети, внуки, огромная дача, сад, огород и прислуга — вот за ней глаз да глаз! Узнав от дочери про новую любовницу мужа, она махнула рукой:

— Да брось ты, Лена! И сколько их было? И что? Ведь не ушел! И сейчас не уйдет — теперь-то куда, под старость? — И тут же, без паузы, крикнула кухарке: — Маша! А что там с вареньем? Не перекипит?

Дочь посмотрела на нее с удивлением, но разговор продолжать не стала — безнадежно! Отца она, кстати, не осуждала.

Дане стало жить еще интереснее — друзья любовника-генерала отличались от друзей мужа-музыканта, например, разнообразием. У покойного мужа круг был узкий — коллеги по театру. Сплетни и зависть — почти нескрываемые. А здесь были и творческие люди, и люди науки, и военная элита. Да и забот теперь не было — какие заботы у свободной женщины? Какие обязанности, если ты не жена?

Генерал все делал со страстью — работал, отдыхал, ловил рыбу, жарил мясо, читал книгу, слушал музыку и — любил Дану. Нет, не любил. Он ее обожал, понимая, что эта песнь — лебединая.

Генеральское жалованье было таким, что его хватало на всех — и на жену, и на детей, и на любимую женщину. Ни в чем Дана не знала отказа.

В квартире, оставшейся Дане после мужа, он сделал шикарный ремонт — шторы и посуду привезли из Франции и Голландии. Он умудрялся даже брать ее с собой в командировки. Как-то устраивал — ему многое было разрешено.

Жизнь с ним казалась Дане сказкой — яркой, интересной, насыщенной и волшебной. К тому же они любили друг друга.

Но — вот ведь судьба! Через те же семь лет, что им было отпущено с мужем, ее любовник скончался. На похоронах Даны не было. Церемонию освещали пресса и телевидение, и две вдовы у гроба — это, знаете ли, слишком. Да еще и на виду у всей страны, у всего мира.

У гроба на стуле сидела законная, немолодая, замученная, а теперь освобожденная от пересудов и сплетен вдова — теперь это был официальный статус. Она заслужила. И, честное слово, это было гораздо приятнее, чем вечный статус жены обманутой и даже неоднократно преданной.

Дана смотрела короткий репортаж из Колонного зала по телевизору. Плакала, ощущая себя сиротой...

И еще — с той поры дала себе слово: никаких мужчин в возрасте. Ни мужей, ни любовников —

все, точка. Хватит с нее смертей и похорон — теперь только мальчики.

Симпатичный и неловкий паренек из деревни показался ей забавным. Он густо краснел, сбивался и робел, и ей стало понятно, что столица испортить его не успела, он сохранил желания, мечты, романтичность, свежесть чувств и трогательную наивность. К тому же он был талантлив-талантлив, это она тоже увидела. А красавец! Таких единицы. Лепить из него художника? Нет, это вряд ли. Слишком тяжелый и длинный путь. Ну посмотрим, посмотрим. С ее-то чутьем и возможностями она обязательно что-нибудь придумает.

После чая в ход пошло вино, завязалась долгая беседа, он снова краснел и терялся. А дальше, глянув на часы, Дана спросила:

— Останешься?

После минуты раздумья, растерянности и даже страха Алексей молча кивнул. Он лежал в ее роскошной постели — нежнейшее тонкое белье, легкое, как пух, одеяло, приглушенный и таинственный свет, когда она после душа зашла в спальню. Он зажмурился, чувствуя, как холодеют конечности. Она рассмеялась и нырнула под одеяло, успев шепнуть короткое: «Не бойся, Лешенька!» А когда все закончилось и она, тяжело дыша, откинулась на подушке, поняла — мальчишка-то девственник. Господи, да сколько ему? И неужели — ни разу?

Но это было еще приятней и слаще. Только промелькнула мыслишка — а сколько мне еще таких осталось? Таких наивных и сладких?

Под утро, когда ей невыносимо хотелось спать, нежный Ромео совсем разошелся — вошел, как говорится, во вкус. «Ого! — с удивлением подумала она. — Загонит ведь, а?»

Почти неделю они не выходили из дома. Тихий и скромный Лешик, как Дана его называла, окончательно разохотился. Они, казалось, забыли обо всем на свете — он, прочувствовав это впервые и все еще пораженный открытиями, а она — с каким-то отчаянием, что ли.

Потом Алексей вспоминал, как быстро он влюбился в свою первую женщину? Не помнил. Все перемешалось тогда — жар, страсть, неопытность и опыт, отменные возможности и силы, желание и стремление доказать — его, конечно, стремление. А позже, когда Даны не стало, когда он, робкий Лешик, превратился в того самого Алексея Божко, подумал: «Я полюбил ее сразу. В то же мгновение, в ту же секунду. Когда она, моя женщина, нырнула под одеяло и осторожно прижалась своим невозможным, своим сказочным телом».

Даны давно уже не было на свете — ушла она незаслуженно рано от тяжелой болезни, до своей мечты — спокойной старости — увы, не дожив. Не суждено ей было жить в полном достатке, вспоминая бурную молодость. Алексей поначалу ездил к ней на кладбище каждую неделю и спустя годы не забывал. Раз в два месяца — обязательно. И памятник ей, своей Дане, тоже поставил он. Никого у нее больше не было. И на цветы не скупился, помня, что любила она темные, почти черные, крупные бордовые розы.

Но это все было позже.

А в ту ночь он остался и, как выяснилось, на несколько лет.

Однажды взяла его наброски — на них, конечно, была она, Дана. Это было приятно, но дело было не в этом! Он изображал ее не в привычной одежде. Например, пышного вечернего платья из зеленого шелка у нее никогда не было. И узкой, с элегантным разрезом сбоку юбки в красную клетку — тоже. Как и пальто с рыжей лисой, и плаща с огромным, словно шаль, капюшоном.

— Леша, что это? — удивилась она.

Он смутился:

— Да так, фантазирую. Ты извини!

Она рассмеялась и все поняла, словно выдохнула от радости и облегчения. Судьба ее Лешика была предрешена. Теперь нужно действовать, а это она очень любила.

Она повезла его к своей старинной знакомой — известной в высоких кругах портнихе, обшивающей знаменитых и важных людей.

Та пожилая и важная дама попросила его показать наброски.

Удивилась:

— А у вас, мальчик, легкая и умная рука! — И кивнула Дане: — Ну что ж, можно попробовать!

И взяла его, окончательно впавшего в ступор, смущенного и ошалевшего, под свой патронаж. Так он стал ее ассистентом — раскраивал ткани, делал выкройки, придумывал новые фасоны, копаясь в иностранных журналах, которых было у его патронессы в избытке. И дело пошло. Патронесса оценила его. Теперь, при его непосредственной помощи, она получала еще больше заказов и восторженных отзывов. А он стал прилично зарабатывать. Их роман с Даной продолжался. Или так — продолжались их отношения. Но теперь все немножко изменилось — теперь горела она. А он, увлеченный работой, уже немного привык. Страсть его поутихла. Ее — нет. Но, как умная женщина, она отлично понимала — скоро, совсем скоро он окончательно к ней охладеет. И нужда в ней у него отпадет. Значит, надо еще и дружить! Стать ему незаменимым и самым близким человеком, другом, соратницей.

Горько? Да. А что делать? Жизнь-то идет. Да нет, не идет — бежит! Бежит, торопится, как бурный горный ручей. И некуда деться...

Она заставила Лешика учиться. С ее помощью и связями он поступил в Текстильный институт, на вечернее, разумеется. А спустя несколько лет, набравшись опыта и получив наконец диплом, по протекции все той же портнихи, своей патронессы, он поступил в Дом моделей. В его трудовой книжке было записано: «модельер-конструктор женского платья». Там, несмотря на конкуренцию и интриги, Алексею довольно быстро удалось пробиться: он был талантлив, не конфликтен, услужлив, скромен, мил и общителен, ненавидел сплетни. Словом, его оценили по достоинству. И началась другая жизнь — показы, поездки, интервью, фото в газетах и журналах, командировки. Дружба с влиятельными людьми из совершенно, кстати, разных сфер. Личностью он стал известной — дружить с Алексеем Божко стало почти привилегией.

Пользовался ли он своими связями? Да. Но не злоупотреблял. И это тоже ценили. К сильным мира сего обратился всего два раза: в первый, когда ему была нужна московская прописка, что было сделано быстро и легко. А во второй — просил помочь с квартирой. Здесь было сложнее, но получилось и это. Теперь он стал счастливым обладателем кооперативной однокомнатной квартиры в новом районе, на проспекте Вернадского. В те годы это была, конечно же, окраина — вечная грязь, отсутствие метро и магазинов, крики рабочих и башенные краны из окна.

Но! Это была его первая личная жилплощадь, которой он страшно гордился.

Его отношения с Даной совсем сошли на нет, однако дружить они продолжали. Дана старела, теряла свой оптимизм и к пятидесяти двум годам почти сникла. «Все неинтересно, Лешик! — печально вздыхала она. — Все уже было». Он смотрел на нее с сожалением и грустью — той Прекрасной Дамы давно уже не было, хотя на людях она еще старалась держаться.

Он приглашал ее в театры, в рестораны и на просмотры. Помогал деньгами, привозил из-за границы подарки. Жалел. Грустно было смотреть на то, как она, сама жизнь, угасает. Она была из тех женщин, для которых потеря молодости и красоты стала абсолютной трагедией.

Когда Дана заболела, Алексей подключил все свои связи: Кремлевка, импортные лекарства, отменное питание и все прочее, включая внимание.

Она смотрела на него с благодарностью и гладила по руке. А однажды сказала:

— Лешка, остановись! Ничего не поможет! Я просто устала. Устала жить, понимаешь? Не-ин-те-ресно! Все уже было, родной!

И напоследок сделала ему царский подарок — уговорила, заставила расписаться, чтобы после ее смерти ему досталась ее шикарная квартира. Он долго отказывался, она плакала и умоляла. Он уступил.

Иногда его утомляла суетливая и беспокойная жизнь. Он оставался тем же одиночкой, тем же мальчишкой из маленького поселка, обожавшим свое одиночество, мечтавшим всю жизнь об одном — чтобы его не трогали, оставили в покое. Чтобы можно было спокойно рисовать.

С удовольствием, блаженством и счастьем он всегда радовался свободному вечеру, когда не нужно было спешить на премьеры, показы, встречи и ужины.

Переодевшись в халат, наливал себе бокал вина или коньяка и усаживался в кресло. Свет не зажигал, квартиру освещали уличные фонари и блики от фар проезжавших мимо машин, тихо играла музыка, и он, покачивая ногой в такт музыке, закрыв глаза, вспоминал свою жизнь.

Как все странно сложилось! А если бы не та встреча с Даной? Где бы он был сейчас, Лешка Божко? Вот ведь судьба...

В близких кругах у него было прозвище — Сибарит. Он и сам удивлялся, откуда у него, простого деревенского мальчишки, робкого, скромного и неприхотливого, появились и прочно укрепились барские привычки, словно был он из старинного, богатого и знатного рода. Он любил красивые вещи — до дрожи любил. Был постоянным клиентом антикварных салонов. Признавал только отменный коньяк, хороший сыр и ветчину. Ко всему плебейскому относился с легким презрением. Спасибо Дане, его первой наставнице? Да, конечно ей! И низкий ей поклон за то, что объяснила и приучила!

Женщин вокруг него крутилось достаточно — все понятно, профессия. Модели, портнихи, клиентки. И почти все, за редким исключением, были бы не прочь завести с ним короткий или долгий роман. Иногда он, как сам посмеивался, «поддавался» и уступал. Но душу его никто не затронул. Не было там любви, это было понятно.

Семьи он не хотел — лишние хлопоты. Про детей и не думал. Зачем ему дети? За бытом следила домработница. Вот с ней ему повезло. Была у него только одна просьба: к его возвращению ее не должно было быть, он любил приходить в пустую квартиру.

Спустя почти десять лет Алексей поехал на родину, к матери. Нет, он никогда не забывал о ней — посылал денежные переводы, продукты и вещи. А вот приехать времени не было. И вот собрался.

Мать выглядела уже глубокой старухой, хотя лет ей было не так уж много. Увидев сына, все никак не могла успокоиться — счастье-то какое! Лешка наш стал человеком известным и важным — доказательства тому фотографии в газете и в журнале мод. Мать не выпускала их из рук. А разбогател как! Вот чудеса... Ее странный Лешка!

А какие подарки привез — с ума ведь сойти! И надеть-то страшно — позавидуют же! Да и как в этом всем здесь, по деревне, ходить? И нарядные платья, кофты, туфли мать потихоньку убрала в сундук.

А он сорил деньгами, пытаясь восполнить, возместить свое отсутствие: нанял работяг, чтобы те построили баню, сменили худую крышу, поставили новый забор. Привез из областного городка новый цветной телевизор — вот уж чудеса, с ума сойти! Новый ковер во всю стену — мать плакала от счастья.

Как-то, почти перед самым отъездом, встретил Надюшку Попову, свою одноклассницу. Кажется, он был в нее влюблен классе в седьмом. Правда, узнал не сразу — это она, Надя, окликнула его:

— Лешка, ты?

Он замер, вглядываясь в ее лицо. Не узнавал.

Перед ним стояла замученная трудной жизнью, почти высохшая, морщинистая баба, с красным деревенским обветренным лицом. На узких плечах болтался потрепанный ватник, на ногах — безразмерные резиновые сапоги. На голове был туго повязан платок, скрывая прекрасные золотистые Надины волосы. Хотя, наверное, и волос уже нет — тех самых, тонких, пушистых, с рыжим отливом.

Надя смотрела на него с усмешкой:

— Что, не узнал? Понимаю. Жизнь такая, Леш! Такая тяжелая и дикая жизнь...

Он, сглатывая слюну, кивнул:

— Понимаю.

— Да что ты там понимаешь! — засмеялась она. И тут же посерьезнела, нахмурила брови. — Да и слава богу, что не понимаешь, Лешка! Слава богу, что уехал тогда — ты ж себя спас! Здесь же... — Она помолчала. — Пьют же все здесь, Лешка! А уж мой... Что говорить! Спился совсем. — Она с отчаянием махнула рукой и, не попрощавшись, пошла прочь.

Он смотрел ей вслед и видел, как тяжело, словно старая ломовая кляча, она передвигает ноги в огромных мужских сапогах.

Потом встретил Димку Сокола — и тоже чуть не заплакал. В школе Димка подавал большие надежды, особенно давалась ему математика. Вместе мечтали о столице. Только с ним, с Лешкой, было все непонятно: подумаешь, рисовальщик, маляр, как пренебрежительно называла его мать. А вот с Соколом все было ясно — по словам учителей, способности его граничили с явным талантом.

На Сокола было больно смотреть — распухшее, с фиолетовым отливом лицо, заплывшие глаза и беззубый рот.

— Сокол, как же так? — растерялся Алексей. — Почему?

Тот окинул его оценивающим взглядом:

— Да вот так, Божко. Не получилось. Мать не смог бросить. И бабку. Пропали б они без меня. С голоду б сдохли. Ты ж знаешь, бабка слепая, у матери сухая рука. Не прокормились бы. Вот я и остался. Ты вот смог, Лешка! — Он недобро усмехнулся. — А я нет. Сил не хватило.

— А зачем пьешь? — спросил Алексей. — Без этого что, никак?

— Осуждаешь... — Сокол презрительно усмехнулся. — А что здесь еще остается? Жизнь здесь такая. Нельзя не пить. Вот у тебя все вышло — радуйся. А советов твоих мне не надо. У всех своя жизнь.

Значит, такая судьба. — И Сокол, круто развернувшись и не попрощавшись, пошел прочь.

«Ты вот смог. А я нет», — крутилось у Алексея в голове. А что, Сокол прав! Он смог. Смог переломить судьбу. И слава богу, назавтра он уезжал.

* * *

Милочка раздумывала. Идти на работу ей не хотелось. Но и болтаться без дела было тоскливо. С кем посоветоваться? Так, чтобы можно было довериться? Про своих знакомых все знала — завистливы и злоязыки. Поднимут на смех: «Работа, Мил? Ты что, ошалела?» В кругу золотой молодежи работать было не принято. Учиться в модном вузе — это пожалуйста! МГИМО или Институт иностранных языков — это было модным, престижным.

Но учиться Милочка не собиралась. Позвонила Анзорчику — мужчина всегда беспристрастнее, чем женщина. Встретились в кафе на Горького. Тот внимательно выслушал и кивнул:

— Конечно, иди! Во-первых, чем тебе заниматься? А во-вторых, деньги-то нужны! Или я не прав?

Милочка со вздохом кивнула.

— Будешь там на виду — поездки всякие, подарки. Ну и покровители — ясное дело! Знаю, девчонки из Дома моделей все в большом порядке — даже лучше, чем балеринки из Большого! Глядишь, найдешь себе важного дядю для красивой жизни. Сама подумай, что тебе вокруг этих балбесов крутиться, а, Мил? Молодое и наглое дурачье. Ищут себе развлечений оттого, что нехрена делать — от скуки ведь дохнут! Как, впрочем, и я. Да и жениться никто из них не собирается — на это ты не рассчитывай! А если и женятся — то на своих. Папа с мамой все приготовят, невест и женихов подберут. Тебя не примут — ты для них, Милка, дворняжка. Ну или еще хуже. Вон как с Серегой вышло. И ведь никто не помог — ни дед, ни папаша. Все мы тут ходим по острию, Мил, ты это знаешь! Но мы — мужики, нам это в кайф. А ты женщина. Тебе надо замуж — семья, то, се... Ну вот и беги отсюда, мой тебе, Милка, совет. Там хоть есть перспектива и даже надежда! Вдруг что выпадет, а?

Выпили по чашке жидкого кофе — Анзорчик плевался:

— Тьфу, да когда ж вы хоть кофе научитесь варить! Вот ведь уроды!

Догнались коньяком, на том и разошлись.

Алексею Божко — как было написано на картонной карточке — Милочка позвонила через неделю. Кажется, он ей обрадовался, и уже на следующий день она оформилась в Дом моделей. Божко ей нравился — спокойный, уравновешенный и, кажется, доброжелательный. К тому же он к ней не приставал. А вот в коллективе ее приняли настороженно. Не плохо, нет — именно настороженно. На перекуры не приглашали, «по кофейку» и на перекусы — тоже. Девчонки любили вкусненькое — бегали в Столешники за тортиком или пирожными. Ей предлагали, но вяло и с большим одолжением. Она, конечно, отказывалась. Они переглядывались и усмехались: надо же, гордая какая у нас Иванова!

На шутки и усмешки не реагировала — подумаешь, цацы! Она-то чем хуже? И гордо уходила одна.

Божко наблюдал за ней, внимательно наблюдал. Исправлял ошибки, никогда не ругал, поддерживал и подбадривал.

Мила, чувствуя его поддержку, немного воспрянула и ожила. Хотя довольно часто подумывала: а не послать ли все это к чертям, не уйти ли из этого серпентария?

Однажды столкнулись с Божко при выходе из подъезда. Он мягко улыбнулся ей и предложил подвезти. По пути неожиданно предложил:

— А может, поужинаем? Ты, Иванова, не голодна?

Милочка равнодушно пожала плечами. Есть не хотела, перекусила сыром и бубликом, а вот возвращаться в чужую пустую квартиру неприятно. Кивнула — согласна. Приехали в знаменитый «Арагви». Войдя внутрь, она чуть не расплакалась — здесь они часто бывали с Серегой... Сдержалась. Сели за столик и начали пировать. Она поняла, что Божко человек щедрый и при этом без ненужного пафоса и фанаберии.

Неожиданно ей стало легко и спокойно — она оживилась, раскраснелась и с удовольствием принялась за еду. Пили красное «Ахашени» — терпкое, сладковатое, вкусное. Она быстро опьянела и осоловела — от еды, вина, тепла и приятного, доверительного разговора.

А в машине неожиданно для себя расплакалась — ей вдруг так стало жалко себя! И она начала рассказывать ему, почти чужому человеку, собственному, кстати, начальнику, всю свою жизнь. Про маленький поселок при камвольном комбинате. Про их барак и тихую, забитую мать. Про свои мечты уехать, сбежать в большой город, в Москву — устроить свою жизнь. «А что тут плохого? — оправдывалась она. — По-моему, это нормально!» Про их с Серегой роман — большую любовь, абсолютное счастье, мечты и его предательство. Про тюрьму и его нежелание с ней иметь дело. Про чужую квартиру, где ей приходится жить и дрожать от страха, что Маринка вернется и ее выгонит. Вот только в поселок, к матери, она ни за что не вернется.

— Ни за что, вы слышите! В этот склеп, в эту могилу! Уж лучше сдохнуть здесь, на помойке, — всхлипывала она, размазывая по лицу черные от туши слезы.

Алексей жалел ее. Вспоминал свои ночевки на вокзале, животный страх перед милицейским лейтенантом, зорко высматривающим свою жертву. Постирушки в вокзальном туалете, над заплеванной раковиной. Батон на обед, от которого в спазмах сжимался желудок. Койку с пружинным матрасом и бабку-хозяйку. Тяжелый ночной труд грузчика на вокзале. Пачку ворованного пшена, спрятанную под рубахой.

Он кивал, утешал ее и вытирал ее лицо платком.

— Тише, Милочка! Тише! Ну, не плачь, моя девочка, у тебя же вся жизнь впереди! И все еще сложится, ты мне поверь! Ты же сильная, Милочка! А какая красавица! Ты посмотри на себя — ты ж королева! Снежная королева!

Он повез ее к себе, засунул в душ и принес теплый махровый, невиданной красоты небесно-голубой халат.

После душа Милочке стало легче, но все еще потряхивало. Алексей сделал ей сладкого чаю и отвел в спальню.

Укрывшись по горло одеялом — все еще сильно знобило, — она быстро уснула.

Проснувшись, открыла глаза и оглядела комнату. Темные, с золотом, обои. На стенах картины в тяжелых позолоченных рамах. Шелковые шторы, не пропускающие дневной свет. Пушистый ковер у кровати.

Она осторожно встала и вышла в коридор — в квартире было тихо. На цыпочках обошла комнаты, убедилась, что хозяина нет. На кухонном столе лежала записка: «Кофе на плите, завтрак под салфеткой. Ты сегодня выходная — отдыхай. Дождись меня — я буду не поздно».

В растерянности она опустилась на стул — что это значит? Нет, конечно, она оценила его благородство — никаких посягательств той ночью не было, за что большое спасибо. Но все-таки — что это значит? Дружеский жест или?..

Так ничего и не поняв, она решила, что нужно дождаться вечера. А там что будет, то и будет. Успокоившись, она с удовольствием выпила кофе, что-то съела, ушла в комнату и не заметила, как уснула. Проснулась только к вечеру — свежая и отдохнувшая. Привела себя в порядок и стала ждать Алексея.

Вскоре он появился — улыбчивый, мягкий и добродушный — и коротко бросил:

— Одевайся! Мы идем в театр!

После премьеры во МХАТе — ох, сплошные звезды, небожители! — был еще и ужин в ЦДРИ в большой актерской компании. Милочка робела и сидела затаив дыхание. А эти небожители громко смеялись, рассказывали анекдоты — не всегда приличные, с крепким словцом. Впрочем, ее это совсем не смущало — только слегка удивляло: надо же, и они! Небожители много ели и много пили, перебивали друг друга, едко друг над другом подшучивали, обсуждали отсутствующих — словом, вели себя как обычные люди.

Известный актер, кумир поколений, отпустил ей цветастый и кудрявый комплимент, от которого она зарделась, как девочка.

— У тебя, Леша, самые красивые бабы в Москве, — подключился другой, смутно знакомый.

Алексей вздохнул и развел руками:

— Что поделать! Работа такая — в сплошном цветнике!

— Да уж, Леша! Ты — известный садовник! — пошутил кто-то, и все рассмеялись.

После банкета снова поехали к нему. И снова она спала одна, не понимая, что происходит.

«Может, у него что-то не так? — подумалось Милочке. — Ну, так даже и лучше!» Кроме Сереги, любимого Сереги, рядом с собой она по-прежнему не могла никого и представить.

Любовниками они стали спустя три недели — по Милочкиному желанию, точнее любопытству. А после случившегося она облегченно выдохнула. Все у него было нормально! И даже вполне хорошо!

Но никогда, ни разу он не предложил ей перебраться к нему насовсем — перевезти свои вещи и начать совместную жизнь.

Милочку все устраивало — новая жизнь ей нравилась, очень нравилась. Она была яркой, увлекательной и — безопасной. Она перестала шарахаться от милиции. Перестала вздрагивать от звонка в дверь. Она вообще перестала бояться. Их история с Алексеем была невнятной и непонятной, Милочка понимала, что он не влюблен и даже не увлечен. Их ночные свидания быстро закончились, и ее это очень устраивало. И еще — Серегу, своего Шалого, она не забыла. А прошлую жизнь очень хотела забыть. Как-то столкнулись в ресторане с Анзорчиком — тот был, как всегда, с какой-то сногсшибательной девкой — наверняка из центровых и валютных.

Милочка тут же смутилась, и он это понял сразу — подмигнул и, оценив ее спутника, важно покивал, подняв большой палец. Дескать, умница, Милка! С таким-то тузом!

Покраснев, Милочка глянула на Алексея — нет, тот ничего не заметил — и еле заметно кивнула Анзорчику.

Больше, слава богу, из прежней жизни она никого не встречала.

Она часто видела — Алексей хочет остаться один. Нет, он не просил ее уехать, ничего не говорил, просто она видела, что ее присутствие ему в тягость. Не обижалась, тут же брала свои вещи и целовала его на прощание.

— Я поеду, милый? Ну на пару деньков? А ты не скучай! — притворничала она.

И видела, как он этому рад.

Понимала: Алексей — это временно. Никогда

он, ее прекрасный друг и любовник, не будет ей мужем.

«Ну да ладно, — отмахивалась она от этих мыслей. — И зачем мне туда, в этот «замуж»? Разве мне плохо сейчас?» Только что будет дальше...

В Доме, как все называли между собой Дом моделей, все сразу притихли. Девчонки отвалились от нее, как подсохшие болячки с коленок. Связь с самим Божко — это не шутки, знаете ли! И что он нашел в этой? Есть ведь получше!

Алексей Божко жалел Милочку, потому что и про свой путь в счастливую жизнь не забыл. Если б на его пути не встретилась Дана... Да и общего у них было много — ее поселок, его деревня. Нищета, повальное пьянство, страстное желание вырваться из этого ужаса, переменить свою жизнь. Правда, учиться Милочка не хотела. И работать не очень стремилась. Но женщина есть женщина, у нее другие возможности, и многое ей дается легче, к тому же с ее-то данными! Надо только научить ее, подтолкнуть. Вот он и попробует.

Ему хотелось помочь этой девочке — просто по-человечески, чтобы не пропала. Да и благодетелем, как оказалось, быть довольно приятно. Правда, их постельная история его утомляла. Но, похоже, и Милочка настаивать на этом не будет — ее тоже, кажется, все устраивало.

Много у них общего, да. Она тоже любит одиночество. Не стремится завести семью и детей. У нее, кажется, нет подруг — так, приятельницы. До денег и тряпок определенно не жадная. И еще — она ненавязчива и тактична. А это он очень ценил.

Светская жизнь кое-чему ее научила — мило улыбаться, говорить комплименты, протягивать мужчине руку для поцелуя.

Милочка быстро запоминала все то, чему учил ее наставник, например, сервировке и столовому этикету — сырный нож, рыбный, для икры и для масла. Бокал для вина, фужер под шампанское, рюмка для коньяка.

Он водил ее в Третьяковку, показывал полотна любимых мастеров и рассказывал о картинах. Иногда, правда, видел скуку в ее глазах — Милочка с трудом скрывала зевок.

Алексей расстраивался, но продолжал упорствовать — заставлял читать классиков и модных современных авторов. Милочка послушно кивала, но интереса не проявляла. «Зачем это все?» — пыталась возражать она. Однако Алексей был хорошим учителем, а она оказалась если не прилежной, то способной ученицей.

Он чувствовал себя профессором Генри Хиггенсом, Пигмалионом, вылепившим свою Галатею. И однажды, наблюдая за ней, хитро улыбнулся:

— Все, Милка! Теперь я спокоен. Ты светская дама на все сто процентов! Вот отдам тебя в хорошие руки и тогда успокоюсь!

От этих слов она вздрогнула. Не сразу подняла на него глаза. А когда посмотрела, громко сглотнула и жестко произнесла:

— Все распланировал, да? Просто отдел соцпланирования! А ты меня еще и сосватай! Найди жениха побогаче!

Он слегка покраснел.

— А что тут плохого? Хочешь — найду.

— Нет! — отрезала Мила. — Я уж сама, если позволишь!

Она не любила Алексея, но все же надеялась. Они подходили друг другу. И остаться его спутницей — это было бы прекрасно! А уж женой... Твердая почва под ногами, уверенность в завтрашнем дне. Просто ей было страшно снова оставаться одной. Она бы ему не досаждала, не навязывалась. Ни на чем не настаивала. Они оба были бы свободны. А свободу ценить они умели! Но при этом она бы чувствовала себя защищенной. Не легкомысленная манекенщица, акула, ищущая богатого мужа, а жена. Жена Алексея Божко.

Он покраснел и смутился — таким растерянным она видела его в первый раз — и начал вяло оправдываться:

— При чем тут это, Мила? Да я не о том! Просто... — Он посмотрел ей в глаза. — Ты просто должна понимать и не держать обиду. Я не из тех, кто стремится к браку — вот не семейный я человек! Я люблю одиночество, уединение. Мне хорошо с самим собой. Мне нравятся тишина и покой. И мне не нужны дети и кастрюли с борщами. Ты уж прости, но я честно. А ты так молода и хороша собой. Тебе, Мила, надо устраивать жизнь. Выйти замуж, родить ребенка. Или ты со мной не согласна? И не держи обиду, слышишь?

Она уже почти справилась с собой и рассмеялась.

— Я и не рассчитывала на тебя, Леша. Я все понимаю! И посягательств на тебя у меня нет! Ты мой лучший друг, и я тебе за все благодарна! Только вот и я не хочу замуж! И рожать не хочу! Странные мы, ты не считаешь?

Он облегченно вздохнул и рассмеялся:

— Да! Странные очень! И ты тоже туда же! Хотя, может, зря?

Но с этого дня ему стало легче — этот разговор отменял ее надежды и иллюзии.

Где-то через полгода он заговорил с ней о квартире — в смысле, что ей нужна своя жилплощадь. Это было благородно с его стороны, он хотел помочь своей женщине. Помочь ей и себе: обеспечить ей тылы, а себе — безопасность и спокойную совесть.

Но как? Его первую квартиру, полученную с таким трудом, после того как он прописался в квартире Даны, пришлось сдать государству.

И снова возникла необходимость обращаться к сильным мира сего. Те обещали, но как-то вяло: «Для вас, Алексей Алексеевич, это было понятно. Как не помочь? А для вашей... простите, подруги...» Их с Алексеем странные отношения, которые продолжались три с половиной года, почти прекратились. Милочка чувствовала, что Алексей стал тяготиться ими. Встречи их стали почти редкими, и то — «на выход» — под ручку, как добрые, старые друзья. При встрече целовал в щеку и делал дежурные комплименты: «Чудесно выглядишь, моя прелесть!» Но после похода в ресторан или в театр ловил такси и любезно подсаживал ее в машину.

Она была испугана: вдруг Алексей ее бросит окончательно? Разочаруется в ней? В конце концов, она слишком мелка для него. Хотя разве он — с ней?

И все же, если он прогонит ее, она снова останется на бобах — никому не нужная, брошенная и одинокая Мила.

Все возвращалось на круги своя. И снова становилось страшно.

Она видела, что промахнулась, наблюдая за своими коллегами-манекенщицами, понимая, как грамотно и расчетливо они поступали: не кидались в любовь, а планировали свою жизнь. Кто-то имел богатого и влиятельного любовника, который конвертировал свою пылкость во вполне осязаемые доказательства — кооперативную квартиру, обстановку, автомобиль. Такие богатенькие ухажеры роскошно одевали своих девочек — норковые шубки, песцовые жакеты, бриллианты и золото. Девочки, как они сами называли себя, несли себя гордо, с достоинством. Ухоженные, прекрасно одетые модницы и красавицы.

Были и такие, кто отчаянно хотел замуж, конечно, наигравшись в любовницы. Но кандидатуры в мужья рассматривались сурово и строго — параметры красивой и сытой жизни никто и не отменял. И правильно — таких красавиц, как они, даже в столице было немного. И в конце концов, что плохого в том, что женщина хочет жить красиво и беззаботно? Тем более если она красавица!

В качестве кандидатов в мужья рассматривались прежде всего дипломаты. Потом — известные актеры, писатели, музыканты. На третьем месте были чиновники и уж на самом последнем торговые работники — директора ресторанов, универмагов. Но это совсем от безнадеги. Не комильфо.

Девочки отлично разбирались в мужчинах — опыта им хватало. Были у них и соперницы, например, танцовщицы из ансамбля «Березка». Те тоже красавицы и пользовались хорошим спросом. А что осталось у нее, Милочки? Хорошие манеры? Да, это так. Поверхностная образованность? Да, открыть рот теперь было можно, не стыдно — чистая правда. Конечно же, красота! Красота и фигура. Но годы-то шли...

А ничего не менялось. Ничего не прибавилось в ее жизни, кроме разве что хороших манер.

Нет, были две замужние девочки, вполне счастливые в браке. Одна, Лена Ковалева, была счастливо замужем «почти с детства», как говорила она сама, за своим одноклассником.

Вторая, тихая и спокойная Таня Дубцова, замуж вышла недавно. Избранником ее стал обычный хирург из обычной больницы. Понятно — не Крез, но красавец! Девчонки замирали, когда хирург Дубцов встречал жену после работы. Завидовали и не скрывали: ну, за такого красавца, пусть даже и нищего, пошла бы любая! Совсем скоро Таня Дубцова из Дома уволилась — ушла в декрет.

Мила поняла, что прогадала. Три с лишним года, угробленные на Алексея, окончились ничем, пустотой. Нет, жаловаться, конечно, грех — ничего плохого там не было. И он многому научил ее, это правда.

Вот только как ей жить дальше? И что ждет ее впереди?

Сначала ее предал Серега. Теперь от нее отказался Алексей.

Было обидно до слез. Получается, никому она не нужна? И тогда она твердо решила: «Теперь буду думать только о себе! Стану выстраивать, просчитывать свою жизнь. Хватит с меня пустопорожних романов, в конце концов, мне уже хорошо за двадцать, и очень скоро я никому не буду нужна».

В общем, стратегия была разработана. Осталась тактика — где и как найти мужа.

Теперь она никому не позволит распоряжаться ее жизнью. Никому.

Теперь диктовать и управлять будет она.

Алексей, нервничая и оправдываясь, объяснил, что с квартирой не получилось.

Она сухо выслушала его.

— А ты не суетись, дорогой! Что ты волнуешься? Я справлюсь сама.

* * *

В тот теплый солнечный майский день на дачу позвал ее именно он, Алексей. Но сам поехать не смог — разболелся.

Ехать она не хотела, но он уговорил: «Погода прекрасная, такая теплынь! Лес и природа, цветочки и птички. Милка, езжай! Шашлыки, хорошее вино из Тбилиси — что тебе в городе делать? Вот именно — нечего!»

Мила долго отнекивалась, но согласилась. Уговорил.

«Оставайся там с ночевкой, я приеду на следующий день, — пообещал он. — Приеду и тебя заберу». С этими словами он перепоручил Милу своему приятелю Смирновитскому — другу хозяина дачи. Смирновитский заехал за ней утром в субботу.

Он был вполне симпатичным, этот Смирновитский. И молодой — чуть-чуть за тридцать. Мила знала, что у него многолетний и тяжелый роман с известной актрисой. Та никак не уходила от мужа, богатого иностранца, и продолжала морочить Смирновитскому голову.

Она видела эту актрису вблизи — отечное лицо давно и сильно пьющей женщины. Красивая? Да. Но совсем немолодая, за сорок. Когда-то красавица, кто же спорит. От богатого и старого мужа, живущего в ФРГ, сплошные удовольствия — блестящие, до пола, шубы, бриллианты в ушах. В Бонн она моталась примерно раз в полгода. Но вид свой товарный давно потеряла. Отекшая и разбухшая, она теперь вызывала скорее жалость, чем зависть.

«Странно все как-то, — думала Милочка, искоса глядя на симпатичного и молодого Смирновитского, — и для чего ему эта... бабка? Может, любовь? Но все равно как-то странно».

Заехали и за актрисой — та жила в высотке на Пресне.

Смирновитский зашел в подъезд, Милочка осталась в машине.

Минут через сорок они наконец появились. Актриса шла впереди с лицом недовольным и очень помятым — было видно, что недавно проснулась.

Подойдя к машине, она с удивлением посмотрела на Милочку, сидящую на переднем сиденье, приподняла крутую бровь и обернулась на Смирновитского. Милочка все поняла — со вздохом выбралась и пересела назад. Актриса кивнула.

До места назначения ехали молча. Только однажды актриса попросила купить ей воды. Смирновитский остановился возле придорожного магазина и шустро выскочил.

Вернулся с трехлитровой банкой сока.

Актриса скривилась, но стала пить — жадно, громко прихлебывая.

«Все ясно, — презрительно усмехнулась Милочка. — Накануне было выпито много. Сушняк — вот как называется это дело».

Ей, почти непьющей — максимум бокал шампанского или вина, — это казалось совершенной дикостью.

По приезде на дачу — и вправду, роскошную, светлую, пронизанную насквозь солнечными лучами, усаженную стройными и легкими соснами — Смирновитский сразу же отвел возлюбленную в спальню. Поймав удивленный Милочкин взгляд, смущенно улыбнулся и развел руками: вот, дескать, так...

Милочка кивнула и отвернулась. Вспомнила: у Смирновитского молодая красавица жена и маленький прелестный сынок. В самый разгар романа с актрисой, который он и не собирался скрывать, жене доложили. Она от него не ушла. Все знала, все понимала и не уходила. Пережидала? Боялась остаться одна? Все женщины, наверное, боятся одиночества.

Гостей пока было немного: народ, не привыкший к ранним подъемам, подтягивался постепенно. Все высыпали на улицу, радуясь прекрасной погоде и долгожданному солнцу. Поляна пестрела разноцветными летними платьями женщин и элегантными шляпками от солнца.

Женщины были как на подбор — стройные и молодые красавицы. Начинающие актрисы и балерины, дочки важных чинов и просто красавицы, искательницы приключений и богатых любовников или мужей. Пили вино, закусывая спелой клубникой.

Мужчины, солидные, модно одетые, вальяжные и знающие себе цену, исподволь и с прицелом оглядывали красоток — на день или два. А может, подольше. Многие были женаты, но это не отменяло веселья и праздника. И романов тоже не отменяло. Были и те, кто приехал с женой. Но они оставались в явном меньшинстве.

Это было похоже на ярмарку — мужчины искали приключений, а женщины, как всегда, рассчитывали на большее.

Милочке стало скучно и захотелось спать. «Зря я сюда притащилась», — подумала она.

На большой, светлой террасе стояло старое глубокое кресло. Она села в него и не заметила, как задремала. Сквозь некрепкий сон она видела, что к ней подошел какой-то мужчина в белой рубахе с закатанными рукавами и укрыл ее тонким пикейным одеялом, лежащим на диване.

Проснулась Милочка свежей, бодрой и очень голодной. Стол уже был накрыт. На большое блюдо горкой были вывалены розовые крабы, посредине стола стояла большая жестяная синяя банка с черной икрой. Ярко-красные помидоры, пупырчатые огурчики с невероятным запахом свежести и лета, огромное блюдо с почти черной черешней, ломти перламутровой ветчины, золотистые куски осетрины и прочие яства одуряюще пахли и соблазняли. С участка тянуло дымком от мангала и запахом жареного мяса. Все стали рассаживаться, а мужчины вносили огромные шампуры, с шашлыка стекал прозрачный сок.

Застолье началось бурно и дружно — его долго ждали, и все были голодны. Незнакомец, укрывший ее пледом, сидел напротив и смотрел на нее не отрываясь. У него были черные глаза, длинные густые ресницы, яркий, сочный, чувственный рот, ослепительно белые зубы и смуглая гладкая кожа, даже ранние залысины не делали его старше. Белоснежная рубашка из тончайшего шелка была расстегнута на волосатой груди. Через стол Мила чувствовала его запах — свежести от одеколона и хороших сигарет.

Ел он лениво и мало — неспешно пил вино, закусывал мясом, которое он брал руками.

Грузин? Армянин? Чеченец или дагестанец? Было непонятно. Но человек восточный, это понятно.

Милочка смутилась под его настойчивым взглядом, но глаз на него не поднимала. Она недовольно дернула плечом и вышла на улицу.

Народ, сытый и пьяный, высыпал на улицу размяться — перекурить и подышать.

Кто-то пошел гулять по огромному участку, кто-то уединился в доме — благо, он был так велик, что места хватало на всех.

Актриса, любовница Смирновитского, была уже сильно пьяна — раскрасневшаяся и громкая, она что-то рассказывала окружившим ее мужчинам. Милочка подошла к грустному Смирновитскому.

— Переживаешь?

Он мотнул головой.

После выпитого бокала вина осмелела:

— Слушай, Борь! А зачем тебе... ну это все?

— Так получилось. Сначала я очень ее любил. Просто задыхался без нее, от любви задыхался. Знаешь, это страшно бывает — проснешься и нечем дышать. Жить без нее не мог. Спать. Было несколько лет счастья. А потом... Потом она начала стареть, страдала от этого. Бросалась во все тяжкие, чтобы себе доказать, что еще может, что молода и привлекательна. Мучила себя и меня. Я пару раз уходил и все начинал заново. Почти приходил в себя, даже женился. И тут она появлялась снова. И я снова этому не мог противостоять. А теперь... Теперь она здорово сдала. Ну ты же видишь. Поддает и отвратительно выглядит. Ребенка не родила — не захотела. Жизнь была веселой и бурной. Брак с иностранцем. Достаток, по нашим меркам — богатство. Поездки, увеселения. Ну и театр, разумеется. Теперь вот жалеет — понимает, что осталась одна. У немца ее своя жизнь — у него дети и внуки от первой жены. Дом под Бонном. Она туда ехать не хочет — там скучно. А здесь — одна. Есть только я. Кто я ей? Любовник, брат, сын? Я не знаю. Только у нее никого больше нет. И я ее не оставлю. Ты понимаешь?

— А жена? — спросила Милочка. — В смысле — твоя жена?

— Да все привыкли! — Смирновитский вяло махнул рукой. — Жена привыкла, я привык. И она привыкла ко мне — без меня совсем пропадет. Такие дела, Милка... Ну ты не грусти, ты же такая красавица! Вот повезло-то Алешке!

Милочка усмехнулась:

— Может, ты и прав — повезло. Мы расстались с ним, Боря. Почти год, как расстались. — И Милочка, затянувшись сигаретой, отвернулась и посмотрела вдаль.

Мелькнула мысль: она, Милочка, так же одинока, как эта несчастная пьянчужка, Борькина любовь. Только у той есть деньги, положение, и есть Борька...

Вдруг встрепенулась:

— Слушай, Борь! А это кто? — И кивнула в сторону франта с глазами-маслинами. — Вон тот, в белой рубашке? Грузинский князь или торговец гвоздиками с Центрального рынка? А может, подпольный армянский король, торгующий обувью? Или директор ресторана в городе Сочи? Глаз с меня не спускает. Достал.

Смирновитский посмотрел на черноглазого и усмехнулся:

— Нет, Милка. Тут не гвоздики и не башмаки. И точно не рынок! Это Парвиз Потруди, личность известная. Дипломат. И очень богатый араб, почти шейх! Понравился, а?

Милочка неопределенно пожала плечом.

— А ты приглядись! Парень он богатый и щедрый. К тому же холостой. Девок, правда, любит, да. А кто ж не любит? — И Смирновитский рассмеялся. — Нет, я серьезно. Смотри, как пялится на тебя, глаз не сводит! Ты же... одна сейчас? В смысле — без Леши?

Милочка кивнула:

— Одна.

— Ну и я о том же! Хороший мужик, не пожалеешь. Не женится — так обеспечит. Попасть к Парвизу в любовницы каждая была бы не против! А здесь — тепленький просто! Возьмешь голыми, без рукавиц. Да и вообще — восточный принц, они все не жадные. Говорят, что там, дома, чуть ли не прииски нефтяные. Кто знает — может, и правда? А денег навалом. Не на зарплату живет — это видно. На брак не рассчитывай, а вот на все остальное... Женятся они только на своих, ты ж понимаешь.

На своих... Она, Милочка, нигде не была «своей» — ни в поселке при камволке, ни в Серегиной компании. Ни в Доме моделей. Ни в квартире Алексея Божко. Ни даже здесь, на роскошной даче. И для богатого Парвиза она не своя.

Милочка растерялась, но призадумалась: «Надо подумать о будущем, хотя так неохота!»

На следующий день уезжали вместе — она и Парвиз Патруди.

Желающих прыгнуть в его «Мерседес» и долететь до Москвы было много. Но хозяин перламутрового красавца страждущих тут же отсек и открыл переднюю дверцу перед Милочкой. Чуть поклонился — еле заметно — и подал руку.

Роман их развивался неспешно — Парвиз Патруди ни на чем не настаивал. Звонил через день, был ненавязчив и крайне предупредителен. Присылал водителя с корзинами белых роз и продуктовыми пакетами из заветной валютной «Березки». Милочка растерянно перебирала красивые баночки, расставляла розы по банкам — вазы у нее не было — и... Мечтала. О чем? О любви. В двадцать пять еще можно мечтать о любви.

Парвиз оказался хорошим любовником и нежным, внимательным партнером. Ей было с ним хорошо. Он был заботливым и хозяйственным, увидев ее квартирку, брезгливо скривился — такая королева и в таком кошмаре? Предложил снять жилье приличнее — Милочка отказалась.

Не торопилась — едем медленно и осторожно. Тише едешь, как известно... Без ненужных и суетных остановок — так ближе к цели.

Рассказала все Алексею. Тот задумался.

— Нет, дорогая. Так все неплохо, да. Но тебе надо замуж. А эта связь — потеря времени, только и всего. Ты же знаешь, на тебе он не женится. Решать тебе, но я бы подумал.

«Он бы подумал! — разозлилась Милочка. — Вот бы и подумал на досуге, а то все горазды советовать».

К матери Милочка ездила редко — по-прежнему завозила продукты, подкидывала деньжат. Видела, как та постарела и одряхлела.

Жизнь ее крутилась вокруг телевизора — подарка дочери. Она его выключала только на ночь, смотрела все подряд, без перерыва. И еще была в курсе всех кухонных сплетен. В бараке ничего не менялось — только умирали старики, и в их комнаты засселяли жильцов помоложе. И по-прежнему на плите пыхтели баки с постельным бельем, кастрюли с кислыми щами и огромные сковороды с жареной картошкой. По-прежнему до ветру бегали во двор, туск-

101

ло горела лампочка в темном коридоре, соседки вяло перебрехивались и поносили пьющих мужей.

Когда она заходила в барак — нарядная, свежая, душистая, молодая, — ей казалось, что она снова попала в преисподнюю. Быстро проскакивала в их с матерью комнату и плотно закрывала дверь — дышать этим, нюхать это и слышать было невыносимо.

Мать радовалась ей и тут же принималась плакать. Садилась рядом, любовалась дочкой и все норовила к ней прикоснуться — к такой красивой, ароматной, неземной.

Однажды осмелилась.

— Доченька! А замуж-то не предлагают? Годы же ведь! — робко добавила мать. — Ребеночка бы надо!

Милочка дернулась:

— Когда предложат, доложу, не беспокойся!

Про ребеночка пропустила — что здесь ответить? Только спустя минуту добавила:

— Ты, мам, мне такой судьбы не желай — замуж, ребеночек. У меня будет все по-другому, поняла? Совсем по-другому! Я не хочу прожить жизнь так, как все. Как ты, например!

— А как? — тихо спросила мать. — По-другому ведь не бывает! Для женской-то доли? Все ведь одинаково, Мил! Ну или почти...

— Нет, мама! — недобро рассмеялась дочь. — Совсем не у всех одинаково, ты мне поверь! Да и потом, с твоим ли опытом мне что-то советовать? Знаешь, что для меня самое страшное? — Милочка замолчала и посмотрела на мать. — Прожить свою жизнь так, как ты прожила свою.

Свершилось! Под Новый год, тридцать первого, Парвиз заявился к ней с утра — торжественно-нарядный, в шикарном темно-синем костюме с искрой, в белоснежной рубашке и в галстуке. В руках, как всегда, роскошный букет белых роз. Сели на кухне, Милочка приготовила кофе. Кофе приносил тоже он — ароматный и маслянистый, с родины, здесь такого нет. Милочка молола его в ручной мельнице черт-те какого года — облезшей, с почерневшей от времени деревянной ручкой. Она называла ее шарманкой. Но электрических кофемолок Парвиз Патруди не признавал. Милочке же все это казалось полной глупостью — какие-то капризы. Какая разница? Но он тут же чувствовал, что кофе, который любил крепким, черного цвета и только без сахара, приготовлен не так, как положено, и уличал ее во лжи.

Мила видела, с какой брезгливостью скользит его взгляд по стенам с выцветшими обоями, по потолку в желтых разводах и пятнах. По старому, «бабкиному» буфету, в котором хранилась посуда. По тусклому линолеуму с разошедшимися швами, по мутному копеечному плафону со следами «стоянки» мух — Маринкиной квартире уже давно был нужен ремонт. Ни разу он не поел у нее. Наверное, есть из щербатой посуды и пить из граненых стаканов ему казалось кощунством.

Наконец кофе был выпит, и Милочка осведомилась, к какому времени ей надо быть готовой. Предстояло еще заглянуть в парикмахерскую — правда, совсем недалеко, в двух кварталах.

— Подбросишь меня? — спросила она, споласкивая кофейную чашку.

— Подожди, — хрипло ответил Парвиз. В голосе его звучало волнение.

Привстав, он достал из кармана пиджака маленькую бархатную коробочку.

— Мила! — На его лице читалось волнение. — Мила! — повторил он (ей всегда слышалось «Милля» — словно в ее коротком имени было два «л»).

Она присела на стул напротив, подперла лицо рукой и кивнула:

— Ну что? Что-то случилось?

— Да нет, все нормально! — И он улыбнулся. — Просто... я не каждый день делаю женщине предложение!

Милочка вскинула тонкие брови:

— Это ты... Мне?

Он кашлянул, обвел глазами кухню и отшутился:

— Мне кажется, мы здесь вдвоем! Или я кого-то не заметил?

Неловкость и волнение отступили, они рассмеялись.

В тот же вечер в ресторане «Метрополь» Парвиз Патруди представил гостям свою невесту — Людмилу Иванову. Милочку. Обалдевшие гости переглядывались, растерянно разглядывали жениха и невесту и только спустя пару минут радостно, оживленно и дружно загудели, поздравляя молодых с прекрасным событием.

Милочка в тот вечер была ослепительно хороша, а на ее тонком пальчике игриво поблескивал крупный бриллиант.

Пару дней Москва обсуждала это событие — охомутать Парвиза? Ну и ловка эта девица! Подумаешь, какая-то манекенщица! Кажется, из деревни? А ведь какие у него были женщины! Достаточно вспомнить и Таню Д., диктора Центрального телевидения, и Аллочку М. — прелестную Аллочку, чудную, нежную балеринку, своим детским, наивным взглядом наповал сражающую бывалых мужиков, словно снайперская винтовка с дальним прицелом. Была еще Лея — рыжая красавица каких мало — известная «ловушка», опасный капкан для богатых и сильных мира сего — из цепких ручек Леи выскользнуть было не просто. Но Парвиз Патруди не поддался. Завидный, холостой, богатый и щедрый жених, он, словно уж, ускользал ловко и быстро, едва почуяв опасность, умудряясь не испортить отношения ни с одной из любовниц. Восточная хитрость!

А тут эта Мила... Нет, хороша, кто бы спорил. Всем хороша. Но все равно как-то странно... Были у него женщины и поярче, и позначительнее.

Потрепались, обсудили и забыли — у всех своя жизнь, всем надо устраиваться. А когда вспоминали, то говорили одно и то же: «Повезло! Увезет ее Парвизик за темные леса и высокие горы, увезет в свой дворец в Бейрут, и будет эта манекенщица облизывать сладкие от рахат-лукума пальцы, командовать прислугой и кувыркаться в бассейне. А вышколенные официанты станут подносить ей холодный апельсиновый сок».

* * *

Свадьбу сыграли в апреле — как ни странно, не шумную и не шикарную. Нет, ресторан, разумеется, был. И платье невесты — чудесное, из серого шелка. Конечно же из Парижа.

А народу на свадьбе было немного, самые близкие. От жениха — двое коллег-дипломатов с немолодыми, но роскошными и очень ухоженными женами, с явными следами былой красоты. Женщины смотрели на невесту слегка недоуменно, но вполне доброжелательно. Однако возраст есть возраст. К концу вечера у восточных красавиц подтекла дорогая косметика, обнажив все «прелести» возраста. Дамы быстро, на глазах, теряли свой блеск.

— Арабки рано стареют, — вздохнул Парвиз. — Уже к сорока ничего не остается от их красоты, увы. Генетика, климат.

Прибыл и друг юности, прилетевший из Сан-Франциско. Парвиз мимоходом бросил невесте:

— Фархадик? Мы вместе ходили в лицей.

Видя Милочкины глаза, удивился:

— А что здесь такого?

Друг детства был сдержан и скромен — черный костюм, белая рубашка. Ел мало, говорил еще меньше. Иногда улыбался, когда Парвиз переводил ему с русского. Сделал комплимент невесте — шаблонный и короткий:

— Красавица, понимаю своего друга, желаю вам счастья и много детей.

Подарка, кроме букета, не преподнес.

Милочка удивилась и тихо спросила у мужа. Парвиз рассмеялся:

— Подарок? Конечно! Только зачем приносить его в ресторан? В конверте? Нет, что ты! У нас так не принято! Просто перевел деньги на счет. Тебе интересно сколько? — И он назвал сумму. — Мой лучший друг из очень известной семьи, древнего старинного рода, предок его, Марун Канаан, был известным политическим деятелем. В Джеззине остался и его замок — потомки Маруна живут там по сей день. Будем в Ливане, обязательно съездим туда!

Милочка остолбенела. Немного придя в себя, подумала: «Вот, оказывается, на какие суммы там ведется счет и что принято дарить у богатых людей на свадьбу. Сколько же у них этих денег, если на свадьбу возможны такие подарки?» И еще — и у нее теперь будет так? У нее, у Ивановой Милы, родившейся в сыром бараке? Пять лет ходившей в стоптанных туфлях? Ожидающей вечной милости от знакомых? Даже подумать-то страшно.

В тот вечер она слегка перебрала — ела мало, а пила много. Парвиз посмеивался и разводил руками, ловя взгляды своих коллег. Понимал, о чем они думают: взять в жены русскую? Огромный риск. Кто знает, что у них в голове? Да, хороша. Молода и свежа. И все-таки... Риск. Никогда она не станет своей. Никогда не примет обычаев. Никогда не поймет.

Со стороны невесты был только Алексей Божко, представленный как лучший и самый верный друг. Впрочем, это была чистая правда.

Мать Милочка на свадьбу не пригласила. Слишком хлопотно -- привезти, устроить на ночь, отвезти обратно. Да и зачем? Человек нездоровый, немолодой — а тут очень много волнений. Муж не понял ее и вздохнул — ну, дело, конечно, твое, только странно все это.

После банкета шофер отвез в поселок большую коробку с гостинцами — салаты, мясо, овощи, фрукты. Идея была, конечно, новоявленного мужа и зятя.

Мать горячо благодарила смущенного шофера и все норовила засунуть ему мятый рубль. Водитель Мустафа, молодой красавец из маленькой деревни Кафтун, что на севере Ливана, воспитанный в уважении к старым обычаям и к родне, а тем более — к родне пожилой, отчаянно краснел и в ужасе бросился вниз по лестнице. «Странные люди, — бормотал он. — Это же родня Парвиза, теща! И пытается дать мне денег, отблагодарить? Позор, да и только! Странные они, эти русские, честное слово».

* * *

Квартира, куда Парвиз Патруди привез молодую жену, по его меркам была довольно скромной — три комнаты, кухня и ванная. Конечно, за долгое время жизни в столице он постарался убрать всю казенщину — привез красивую мебель, огромный серебристый холодильник, кухонную технику и прочие, неведомые советскому человеку блага и удобства.

После Маринкиной конуры Милочка наконец выдохнула — здесь, в ее новом и вполне законном доме, куда она вошла хозяйкой, ей нравилось все. Здесь не было запахов старой мебели, помойки из окна, дешевой еды и вечного запаха жареной рыбы, доносящегося из соседней квартиры. Здесь вообще хорошо пахло — Милочка была чувствительна к запахам, ее всегда оскорбляли запахи дешевой советской жизни.

Так началась ее замужняя жизнь.

Муж уходил на работу, а Милочка долго, до полудня, спала. Куда торопиться? Просыпалась медленно и неохотно, неспешно пила кофе и смотрела в окно, новый пейзаж за окном теперь ее устраивал. Там, за окном, монотонно шумела и шуршала шинами машин просторная Смоленская площадь.

Ужинали обычно в ресторане или в гостях — знакомых и приятелей у Парвиза было полно — пол-Москвы. Ходили в театр, на балет, оперу — муж был горячим поклонником искусства.

Днем Милочке делать было нечего — гулять она не любила, в магазинах было пусто и скучно. Книги не читала — тоска. Телевизор? Да и там один бред — успехи литейщиков и ткачих, закрома родины, полные добра. Только где это добро? Непонятно.

Муж, человек восточный, обожал рынок — в субботу ехали на Центральный, и там он вовсю давал себе разгуляться — с восточным размахом и уважением к хорошим продуктам.

Он получал от этого удовольствие, а Милочка скучала.

— Учи хотя бы английский! — уговаривал муж. — Арабский ты, понятно, не выучишь. Да и ни к чему. Но английский знать надо — весь мир говорит на английском.

А ей не хотелось. Нудно и скучно — учиться она никогда не любила.

Муж пригласил преподавателя — Милочка вяло сопротивлялась, но сдалась. Куда было деться? Домашних заданий не делала, на уроке откровенно зевала, и успехов у нее не наблюдалось, о чем преподаватель, человек ответственный, сообщил ее мужу.

Парвиз раздраженно отчитал жену:

— Странная ты! Вот все же на блюдечке! А тебе ничего и не надо! — Расстроился, а потом отступил. — Ну дело твое.

Жила Милочка как в полусне, в фильме с замедленной съемкой.

К мужу она относилась терпимо. Если бы ее спросили, любит ли она его, счастлива ли она, она бы растерялась. Любовь? Вы о чем? Хороший ли человек ее муж? Да, безусловно. Хорошо ли он относится к ней? Конечно же да! Довольна ли она своей жизнью? Да, очень довольна. Но в ее сердце было по-прежнему пусто. Пусто и холодно, словно в выстуженной и абсолютно пустой, нежилой комнате. Холод, сквозняк. Темнота.

Никого она не любила. Ни замечательного и любящего мужа, заботливого и нежного. Ни чудесного, верного и хлопотливого бывшего любовника Алексея Божко, сделавшего для нее ой как немало.

За свои почти тридцать лет (скоро, скоро! Ох, как же время бежит! Просто становится страшно) она никого не любила.

Бабку Нюру, вырастившую ее, еле терпела, боялась и презирала. Забитую мать немного жалела, но не уважала и, кажется, не любила. Алексея ценила и уважала. Восхищалась им от всей души. Чистая правда. А любить не любила. Схватилась за него как за соломинку, потому что понимала: может пропасть. А нежного мужа... терпела. Только терпела. Понимала: Парвиз — ее единственная возможность. Единственная возможность прожить *нормальную* жизнь.

Любила она только Серегу — отчаянного вруна, отчаянного болтуна и «обещателя». Грубоватого, хитрого, прожженного и ненадежного, за которым готова пойти на край света. Без раздумий взойти на костер и сгореть. Прыгнуть с крыши высотного дома. Ждать его из тюрьмы, сколько нужно. Родить ему ребенка, если захочет. Быть ему нянькой, мамкой, слугой. Есть черный хлеб и ходить в опорках. Лишь бы любил, лишь бы не бросил.

А он обманул. Бросил. Предал. Не подумал о том, как ей без него.

А она, набитая дура, все не может его забыть.

Душа ее высыхала, словно ручей в зной, покрывалась колючим инеем, пылью, коростой. Внутри было пусто. Жила оболочка — красивая оболочка по имени Мила. А ее самой давно не было. И еще — она всех презирала. Мать — за овечью покорность. Алексея — за слабость духа. Мужа — за истовость к ней.

Она вообще презирала людей. Но и себя не возносила — все про себя понимая. Корыстная? Да. А вы как хотели? Холодная? Да! А потому, что сердце опалило и выжгло предательство. Неблагодарная? Да нет, здесь все нормально. И добро от Алексея она не забыла. И мужнину щедрость ценила. И свой покой, так зависящий от него.

Но все же только терпела. Его ласки она принимала прохладно, не противно, уже хорошо. Но не отвечала на них — много чести.

А он, горячий и нетерпеливый по рождению, по крови, оттого, что влюблен, почти был уверен, что холодность жены — всего лишь натура. Северная природа, где женщины сдержанны, да и вообще ведут себя с важным достоинством. Парвиз любил жену, готов был на все, лишь бы угодить, лишь бы понравиться. Ловил каждый добрый жест с ее стороны. И еще — боялся. Чувствовал, если что — уйдет. Уйдет, хлопнув дверью. И ничего с собой не возьмет. Она такая — гордыня превыше всего.

И вообще, эти русские женщины... Сколько их у него было! А так ничего и не понял...

Приближался его отпуск и время поездки домой. Парвиз нервничал — как воспримет его Снежную королеву семья? Родственные связи в семье были крепкими, но из дома он уехал давно, стал отрезанным ломтем. Родители смирились, что средний сын далеко и давно живет своей жизнью. Конечно, поправ устои семьи и страны, женившись на русской, на женщине другой веры, он если не оскорбил их, то сильно расстроил.

Но и утешение было — старший сын с тремя внуками и три дочери — красавицы и умницы. Две — тихие и семейные женщины, дай им бог! А вот за младшую волновались — младшая, Лейла, оказалась строптивой — настояла на учебе в Париже и стала совсем европейкой. Родителей не стесняется — ходит в брюках и, спаси Аллах, курит! Вот ведь кошмар!

Семья Патруди не была религиозной, но традиции все же соблюдались.

По любимому сыну Зейнаб-ханум скучала. Холодная и равнодушная страна, куда занесло ее мальчика, пугала ее. Она не могла поверить, что там, в этой далекой и снежной Москве, нет, например, обычной зубной пасты. Нет, смеялся сын, вообще-то она есть! Но, мама, такого вкуса и запаха...

Перед отъездом он тщательно собирал чемодан. Зейнаб-ханум сидела рядом и громко вздыхала: зубная паста, крем для бритья, лезвия для бритья, одеколон и крем после бритья — неужели там этого нет? Коробки с любимым хумусом, упаковки пахлавы, пудинга мхлабие и печенья маамуль. Пакеты с булгуром и нутом, кунжутная паста и даже спагетти. Неужели в этой стране нет спагетти? И томатного соуса тоже?

Еще там не было фисташковой халвы, любимого лакомства мальчика, белых трикотажных трусов, цветных носков, дезодорантов — интересно, как тогда они пахнут? Ах да! У них же всегда зима, всегда холод! И такое короткое лето.

Рубашек, джинсов, мокасин и джемперов тоже не было. Похоже, со всем остальным тоже были проблемы — например, с оливковым маслом.

— Бедный мой мальчик! — И Зейнаб-ханум утирала слезу.

Правда, подарки из далекой Москвы сын им привозил, и подарки чудесные! Например, черную икру, которая была куда вкуснее иранской. Или легчайший, прозрачный, как паутинка, и невозможно теплый пушистый платок — такой жаркий, что и надевать его было некогда. Была еще шкатулка — из черного лака с изумительно выписанной тонкой картинкой: на ней рвались вперед тонконогие кони с золотистыми гривами. За конями бежала карета, в которой сидела румяная девушка в цветастом платке, из которого выбивалась золотая коса. Зейнаб-ханум любила разглядывать эту молодую русскую красавицу, на которую наверняка похожа ее невестка.

Привозил Парвиз и красивую деревянную посуду, расписанную золотым и красным, — легкую, горевшую на солнце ярким огнем. И пушистые меховые шапки для сестер — длинноворсые, переливчатые, черные с сединой на концах — из сибирской лисы.

Сестры были довольны — и в Бейруте бывает такая зима, что впору надеть этих лисиц!

А отцу, уважаемому Али Беку, сын привез в подарок часы. Отец долго разглядывал их, потом рассмеялся и снял свой золотой «Ролекс».

— Ну, что ж! Буду носить и всех удивлять!

А Зейнаб-ханум, дорогой матери, привез в подарок кольцо — якутский бриллиант.

— Мама, — объяснил он. — Эти камни — самые чистые.

Кольцо было красивым. Но самое главное — оно было подарено сыном! И Зейнаб-ханум его не снимала.

Перед приездом сына с невесткой она совсем загоняла прислугу — мыли высоченные арочные окна, снимали неподъемные шторы, расшитые золотыми нитками. Крахмалили кружевное белье. Испуганный садовник обрывал подвядшие лепестки на пышных розах. И, конечно, готовились яства — все то, по чему наверняка соскучился ее дорогой мальчик.

Табуле, кебабы, киббех, фатуш и домашняя, тончайшая, золотистая пахлава — все, чтобы порадовать любимого мальчика!

Про невестку она старалась не думать — боялась. Ясно было одно — чужая. Именно это слово она повторяла, как заведенная. Чужая, чужая. Чужая во всем.

Как они поймут друг друга? Зейнаб-ханум не говорит по-английски. Слава богу, по-английски говорят ее муж, младшая дочь, два зятя и старший сын. А как они будут общаться? В ночь перед приездом детей Зейнаб-ханум не спала — бродила по дому, проводила ладонью по мебели, поправляла шторы, переставляла вазы с пышными розами. До рассвета так и промучилась, глядя, как в окно пробивается ранний свет нового и тревожного дня.

Ждала их на пороге — в нарядной абайе, расшитой золотом, и кружевном хиджабе. Надела и лучшие украшения — кольца, серьги, браслеты.

На комоде стояла дорогая старинная шкатулка с приготовленным для невестки подарком — резная шкатулка, а в ней ожерелье с крупными изумрудами, сапфирами и рубинами, которое сделал семейный ювелир и старый друг, дорогой Наджимуддин.

Зейнаб-ханум нервничала, и ее лицо расцветало бордовыми пятнами. Младшая дочь взяла ее за руку.

Подъехала машина и резко затормозила у ворот дома. Из машины резво и быстро выскочил сын. При виде матери и сестер его лицо осветила радость.

Шофер открыл заднюю дверцу, и из нее медленно вышла молодая женщина. Высокая — выше Парвиза, — очень худая, длинноногая, в ярком платье, не прикрывающем колен.

Женщина растерянно глянула на роскошный дом, увидела стоящую на крыльце родню и вопросительно посмотрела на мужа.

Тот взял ее за руку, и они вошли в тенистый двор дома семьи Патруди.

Сын обнял всю родню по очереди: сначала отца, потом мать, старшего брата, а уж после него и сестер. Его молодая жена стояла чуть поодаль и с какой-то неприкрытой тоской наблюдала за этой сценой.

Муж подвел ее ближе. Все смотрели на нее внимательно, настороженно, не отрывая глаз, словно приценивались. Она смутилась и нахмурилась, одарив мужа недовольным взглядом.

Наконец к ней шагнул старший брат и протянул ей руку. Все громко выдохнули и заулыбались.

Зейнаб-ханум слышала громкие удары своего сердца, и ей казалось, что слышит их не только она. Она вздрогнула, сбросив с себя оцепенение, с испугом, словно ища поддержки, посмотрела на мужа и, сделав шаг вперед, протянула к невестке руки.

Та, снова коротко взглянув на мужа, словно ища у него помощи и одобрения, тоже сделала шаг вперед.

Зейнаб-ханум обняла ее, и общий вздох облегчения поднялся над широким белым мраморным крыльцом, уносясь куда-то вверх, под самую крышу.

Потом Милочку обнимали долго и обстоятельно, по очереди — золовки, их дети, жена старшего брата. Мужчины жали руки и улыбались — похоже, она всем понравилась. А ее сдержанность и холодность списали на неуверенность, неловкость и страх.

Милочка оглядывала дом и удивлялась — такого ей видеть не приходилось. Если только в кино! Московские квартиры, поражавшие ее размерами и, как казалось, роскошью, квартиры Серегиного деда-артиста, Алеши Божко и его богатых друзей и известных людей казались ей теперь курятниками и сараями в сравнении с родовым домом ее супруга. Это был замок, роскошный восточный дворец.

Это ее потрясло. Она поняла, что раньше, до приезда сюда, она и не понимала всего масштаба его богатства.

Да какого богатства! «И я, — думала Милочка, — имею ко всему этому прямое, абсолютно прямое, можно сказать, отношение».

Муж наблюдал за ней, пряча усмешку в смоляные усы — реакция Милочки его забавляла. Младшая золовка взяла ее за руку и повела в сад. Милочка обернулась на мужа, тот кивнул — пойди, посмотри!

Сад благоухал. Огромный, раскидистый и густой жасмин осыпал белоснежными лепестками землю вокруг. Кусты роз всех цветов, от белого до фиолетового и черного, распространяли сладкий, почти удушливый запах.

Три кедра — знаменитых ливанских кедра с пышными кронами — окружали бассейн с бирюзовой блестящей водой.

Возле бассейна, в тени деревьев, стояли белоснежные шезлонги для отдыха.

Милочка не могла скрыть свои чувства. Она ходила между всем этим великолепием растерянная и совершенно потерянная.

Ей даже стало страшновато. Куда она попала, господи! Она, Мила Иванова, выросшая в унижении и нищете? Неужели это все происходит с ней? И все это — реальность, а не сладкий и непонятный, чужой и короткий сон?

Свекровь смотрела на нее из окна, чуть сдвинув тяжелую штору.

— Как тебе эта русская? — тихо спросила она мужа.

Муж сделал неопределенный жест рукой.

— А что ты хотела? Они там другие. Смирись. А что еще нам остается?

Зейнаб-ханум поняла: муж тоже не в восторге от русской невестки. Да и она представляла ее другой — похожей на ту румяную и пухлую девушку с золотистой косой с черной блестящей шкатулки.

А эта... Эта слишком худая, даже костлявая. И коленки такие некрасивые и, наверное, острые. И очень короткие волосы, словно у мальчика. И слишком открытая грудь. Нет, конечно, красивая. Но чужая. И никогда не будет своей. Глава семейства, ее мудрый муж, как всегда, прав — надо смириться! Да, прав... А что им остается?

* * *

Подарок свекрови, толстенное золотое ожерелье с пестрыми камнями, Милочка не надела ни разу. На вопрос мужа почему, маме же будет приятно, ответила сухо:

— Парвиз, ты о чем? Куда мне этот... ошейник? Я ж не собака, честное слово!

Он вздохнул и развел руками:

— Восточный шик! Черт-те сколько денег стоит, ты мне поверь!

И растерянно повторил:

— Маме будет обидно, вроде как невнимание, что ли.

Милочка небрежно махнула рукой.

Как-то вечером, уже в постели, муж осторожно спросил:

— А может, останешься тут, еще погостишь? Здесь же рай, Милля! Солнце, бассейн. К чему мы приедем в Москву? К дождю и холодам?

Милочка посмотрела на него с нескрываемым ужасом. Остаться еще? Да к тому же без него? Она так яростно замотала головой, что Парвиз понял: последующие уговоры абсолютно бессмысленны и бесполезны.

Месяц отпуска пролетел быстро. Он изо всех сил старался развлекать молодую жену: они ездили по стране, ходили в гости, приглашали гостей к себе. Приемы получались пышными, яркими, с восточным, пряным запахом воздуха, ароматов сада, приправ и специй.

Разряженные важные дамы, жены больших боссов и богачей, самых значительных и важных семейств Бейрута, сверкали тяжелыми изумрудами, рубинами и алмазами. Казалось, что все это несметное богатство было выложено напоказ, как на прилавок — у кого ярче, у кого крупнее.

Женщины были красивы, словно перезревшие сочные персики, спелые янтарные груши, готовые истечь сладчайшим соком, как медовые темные сливы: ветер подует — и все, сорвутся, слетят с ветки, мягко шлепнутся о землю, и их тонкая кожица брызнет липким, сладким соком.

Русская жена Парвиза Патруди была им интересна. Они жадно ее разглядывали — от светлых и тонких, легчайших волос, белой нежнейшей кожи, карих глаз, смотрящих с бодрящей прохладцей, до узких и бледных ступней, бесстыдно обнаженных, с тонюсенькими ремешками босоножек.

Разглядев ее, они недоуменно переглядывались — нет, ничего, конечно, плохого, но и ничего такого особенного. Они тут же успокоились и занялись своими делами: сплетнями про подруг и знакомых, рассказами о прислуге и детях — словом, женщина женщину всегда поймет.

Одинокая Милочка стояла поодаль и с тоской взирала на все это действо — столы были накрыты в саду. Пышные белые шелковые скатерти с бантами, среди которых поблескивали ослепительно начищенные приборы, сверкали и переливались бокалы из баккарского хрусталя, в узких вазах стояли букеты роз и огромные, многоярусные этажерки со сладостями и фруктами, на которые слетались назойливые осы.

Прислуга разносила соки, лимонады и кофе. Милочка пила шампанское — дамы смотрели на нее с тихим ужасом. И ей становилось смешно.

Подтаивали, плавились, сочась сиропом и маслом, восточные сладости — пахлава, шакер-бура, халва, козинаки и рахат-лукум. От невозможной сладости Милочку тошнило. Она вспоминала любимый вафельный тортик и кислые барбариски — то, что она очень любила.

Бейрут ей нравился — в те годы он был прекрасен. Широкие тенистые улицы, шикарные магазины, кафе, где подавали отличный, душистый кофе и лимонады всех оттенков и вкуса — апельсиновый, лимонный, кизиловый и сливовый.

Магазины поражали роскошью и изобилием. В них она терялась — это было настоящим испытанием для неискушенных.

Но первый раж прошел, и это ей стало неинтересно — какой интерес в том, что все есть и всего много? Радость утрачена — так ей казалось.

И еще было жарко. Очень жарко, невыносимо жарко. Воздух, казалось, дрожал. В помещениях, разумеется, было прохладно — кондиционеры ревели и работали мощно. Ей хотелось прохладной московской осени, с разноцветными листьями, которые подгонял и кружил прохладный уже ветерок, ранней весны, с талым снегом, с набухшими, крупными почками вербы и робким пока еще пением птиц. И даже зимы, которую она прежде не ценила. А сейчас ей очень хотелось пышного снега, крепкого и хрустящего морозца и предновогоднего острого запаха хвои и мандаринов.

Разговоры на чужом, непонятном языке ее раздражали. Муж смеялся:

— Я же тебе говорил! Учи хотя бы английский!

А она хмурилась и обижалась.

К концу отпуска ее раздражало уже все — обильная, пряная и острая еда, совершенно не подходящая для русского желудка, нестерпимо хотелось квашеной капусты, огромных, мягких соленых огурцов и черного хлеба. Желательно с салом или с докторской колбасой. Раздражали жара, гортанный и резкий местный говор — казалось, говорящие все время ссорились или друг другу что-то доказывали. Резали глаз яркие цвета нарядов женщин, чересчур обильная косметика, которая на жаре растекалась, плыла, нестерпимый блеск золота и камней, которые надевались даже для выхода в магазин. От аромата душных и «крикливых» духов ее начинало мутить.

На улицах дымились мангалы, и дым, пахнущий жиром и мясом, заползал в ноздри, и ее снова начинало тошнить.

Она еле дождалась отъезда.

Прощание было невеселым — свекровь и свекор смотрели на нее с недоверием и настороженностью: что будет дальше?

Золовки пытались улыбаться, но улыбки их были натужными, неестественными.

Старший брат похлопал Парвиза по плечу, словно с сочувствием.

В машине по дороге в аэропорт Милочке сделалось чуть легче. Скорее домой! Настроение стало отличным — от расставания с родственниками, от предвкушения скорой Москвы.

Она взглянула на мужа и взяла его за руку. Муж ее руку не пожал. Она удивилась. Ну что ж, хозяин барин! В конце концов, я не обязана пылко любить его родственников и все остальное, что к ним прилагалось.

В Москве, выйдя на улицу из душного и шумного зала аэропорта, она глубоко вдохнула и выдохнула — серое небо, затянутое тучами, и мелко моросящий дождь показались ей невозможно прекрасными. Где родился, там и сгодился, вспомнила она и улыбнулась. Да, это так! Любишь — смирись. Прими меня такой, какая я есть. В конце концов, не я звала тебя замуж и не я настояла на этом.

Но оказалось, что и Парвизу московская жизнь отнюдь не приносила огорчений и расстройств — он моментально, с удовольствием включился в привычный ее поток и течение. И снова бесконечные гости, премьеры и вернисажи, приемы в посольствах. Он чувствовал, как соскучился по Москве. Все это было живо, ярко, подвижно, радостно, знакомо и близко.

Пожалуй, он понял свою жену, он всегда старался ее оправдать. Это ему положено скучать по родине и семье — она ни при чем. Думал он и о том, что однажды — возможно, совсем скоро — им предстоит отъезд. Командировка закончится. И что будет дальше? Париж? Или Лондон? В конце концов, он дипломат. Но думать об этом ему не хотелось.

А Милочка была счастлива. Москва здесь, только протяни руку, за окном, за тяжелой дверью подъезда, где ее сразу обдавало запахом асфальта, бензина, прелых листьев и свежестью дождя.

Она никак не могла надышаться, вечерняя прохлада казалась ей раем, туманное утро вызывало восторг. Она радовалась дождю, прибившему старую пыль, запаху мостовой.

В тот год как-то быстро наступили холода — дождь без остановки барабанил по окнам и крышам, к концу месяца с неба полетела белая мелкая крупа, ненадолго укрыв мостовую, москвичи начали дружно возмущаться и ругать «несусветный московский» климат.

Радовалась, казалось, одна Милочка — ни бесконечные дожди, ни ранний снег ее не огорчали, дышалось легко и свободно, полной грудью, до самого глубокого вдоха.

Их закрутила светская и суетная московская жизнь, и Милочка прсбывала в прекрасном и бодром настроении — на удивление мужу и, что удивительно, самой себе. Казалось, что все наладилось и исчезли ее тоска и печаль.

Но спустя полгода Милочка опять заскучала. Ей надоели светские рауты, бесконечная круговерть лиц — старых и новых. К тому же все оказалось похоже — те же демонстрации нарядов и украшений, сплетни и слухи, все те же разговоры про прислугу и детей. Все было знакомо и известно — ничего нового.

Все повторялось изо дня в день, будто крутилось колесо, а в нем, словно усталая пегая белка, вертелась и Милочка. Без всякой надежды на скорое освобождение.

Она хандрила и не желала выходить из дома. Снова много спала — до полудня или позже. Валялась, листала журналы и снова спала. К вечеру, к приходу мужа, она выходила смурная, недовольная, опухшая от бесцельного валяния и мутного дневного сна и хмуро кивала ему.

Он расстраивался, пытался ее растормошить, развеселить, обрадовать, чем-то увлечь, приносил подарки и вкусности, но Милочка не радовалась и ни на что не реагировала — вяло отмахивалась, вяло благодарила и просила оставить ее в покое.

Парвиз не спал по ночам, ворочался, вставал, курил и пил воду, а она безмятежно и, казалось, счастливо спала. Он смотрел на ее спящее и спокойное лицо и думал о том, как она ему дорога.

— Милая, милая, — шептал он. — Ну что же так... неспокойно?

Конечно, ему хотелось детей, как любому восточному мужчине.

С женой этих разговоров они не вели, но и не исключали эту возможность. Он решил, что это и есть единственный выход. Его любимая жена, его прекрасная Милочка проснется, встрепенется, очнется. Наконец появится смысл жизни. В ребенке, конечно, в ребенке! Какую женщину не красило материнство? Какую женщину материнство не спасало?

Спустя год Милочка забеременела. Почему-то сильно испугалась — сама не поняла почему? И еще сразу решила, что ничего не расскажет мужу. Пока? Если бы ее спросили, почему она утаила столь важную и прекрасную новость, она бы, наверное, растерялась и не ответила.

Спустя три недели Парвиз уехал в короткую командировку в Ленинград. На следующий день рано утром его жена, Мила Патруди, отправилась в Боткинскую больницу к знакомой гинекологине.

Уже к вечеру, к девяти часам, она была дома.

Муж позвонил в полдесятого.

Милочка взяла трубку и весело защебетала.

Настроение у нее было прекрасным.

Он удивился и очень обрадовался: кажется, жена приходит в себя! И быстро уснул легким и светлым сном — давно у его жены не было такого чудесного настроения!

Как хорошо!

И Милочка в ту ночь спала замечательно — крепко, без сновидений. Впрочем, со сном у нее всегда был полный порядок.

Ну а потом...

Жизнь снова потекла тем же знакомым маршрутом — тягуче и медленно, словно варенье с ложки.

День был похож на день, месяц на месяц. Их бесконечные выходы в свет стали давно неинтересны — все одинаково, одно и то же, к чему тратить силы и время?

Муж изо всех сил пытался ее тормошить — придумал усадить ее за руль автомобиля. Хорошая идея, а? Милочка отказалась.

Ей ничего не хотелось. Все оказалось блефом, обманом — вся эта сытая и красивая жизнь, о которой она и мечтать не могла. Ей было скучно. Была еще пара поездок в Бейрут, к родне мужа. И там опять все раздражало: суетливая и шумная родня, удушливая жара, снова душили пряные запахи и снова все было знакомым и — скучным.

Родные мужа теперь смотрели на него с сочувствием, понимали, что любимый сын совсем не счастлив с этой русской.

Не любит она его, горевала Зейнаб-ханум, совсем не любит!

И сердце матери плакало.

А потом Милочка и вовсе отказалась ездить в отпуск с мужем.

Через пять лет она похоронила мать. И только стоя у ее могилы, подумала вдруг, что больше никого у нее не осталось. Муж был не в счет.

— Мама, прости! — шептала она, смахивая с лица слезы. — Прости!

Уйти? А куда?

Идти было некуда — не возвращаться же в их с мамой комнату?

Этого и представить нельзя!

Муж терпел. Молчал и терпел. Лишь однажды, увидев слезы в его глазах, спросила:

— А зачем тебе вообще это нужно, Парвиз, — я, наша жизнь? У нас же все плохо.

Ответил он коротко, одним словом:

— Люблю. Я люблю тебя, Мила! И буду любить тебя.

— Вечно? — усмехнулась Милочка.

Он кивнул.

Она махнула рукой:

— А, перестань! Вечного ничего не бывает!

В эту ночь она плакала: ей было жалко себя, жалко мужа. Но — себя больше. Женщина с пустым и холодным сердцем.

И некому ее пожалеть. Некому. Она одна. Одна на всем белом свете. Как глупо и странно все получилось...

Она рассматривала себя в зеркале и видела, что стареет. Нет, она была еще очень красива. Но под глазами появились тонкие, прозрачные морщинки. Уголки рта предательски ползли вниз, придавая лицу выражение грустного клоуна или сильно обиженной женщины.

Появились первые седые волосы. Увидев это, она попыталась их выдернуть и брезгливо сморщилась — какое отвратительное зрелище, господи. Обвисла и поникла ее красивая крепкая грудь. И кожа на ладонях стала суше, и ногти ломались.

Вот и все. Она опустилась на стул. Вот и все! Жизнь прошла. Почти. И уж точно — прошла молодость. Что ждет ее впереди? Да ничего хорошего. Так и будет тянуться медленным товарным поездом время, приближая ее к болезням и старости.

Все прошло, да. Ушли ее молодость и красота. Надежды ушли. Она так и не изведала ни женского счастья, ни материнской радости. Когда она встретила Парвиза, то решила, что ей сказочно повезло, что достался счастливый лотерейный билет. Она отхватила, поймала птицу удачи. Нашла клад. И теперь все будет прекрасно!

Ах, как она ошибалась... Как эти годы, прожитые без любви, выморозили ее сердце, выстудили душу, и там, в душе, ничего не осталось. Только капелька жалости на самом дне и немного раскаяния. Совсем чуть-чуть — чувства вины перед мужем.

Но уходить ей было некуда. Опять в нищету?

Профессии нет, специальности тоже. Из записных красавиц жизнь ее удаляла. Ах, как глупо, бездарно она распорядилась собой. Как жестоко обошлась с ней судьба!

И самое страшное — выхода нет! Нет и не будет. Откуда?

Теперь муж приходил поздно. Сквозь сон Милочка слышала, как он со стуком сбрасывает ботинки и чертыхается.

Она вздрагивала и покрепче зажмуривала глаза — опять пьяный. Муж давно спал в кабинете и, слава богу, не беспокоил ее. С ужасом она думала о том, что его командировка подходит к концу. А это означало одно: ей придется уехать с ним на его родину или в другую страну.

Нет, был и второй вариант: он разведется с ней и уедет один.

Скорее всего, так и будет, ну не совсем же он идиот, чтобы тащить ее с собой! Конечно, он подаст на развод и уедет один. А там ему подберут новую жену — вот уж в этом она не сомневалась. Молодую, красивую, богатую, из хорошей семьи. Она родит ему троих ребятишек и с ней — молодой, веселой, понятной и родной — он проживет новую и прекрасную жизнь. В богатом и красивом доме с бассейном, в окружении семьи и детей.

А что будет с ней? Ей было страшно.

Календарь перелистывал дни. Они бежали стремительно быстро. Муж разговоров об отъезде не заводил. И от этого было еще тревожнее. Каждый вечер с замиранием сердца лежа в кровати Милочка ждала его появления домой.

Конечно, она предполагала, что у него давно кто-то есть. Но, скорее всего, это были короткие романы и случайные женщины — уж серьезные отношения она бы заметила точно. Парвиз оставался человеком пылким, горячим — уж если б влюбился...

В начале мая была годовщина смерти матери. Мила никогда не предлагала мужу поехать с ней на кладбище. К тому же это был субботний день, когда он любил от души отоспаться.

Да и она старалась в выходной поскорее сбежать из дому: слишком тягостны были эти семейные поздние завтраки и обеды.

На улице было тепло и солнечно, народу немного — дачники наверняка с раннего утра рванули на дачи, а оставшиеся урбанисты еще досыпали в теплых постелях. Столичные развлечения предполагались лишь к вечеру. Полупустое метро, автобус — и вот она у ворот кладбища. У входа большой куст сирени — цветки готовы раскрыться, еще день-два, не больше. Она потрогала набухшую тяжелую кисть — красота. Старые кладбищенские липы с уже распустившимися нежными молодыми листочками закрывали теплое солнце. Было прохладно и тенисто.

Милочка медленно шла по аллее, бросая короткие взгляды на знакомые надгробия, стоящие у дороги, — маленькая девочка Леночка, пяти лет. Старуха с прищуренным и недобрым взглядом со смешной фамилией Соловейкина.

Казалось, что старуха Соловейкина пристально смотрит ей вслед, провожая внимательным взглядом. И кажется, осуждает. Наверное, она всегда всех осуждала — такое лицо.

Подросток шестнадцати лет Каприн Илья — красивый и строгий, с тоненькой полоской юношеских гусарских усиков.

Женщина тридцати семи лет, печальная и невозможно красивая Ниночка Сереброва. От вечно скорбящих папы и мамы, умерла после тяжелой и продолжительной болезни. Получается, Ниночка Сереброва болела давно и невестой и женой побыть ей было не суждено. Бедная, бедная Ниночка. Бедные вечно скорбящие родители. Наверное, они мечтали увидеть красавицу дочь в подвенечном наряде. Тетешкаться с внуками. А вышло вот так.

Наконец Мила дошла до могилы матери, в последнее время ее все время тянуло сюда. Скромный крест с фотографией — мама там еще молодая: застенчивый взгляд, толстая коса перекинута через плечо, кружевной воротничок темного платья. Такая милая, нежная, застенчивая и... ожидающая. Как все девушки — ожидающая счастья и удачной, счастливой женской судьбы.

Ах мама, мама! Ничего не получилось ни у бабки Нюры, ни у тебя... И у меня, мама, тоже не получилось. Как-то нелепо вышло у нас... Правда, мамочка? И Милочка горько заплакала.

Положив цветы на могилку, она провела ладонью по маминой фотографии.

— Я скучаю по тебе, мамочка! — тихо сказала она и почти шепотом добавила: — Ты... прости меня, ладно?

Потом она медленно шла к выходу, глядя в землю, здороваться с покойниками ей уже не хотелось.

Услышав приглушенные мужские голоса, Милочка невольно обернулась и остановилась — в абсолютной тишине кладбища слышать мужскую ругань было немного странно. Чуть поодаль работяги копали могилу — один стоял почти по пояс в земле, орудуя лопатой, а два других перекуривали и вяло о чем-то спорили. Стоявший в яме, которой вскоре предстоит стать чьей-то последней постелью, остановился, громко сплюнул и посмотрел на нее. Они столкнулись взглядами.

— Ссрежа... — прошептала Мила и, покачнувшись, схватилась за оградку чьей-то могилы.

Он улыбнулся, сплюнул сигарету и лихо поправил заношенную кепчонку.

— Ну и дела! Встретились, значит. И надо же, — он оглянулся, — вот ведь место нашли! — Серега засмеялся и, опершись руками о края, ловко выскочил из свежей ямы.

Отряхивая рабочие рукавицы, он неспешной, вразвалочку, матросской походкой приблизился к ней. Встал напротив, скинул рукавицы на землю, смачно сплюнул и посмотрел ей в глаза — в упор, насмешливо и дерзко. Медленно оглядев ее с головы до ног, оценивающе, с мужским, наглым прищуром, усмехаясь, покачал головой:

— Шикарно выглядишь, а? Ну просто с Елисейских Полей, не иначе!

А она только и посмела кивнуть:

— Да, Сережа. Просто шикарно. Да и вообще — все хорошо. Ну ты же видишь! Так хорошо, что так бы и прыгнула прямо туда. — И она кивнула на только что вырытую яму.

Два его подельника снова смолили и с нескрываемым удивлением смотрели на них.

— Ты вроде за каким-то индусом замужем? Или за иранцем? Слухи дошли. — И Серега нарочито громко и смачно сплюнул на асфальт.

— За ливанцем, — бесцветным голосом ответила Милочка. — Хотя... какая разница?

— Судя по прикиду, — Серега хмыкнул и одобрительно кивнул, скользнув по ней острым взглядом, — удачно! А, Мил? Значит, сложилось все у тебя?

— Удачно? — словно не расслышав, переспросила Милочка. — А! Ты об этом. — И совсем равнодушно, глядя куда-то в сторону, добавила: — Да что мы об этом: удачно, неудачно! Какая разница... — Она подняла на него глаза и тихо, с опаской спросила: — А ты как, Сережа? Ты давно здесь?

— Три года, — коротко бросил он и снова сплюнул. Затоптал сигарету носком старого кеда. — Три года, — повторил он. — Вот и вся жизнь прошла, Милка! Так вот, раз — и прошла! Глупо прошла, бестолково. И грубо. Некрасиво прошла. Ну, — он вдруг улыбнулся, — пойдем, я тебя провожу. До калитки.

Милочка кивнула, и они молча пошли по узкой тропинке, ведущей к выходу.

Вдруг она остановилась, подняла на него глаза и с мольбой спросила:

— Серега! Ты мне расскажи! Как ты... вообще? Почему здесь? Где ты живешь? Что с твоими родителями?

Он хмуро смотрел в сторону. Немного помолчав, кивнул на скамейку.

— Ну, если ты не торопишься...

Говорил он отрывисто, короткими, рублеными фразами, словно говорить ему было не только невыносимо стыдно и горько, но еще и больно.

— Первый срок — восемь лет — скостили до пяти, ты, наверное, знаешь. Пятерку отбарабанил. Вышел. Как там было? — Он усмехнулся. — Что говорить? Ужастики на ночь... Было несладко. Два года был здесь, на свободе. Жил в Куйбышеве, у одной знакомой, так, случайно познакомились на вокзале, ну и понеслось. Гражданочка эта, — он криво хмыкнул, — пригласила к себе. Ну и поехал — в столице меня никто не ждал и ничего не держало. Прокантовались мы с ней пару лет. В общем, об этом неинтересно! — добавил он жестко, и Милочка увидела, как заходили у него желваки. — Так вот, прокантовались. Ну а потом... — Он сильно затянулся сигаретой. — Потом я снова попался. Влип как дурак, почти на ровном месте. Взяли за задницу и обрадовались: а! Срок уже был! Ну и припаяли опять пять лет. Гражданочка та сразу честно сказала — ждать не буду, передачки слать тоже. Мне надо устраивать жизнь. Конкретная была барышня, четкая, у нее все по полочкам. Ну и ушел я оттуда. Снова на пятеру присел.

А когда вышел... Здесь тоже встретили. Папаша мой ушел от матери к молодой. Квартиру разменял — себе, сволочь, взял большую и в центре. Сказал — ты во всем виновата! Ты вырастила уголовника. А я еще хочу пожить и родить нормального ребенка. И мать отправил к черту на кулички — в Мытищи. В однокомнатную с газовой колонкой на первом этаже. В общем, нагрел ее и меня по полной. А мать не сопротивлялась — она уже давно болела, после моего первого срока. Что-то с психикой — совсем с резьбы сорвалась. А после развода еще стала кирять. Помнишь, какая была красавица? — Серега вздохнул. — А сейчас ничего не осталось. Рухлядь, старуха. Короче, вернулся. Идти некуда. Поселился там же, в Мытищах, с матерью. Зимой сплю на кухне, а летом на раскладушке на балконе. В общем, живем... — И он замолчал. — Ну а дед умер давно, еще тогда. Да ты, наверное, знаешь.

Милочка кивнула:

— Слушай! А дача? В смысле — дедова дача?

— Она еще тогда ушла. Мать продала: деньги нужны были на адвоката.

Долго молчали. Потом он хлопнул себя по коленкам, нарочито бодро улыбнулся, встал со скамейки и весело сказал:

— Ну что, Милк! Попрощаемся? На веки, так сказать, вечные? Рад был тебя повидать!

Она посмотрела ему в глаза и увидела в них такую невообразимую тоску, такую печаль, такое смущение, что слезы мгновенно навернулись на глаза.

— Серега! — наконец спросила она. — А почему ты тогда...

— Чтобы ты меня дождалась? — оборвал он ее. — Ну ты и дура, Милка! Да о тебе думал, дуреха! Чтобы ты жизнь устроила! Не поняла?

— Поняла. Только это ты, Серега, дурак! Уж извини.

Тот вздохнул и развел руками:

— Что уж поделать! Прощевай, Милка-красавица! Счастья тебе и любви! И еще — крепкого здоровьица! — юродствовал он. Усмехнулся, махнул рукой и пошел прочь — вразвалочку, по-матросски. По-блатному.

Милочка простояла, глядя ему вслед, несколько минут. Он не обернулся, и она медленно пошла к автобусу.

В ту ночь, после их встречи на кладбище, не уснула ни на минуту. Сидела на кухне — без света, не заметив, как наплывает слабый, синюшный рассвет. Муж пришел под утро. Увидев ее, коротко спросил:

— Мечтаешь?

Опа повернула голову, с удивлением, словно в первый раз, увидела его, кивнула. И в эту самую минуту ей все стало ясно.

Она вздрогнула и улыбнулась:

— Уже! Намечтала.

Она вышла из кухни и отправилась в спальню. Ловко достала чемодан и быстро, размеренными и четкими движениями начала аккуратно укладывать вещи.

Он стоял в дверном проеме и внимательно смотрел на нее.

— Ну, значит, так! — кивнул он. — Только один вопрос, если не трудно. Ответишь?

Милочка остановилась, повернулась к нему и беспечно кивнула.

— Ага!

— Ну спасибо! А ты куда собралась?

— Да не знаю! — Она легко пожала плечом. — Не пропаду, не беспокойся! Как-нибудь, что-нибудь! Да все устроится, ты не волнуйся!

Муж быстро вышел из комнаты, бросив:

— Не буду мешать.

Увлеченная сборами, Мила не обернулась.

Через некоторое время он зашел в комнату и поставил на комод коробку.

— Здесь все твое! Не брыкайся, бери.

Она открыла коробку и растерялась — в коробке лежали ее драгоценности, все, что дарил ей муж. И все, что дарили ей его родственники — за все эти годы.

Она покачала головой:

— Нет, Парвиз! Не возьму! Мне... неловко.

— Прекрати! — резко оборвал ее он. — Все это твое, и не говори ерунды. — Он вышел из комнаты и тут же вернулся. В его руке был толстый конверт, из тех, в которых отправляют важные уведомления. — Это тоже тебе! — сказал он и протянул ей конверт. — На первое время.

Она открыла его и увидела деньги. Внушительную пачку денег.

Она смутилась:

— Ну, знаешь... От твоего благородства я чувствую себя окончательной сволочью...

— А вот это напрасно! — усмехнулся он. — И ты, кстати, пока еще моя жена. А у нас принято заботиться о женах. Даже о тех, которые... — Он замолчал. — Которые бросают мужей. — У двери обернулся: — Тебя отвезти?

— Нет, спасибо! Поймаю такси!

Уже у входной двери, подтягивая тяжелый чемодан, зашла на кухню, где сидел, глядя в окно, ее муж. Бывший муж.

— Прости меня, Парвиз! Я знаю, какая я... дрянь!

Он, не поднимая на нее глаз, глухо ответил:

— Нет. Ты — старалась. И я старался. А что не вышло — не наша вина.

Серегу, своего Шалого, Мила нашла в кладбищенской конторе. Точнее, возле нее. Утро было теплым и солнечным — работяги, кладбищенские вымогатели и аферисты, сидели на бетонной кромке тротуара и, лениво перебрехиваясь, курили.

Серегу она увидела сразу — в широких темных брюках, в рабочей заляпанной куртке и раздолбанных ботинках — в таких ходили слесари и строители. На лицо так же лихо, по-блатному, наезжала кепчонка.

— Сережа! — выкрикнула она хриплым, срывающимся голосом.

Он вздрогнул, обернулся на голос, приложил ладонь ко лбу — в глаза било солнце — и увидел ее. Снова растерянно посмотрел по сторонам, словно ища у кого-то поддержки, медленно, будто нехотя, поднялся и вразвалочку направился к ней. Подошел вплотную, обернулся на своих подельников и коротко спросил:

— А ты здесь зачем?

— Не гони меня, Сережа! — всхлипнув, ответила она. — Следующие полжизни я без тебя не выдержу.

Он долго и внимательно смотрел на нее.

Наконец, выдохнув, коротко спросил:

— Не пожалеешь? Сама знаешь, как может случиться... Хорошо подумала, Мил?

Она яростно замотала головой:

— Времени у меня, Шалый, было достаточно, чтобы подумать. Целая жизнь!

Он снова нахмурился и кивнул:

— Шалый, говоришь? А вот это... Уже вряд ли, Мил. Жди меня здесь. Отпрошусь и поедем. Куда мы с этим барахлом? — Он легонько пнул носком чемодан. — Надо домой.

Подошел к приятелям, что-то сказал им и зашел в контору.

Через минут десять вышел, одетый в цивильное — простые черные брюки и темную рубашку.

Мила видела, как работяги провожают их с удивленными и растерянными лицами.

До Мытищ добирались на попутке. У дома она попробовала заплатить, но он отвел ее руку.

Первый, низкий этаж. Простая, деревянная, ободранная дверь — папашка постарался изо всех сил. Серега толкнул дверь рукой и обернулся к Милочке:

— Не запираю. Если ей будет плохо, постучится к соседке.

Зашли. В нос ударил кислый запах болезни.

Его мать сидела на табуретке в кухне и что-то шумно хлебала из миски.

— Мам! Это я! — крикнул Серега.

Мать не обернулась.

— Проходи! — кивнул он Милочке и посмотрел ей в глаза. — Рай я тебе не обещал, помнишь?

Ночью, лежа без сна, она разглядывала его лицо. Лицо своего любимого.

— Сережа, Сережа, — шептала она.

Осторожно, почти не касаясь, провела ладонью по его лицу — лоб, нос, скулы. Губы. Удивилась — ничего не забыла. С закрытыми глазами могла бы узнать. Как пальцы сохранили эту память?

Он поморщился и, словно сгоняя комара, убрал ее руку.

Она тихо засмеялась.

Откинувшись на подушке, с открытыми глазами лежала до утра. И не было в ту ночь женщины счастливее, чем Мила Патруди. Нет, не так — чем Милочка Иванова.

Снова молодая, уверенная, сильная, смелая. Женщина, которая любит.

* * *

Три года она ухаживала за его больной матерью. Три года убирала, стирала, готовила и выносила горшки. С таким нечеловеческим терпением, что Сергей смотрел на нее с удивлением — вот ведь как бывает на свете. Спали они на кухне — зимой, а летом на топчанчике на балконе. Под балконом собиралась местная молодежь и до утра пела песни, выпивала и спорила, бывало, что до драк.

Тогда Серега подходил к перилам и коротко бросал:

— Брысь, пацанва! А ну, шпана, кыш!

Компашка тут же рассеивалась, словно ее и не было.

Милочка Патруди развелась через полгода. Знала, что Парвиз уехал из Москвы — срок командировки закончился.

Через три года умерла свекровь — так Милочка называла Серегину мать. Стало полегче. Деньги и украшения давно были проедены и потрачены. Серега зарабатывал прилично, но все равно не хватало.

Милочка твердо решила, что ей тоже надо работать.

Муж устроил ее туда же, на кладбище — прибирать могилы, сажать цветы, — место это было хлебным и блатным. Только для своих. А Серега там был своим.

Милочка была окончательно счастлива — целый день вместе! Муж и любимый всегда рядом. Звала его обедать. Каждое утро перед работой собирала еду — котлеты, картошку, огурцы. Вместе ехали на работу, вместе возвращались. В автобусе он засыпал. А Милочка, прильнув к его плечу, замирала от радости. Это было счастье. Только бы оно не кончалось! А на все остальное она была согласна.

Счастье...

— Я буду любить тебя вечно, — повторяла любимому Милочка. — И не спорь, что ничего вечного на земле нет и не было!

Серега делано-равнодушно пожимал плечами и, хитро прищурившись, отвечал:

— Ну, если так хочется... Люби, Мил! Люби. Я, кстати, не против! — И громко, счастливо смеялся.

Она обижалась. Но — ненадолго.

Зачем обижаться надолго? Такая трудная и такая короткая жизнь...

Незаданные вопросы

Дверной звонок был резкий и неприятный. Ольга Петровна всегда вздрагивала, слыша его. И каждый раз думала, что надо бы сменить. А потом, до следующего звонка, все забывалось, и руки снова не доходили.

Вздрогнула и сейчас. Посмотрела на часы — Ирка? Так рано? Какое же счастье, господи! Не придется торчать у окна, вглядываясь в темноту улицы. Ну слава богу! Хотя странно. У дочки есть ключ.

Схватила кухонное полотенце, вытерла влажные руки и заспешила к двери. Мельком глянула в глазок — ничего не разглядела с ее-то зрением. И, не спросив, кто, тут же щелкнула замком. Дверь распахнулась.

На пороге стояла женщина — худая, высокая, в темном пальто и черном берете. В руках небольшой чемодан. Ольга Петровна растерялась и поправила очки.

— Вы... к нам?

Женщина в берете усмехнулась.

— Оля, ты что? Не узнаешь? Что, так изменилась?

142

Ольга Петровна вздрогнула и чуть отступила назад, потому что узнала.

На пороге стояла Муся. Ее двоюродная сестра. Которую она не видела... Лет пятнадцать, не меньше! Или — тринадцать. Впрочем, какая разница?

Ольга Петровна продолжала молчать, растерянная и ошарашенная. Наконец произнесла:

— Муся, ты? Вот уж... не ожидала!

Муся ответила коротким, сухим смешком:

— Оля! Ну что? Так и будем стоять? В дом не пустишь?

Ольга Петровна мелко закивала, покраснела и забормотала:

— Конечно, конечно! Муся, да что ты! Просто я... растерялась!

Муся неодобрительно хмыкнула — дескать, что с тебя взять? И вошла в дом. Ольга Петровна отступила два шага назад и замерла, разглядывая нежданную гостью.

Муся повесила на вешалку пальто, аккуратно сняла ботинки, пристроила их ровно по линеечке, затем сняла берет и внимательно осмотрела себя в зеркале, чуть нахмурила брови, облизнула губы, после чего, наконец, обернулась на Ольгу Петровну.

— Что, Оля? Удивлена? Да, вот так... Такие дела. Ну, приглашай в дом, хозяйка! — И Муся ослепительно улыбнулась, показав по-прежнему отличные, крепкие и крупные зубы. — А тапки-то у тебя есть? Или так, босиком?

Ольга Петровна словно очнулась, снова закивала и принялась суетливо доставать тапки — гостевых в доме не было, потому что гости в доме бывали редко. Подумав с минуту, протянула ей Иркины — самые приличные, почти «свежие», смешные, ярко-жёлтые с оранжевым кантом — утиная мордочка, кажется, из американского мультика. Муся усмехнулась.

— Иркины! — догадалась она. — Что, из детства никак не выскочит?

Ольга Петровна ничего не ответила. Муся всегда была щедра на «укусы» — такая натура. Самое умное — не вступать в диалог, целее будешь.

— Ну проходи! — как-то неуверенно пригласила Ольга Петровна и обернулась у входа на кухню. — Муся, ты голодна?

— Чай, только чай! — ответила та и уселась на табурет.

Было неловко разглядывать ее. Неловко и ужасно интересно. Как следует разглядеть, рассмотреть все подробно и расспросить все детально — как ее жизнь, как прошли все эти долгие годы, что получилось из *всего этого*. И что не сложилось. Понятно же было, что не сложилось. Но Мусю нельзя было расспросить. Можно было только *спросить*. Осторожно, аккуратно, дипломатично. Но даже при этих условиях, при том, что этика и правила соблюдены, Муся могла не ответить — характер такой. Тяжелый характер.

Ольга Петровна помнила — связываться с Мусей никто не торопился. В спор с ней вступать рисковали немногие. Позволить себе подобное мог только Мусин отец, дядя Гриша. Но что ей нужно? Зачем она приехала? Что случилось и почему она здесь?

На сердце было тревожно. Впрочем, от встреч с Мусей было тревожно всегда.

Ольга Петровна совсем растерялась — переставляла чашки, гремела ложками, хлопала дверцей холодильника и бросала осторожные взгляды на сестрицу.

— Муся! Может, все-таки поешь? У меня есть чудесные голубцы. Так хорошо получились!

Муся чуть скривила губу:

— Голубцы? Ну давай. Только один, слышишь? Больше не съем — ты ж меня знаешь!

Ольга Петровна радостно закивала — теперь у нее появилось дело, пусть кратковременное, минут на десять, но все же дело. А это означало, что разговор и общение отодвигались — хотя бы чуть-чуть.

Она поставила перед гостьей тарелку с разогретым голубцом, от которого шел вкусный, ароматный парок, и присела напротив.

— Муся! — всплеснула она руками. — А хлеб?

Муся мотнула головой:

— Завари лучше чаю! И покрепче, Оля! Ты же знаешь, какой я люблю!

Ольга Петровна с радостью вскочила, поставила чайник и стала искать в шкафчике заварку. И на секунду замерла. Муся, как всегда, ей *приказала*! Или так — говорила с ней приказным тоном, словно хозяйкой была здесь она, Муся, а никак не Ольга Петровна.

«Ой, да что я? — остановила себя она. — Что я, Мусю не знаю? — И приказала себе: — Не обращай внимания, Оля! Ты же понимаешь, что *там* не все хорошо! Или даже совсем *нехорошо*. Иначе бы...»

Наконец она села напротив нежданной гостьи и аккуратно стала ее рассматривать. Муся сдала. Постарела: морщины под глазами и возле носогубных складок, опущенные уголки глаз и губ — печальки, как назвала их Ольга Петровна. Руки с источенной пергаментной кожей, покрытые вялыми пятнами. Седина и тусклость волос.

Но сдала — это другое! Сдала — это поникшая голова, поникшая шея. Поникшие, опущенные плечи — человеку тяжело держать свой каркас, свои мышцы. Но главное — глаза! Когда в них нет интереса, неважно к чему, все равно. Потухшие глаза — вот что такое «сдала». Сдала — это когда из человека почти ушла жизнь. Жизнь утомила, и это заметно. Когда человек устал и больше ничего не хочет, потому что уже все знает и все ему неинтересно. Он больше не хочет открытий.

Это, конечно, в той или в иной степени испытывают все, кому за пятьдесят, — разочарования и усталость никого не минула. И все же у всех по-разному, в разной степени. Женщины тяжело переносили наступление старости. Особенно красавицы, особенно яркие, значительные женщины с «биографией». Ольга Петровна была точно не из их эшелона. Скромная, тихая Ольга Петровна считала себя женщиной... незначительной.

А Муся была как раз из красавиц! Из тех, за кого можно и под поезд — роковой женщиной была эта Муся.

А вот ведь тоже потухла, и это бросалось в глаза. Муся устала от жизни? Нет, вряд ли! Как это на нее не похоже! Может, просто устала с дороги?

Ела Муся красиво — неспешно, аккуратно, с достоинством. Впрочем, достоинство — Мусин конек. Если честно, достоинство у Муси вовсе не глубинное, не врожденное. Все близкие все про нее понимали. Но держалась она всегда так, словно была особой царских кровей. Как говорится, умела себя подать.

Наконец Муся все с тем же достоинством аккуратно отставила тарелку и приборы, вытерла губы салфеткой.

— Спасибо! Ты всегда была кулинаркой! В отличие от меня. — И Муся хихикнула.

Ольга Петровна смущенно махнула рукой:

— Да брось ты! Все — опыт! Наработка навыков, а не талант. Не научиться элементарному — это, знаешь ли, почти невозможно. — И, наливая гостье чай, наконец решилась: — Муся! Ты как сюда — насовсем?

Муся, отвернувшись к окну, вяло и неохотно проговорила:

— Да, Оль! Насовсем. Так получилось.

— Ты меня извини, — решилась Ольга Петровна, — за любопытство. Не получилось? Но... Тебя же не было почти...

Муся ее перебила:

— Не напрягайся — тринадцать лет. Да, Оль! — с вызовом добавила она. — Не получилось! Ты же знаешь, какой был у нас возрастной разрыв. Шестнадцать лет! Я старела, а он... Он — только мужал. Это же мы, женщины, стареем. — И она криво усмехнулась. — Что тут нового и непонятного? Я старела, сходила с ума от того, что старею. Каждое утро подсчитывала новые морщины. А уж если день был солнечный... Не утешало совсем! Начала прибаливать — то одно, то другое, то третье. — Она снова усмехнулась. — Ну и кому это понравится? Начала к нему цепляться, ревновать, устраивать сцены. Безобразные, надо сказать. Никогда прежде такого не было, ты меня знаешь! Самой было противно и стыдно. Себя ненавидела больше, чем его. Ну и дальше — понятно. Меня заменили. Нашли более свежую и молодую. Без истерик и камней в желчном пузыре. Без мигреней и климакса. Вот так. Хотя — чему удивляться? У тебя можно курить?

Ольга Петровна на мгновение растерялась — дом был некурящий, причем некурящий строго. Гостей с сигаретами всегда выставляли на балкон или на лестничную клетку.

Но не гнать же Мусю на улицу, где уже минус пять?

— Кури, — со вздохом кивнула Ольга Петровна и тут же подумала: «Хорошо, что нет Левы! Он приедет не раньше, чем через два месяца». Она протянула Мусе блюдце, и та щелкнула зажигалкой. — А что дальше, Муся? Как думаешь жить?

Муся ответила легко и беззаботно, как отвечала всегда:

— Да как-нибудь проживу! Не впервой, да? Устроюсь куда-нибудь. На хлеб и чай заработаю. — И чуть подалась вперед, ближе к Ольге Петровне. — Оля, послушай! — Она сказала это так тихо, что Ольге Петровне стало не по себе. — Оля! А можно я у тебя поживу? Ты не волнуйся, недолго! Чуть приду в себя. Разберусь у себя... У меня комната есть, ты помнишь?

Ольга Петровна кивнула — комнату помнила, да. Конечно, помнила! Комната была не очень — узкая, темная. Но — в центре, на Кропоткинской. Кажется, последний этаж. Дом старой постройки, в четыре или пять этажей, с деревянной лестницей, без лифта.

Запомнилось вот что — темный деревянный дощатый пол и светлые, крашенные известкой стены. Кровать у окна — старинная, наверное бабушкина, с металлическими шариками на спинке и комод — огромный, тяжелый, темный, на котором стояли мраморные слоники шеренгой, по росту. Вазочка с сухой вербой и несколько фотографий. Все. Шкафа, кажется, не было.

Слава богу, что комнату Муся за собой сохранила, при всей беспечности и, казалось бы, безалаберности, своего она никогда не упускала и к материальному относилась внимательно и серьезно.

«Вот и хорошо, — подумала Ольга Петровна. — Погостит, придет немного в себя и съедет. Конечно, съедет! Придется потерпеть — все же сестра».

— Ну, Оля! Что мы обо мне? Рассказывай, как у вас. Наверняка это куда интереснее! — Муся улыбнулась, всем видом демонстрируя интерес.

— Муся, ничего интересного, ты мне поверь! Все как было. Ну совершенно без перемен! Может, это и хорошо? Лева, как всегда, горит на работе. Снова командировка, теперь — Индия. Климат, конечно! Уже тяжело. Но он счастлив, и это главное! Я, как всегда, как домашняя курица — есть парочка учеников, подтягиваю перед экзаменами по математике, но это так, чтобы не отупеть окончательно. — Ольга

Петровна улыбнулась и развела руками. — Ну и Ирка. — Она вздохнула. — Нет, так все хорошо, ничего критичного! Здорова, ходит в институт. Но... как-то не все мне нравится, понимаешь? — Ольга Петровна посмотрела Мусе в глаза. Та молчала. — Нет, ничего вроде плохого, — продолжила Ольга Петровна. — Но она какая-то нелюдимая, замкнутая, закрытая. Что там у нее происходит, не знаю. Совсем ничего не знаю, понимаешь? Ни про подруг, ни про молодых людей. Молчит, а если спрошу, услышу: «Мама, отстань! Все нормально!» Вроде тихая, скромная, положительная. Без каких-то пороков. И все же мне неспокойно. Хорошо бы ей подруг, кавалера. Но, кажется, ничего этого нет и в помине.

Муся глубоко затянулась, выпустила дым.

— Оля! Ну это же абсолютно нормально! У всех было именно так! Кто из нас стремился поделиться с родителями? Лично я никогда! Потому что, — Муся рассмеялась, — мне было что скрывать, понимаешь?

«Зачем это она? — вздрогнула Ольга Петровна. — Зачем привела этот пример? Хочет сказать, что и Ирке есть что скрывать? Муся есть Муся, — с неприязнью подумала она, — не изменилась, увы».

А вслух сказала:

— А я маме все говорила! Все абсолютно, — с какой-то гордостью повторила она.

— Конечно! — слова эти Мусю развеселили. — Ты же у нас святая! Что тебе-то было скрывать?

Ольга Петровна слегка обиделась. Хотя что обижаться на правду? Все было именно так. Оле-подростку скрывать было нечего. Девушке Оле, вошедшей в молочную спелость, — тоже, увы! Молодой женщине Ольге — тоже. Вышла замуж, родила дочь. Вела абсолютно праведную и добропорядочную жизнь. Никаких секретов! Ну совершенно никаких! Размеренная, скучная, семейная жизнь.

Для Муси наверняка до противного наивная и смешная.

— А что у Ирки? — вдруг снова спросила Муся. — Совсем никого?

Ольга Петровна загрустила.

— Совсем, Мусь. Даже уже волнуюсь. Ты же знаешь: не найдешь мужа в институте — все, кранты. Значит, не выйдешь уже никогда. Да и при теперешней конкуренции! Девицы такие — подметки ведь рвут на ходу! А эта, моя? Тихая, скромная, молчаливая. Нет, внешне не дурненькая! С этим в порядке. А что толку? Вот именно — ничего. По-моему, просто синий чулок.

Муся кивнула:

— Да, дело в характере, в натуре бабской. Ты не права — есть бабы, которые и в сорок, и в пятьдесят жизнь устраивают. Здесь от возраста не зависит — точнее, не в возрасте дело! И с детьми, и с плетьми. Только эти бабы и вправду подметки рвут. Жизнь ведь такая... Не ты, так тебя. Зубы надо точить и быть бдительной. Тетехи сейчас не в чести, как ты, например! — И Муся расхохоталась.

Смех у нее был по-прежнему звонкий, молодой, задорный.

«Надо же, — удивилась Ольга Петровна, — сама скукожилась, усохла, а смех остался — девчоночий смех».

И снова обиделась. Хотя ведь снова Муся была права.

— Ты на меня не обижайся, Оля! — Муся словно подслушала ее мысли. — Ты чудесная! Ты замечательная, Олечка! Честная, верная, преданная. Лучшая из тех, кто встречался на жизненном пути. А ты знаешь — розами он не был выстлан точно, мой жизненный путь. Таких, как ты, наверное, больше нет. Но ты же тетеха, Олька! Тебя же вокруг пальца обвести — как нечего делать! И то, что ты вышла за Леву, да еще так удачно, — не просто везение, Оля! Это судьба.

После этих слов Ольга Петровна окончательно решила не обижаться. Все — правда, как ни крути! И то, что Лев предпочел именно ее, тихую и обыкновенную Олю, когда вокруг были сплошные красавицы. Нет, дурнушкой она не была — в молодости даже совсем ничего, симпатичная. Блондиночка с нежной кожей, голубыми глазами и мило вздернутым, чуть присыпанным конопушками носиком. Мужчины любят такой типаж — беззащитная, тихая, милая.

И в конце концов Муся признала ее положительные черты — порядочность, верность и честность. На что обижаться?

Да, ей повезло. И как повезло! Лева был самым прекрасным мужчиной на свете — в этом она была абсолютно уверена. Ни разу за их долгую, длиною в двадцать пять лет, семейную жизнь он не дал ей повода усомниться в своей верности и порядочности. Конечно, ей повезло! А сколько женщин вокруг страдало? От пьянства мужей, от вранья, от неверности. От хамства, наконец. От жадности. От неуважения и пренебрежения.

Ее это все миновало. Судьба? Или везение? Да какая разница!

Главное — что ей повезло!

— Ну, ты не расстраивайся так с Иркой, не убивайся! Скромница? Поправимо! Я ее малость подучу, проконсультирую! — И Муся снова рассмеялась. — Я ж в этом деле мастак! А когда она, кстати, придет?

Ольга Петровна от этих слов сжалась: «Господи, не дай бог! Не дай бог, чтобы Муся вмешалась в Иркину жизнь».

И тут же глянула на часы — пол-одиннадцатого! С ума можно сойти! Ольга Петровна вскочила и подошла к окну. Прижалась лбом к прохладному и влажному стеклу и стала вглядываться на улицу.

— А позвонить? — сообразила Муся.

Ольга Петровна махнула рукой:

— Эта дуреха так торопилась с утра, что телефон дома забыла! Растеряха жуткая! Точно — тетеха! И что с ней делать, ума не приложу! Спросила ведь: «Ира, ты взяла телефон?» — «Да, мам! Конечно». А я обнаружила его в ванной комнате! Нет, как это можно, ты мне ответь? И что теперь делать? — Она повернулась к Мусе и растерянно захлопала глазами, которые уже наполнялись слезами.

Муся беспечно засмеялась:

— Оля! Это же молодость! Да ты радуйся — может, в кино с парнем пошла? Или в кафе?

И в эту минуту в дверь раздался звонок.

— Ирка, боже мой! — вскрикнула Ольга Петровна и, как заполошная, бросилась в коридор.

Ирка уже открывала дверь своим ключом. Такая у нее была привычка: ключ — в замочную скважину и одновременно нажать на звонок. Как предупреждение: «Мама, папа! Я дома! Возрадуйтесь! И поспешите встречать!»

Так всегда и было. И мать, и отец — если был дома — всегда торопились навстречу единственному и обожаемому чаду.

— Ира, да как же так? — всхлипнула Ольга Петровна. — Телефон, как всегда, забыла! С чужого не позвонила! Пришла бог знает во сколько! Ну как же так можно?

В этот момент в коридоре появилась и гостья.

Ира, скидывая мокрые сапожки, с удивлением уставилась на нее — разумеется, блудную и заблудшую родственницу она не помнила: во время последнего Мусиного бегства была еще очень мала.

Ольга Петровна поспешила представить дочери тетку:

— Это Муся! Моя двоюродная сестра! Ты, наверное, много слышала о ней. — Произнеся последнюю фразу, Ольга Петровна слегка поперхнулась, уловив двусмысленность, которую она вкладывать не собиралась, но так получилось. И вправду — тетеха.

Муся, казалось, подвоха не заметила. Она вышла из-за спины Ольги Петровны, широко улыбнулась и протянула Ире тонкую руку.

— Мария Григорьевна. Можно Муся! Твоя, собственно, тетка!

Ирка растерянно кивнула и снова посмотрела на мать.

— Муся у нас... погостит, — еле выговорила Ольга Петровна. — Она приехала издалека, давно не была дома, в Москве. — И тут же поймала себя на мысли, что она почему-то оправдывается перед дочерью.

Ирка, наконец сбросив оцепенение, громко сглотнула слюну и кивнула.

— Мам, я в ванную! И чего-то поесть!

Ольга Петровна наконец расслабилась, даже порозовела и тут же захлопотала — принялась разогревать голубцы, нарезала хлеба, ловко налила компот.

— Муся! — вспомнила Ольга Петровна. — А пирог? У меня ведь есть замечательный пирог с яблоками! Вот ведь... забыла! — И она отрезала большой кусок пирога.

Муся откусила и покачала головой.

— Да, Оль! И пирог у тебя... А ведь Левке твоему тоже повезло! Вот я, например! Буду стоять на кухне, жарить, парить. Вешать до грамма — все по инструкции, все по кулинарной книге — ничего на глазок. А выйдет такая фигня. Совсем несъедобная, честно!

«Ну ты, конечно, совсем не пример, — подумала Ольга Петровна. — И не только, кстати, в кулинарии».

Вслух, конечно, ничего не сказала. Да и как такое скажешь?

Появилась Ирка — бледная, уставшая, просто смотреть невыносимо.

Муся с интересом разглядывала ее, не смущаясь. А вот та явно стеснялась непонятной гостьи.

— Оль! — сказала Муся. — А если я в ванную? Ты не против?

Ольга Петровна закивала:

— Конечно, конечно! Я сама должна была тебе предложить! Вот вправду — тетеха.

Она бросилась в комнату, достала из шкафа большое махровое полотенце — из тех, что поновее. Подумала и достала еще два — маленьких. Как говорила ее свекровь — личное и ножное. И вытащила ночную сорочку — новую, ненадеванную. Купленную для больницы — если... не дай бог! Возраст уже, все может случиться...

Муся, прихватив полотенца, удивилась:

— А зачем так много, Оль? — И ушла в ванную. Через пару минут крикнула: — Какой можно взять шампунь? А крем?

Ольга Петровна показала ей шампунь, а вот насчет крема извинилась — только наш, дешевый. «Люкс».

Я люблю наши, — извиняющимся голосом сказала она. — Они ведь на всем натуральном.

Муся кивнула и закрыла дверь.

Ирка уставилась на мать.

— Мам, это что? — Она показала взглядом на ванную.

Ольга Петровна приложила палец к губам.

— Тише, Ира! Тише! Может услышать! — И шепотом принялась объяснять. — Моя сестра. Двоюродная. Дочь дяди Гриши. Ты помнишь дядю Гришу?

Ирка недовольно скривилась:

— Какая разница: помню — не помню?

— Так вот, — продолжила Ольга Петровна, — Муся уехала из Москвы тринадцать лет назад. Бросила мужа и сбежала с любовником. — Ольга Петровна перегнулась через стол, чтобы дочь ее слышала. — Любовник был черт-те на сколько лет ее моложе — кажется, на шестнадцать. Оставил жену с ребенком — ты представляешь?

Ирка нетерпеливо перебила:

— Ну а дальше что было?

— Да ничего. Ничего! Муж, конечно, переживал. Кстати, приличнейший был человек. Заведовал музыкальной школой где-то на Преображенке. Но слава богу, потом удачно женился, родились дети — все хорошо. Откуда я знаю? Да встретила его случайно, лет пять-шесть назад. Поговорили. А про Мусю никто ничего не знал. Совсем ничего. Ни отцу, ни мачехе — ей-то тем более, отношения у них были очень плохие — Муся не писала. Ни одного письма за все годы! Впрочем, дядя Гриша умер давно, через несколько лет после ее отъезда. Все винил себя, что так получилось. Глупость, конечно! При чем тут они? Он и его жена? Семья была огромная, а про Мусю никто ничего не знал. Исчезла, словно испарилась. Жива — не жива? И тут вот... явилась. И к нам — надо же, я так удивилась! И узнала-то ее не сразу! Почему к нам? Ну, думаю, она понимала: вопросов я задавать не буду, просто приму — и все.

— И, — Ирка снова кивнула на ванную, — надолго ли? Интересно.

— Да я почем знаю? Вообще, у нее есть комната, неплохая, в центре, я там была. Дядя Гриша, ее отец, тогда ее выхлопотал. Жить вместе им было невыносимо.

— Из-за мачехи? — уточнила дочь, глотнув компоту.

— Из-за всего. Много там было... Из-за чего.

Дверь ванной открылась, вышла распаренная и умиротворенная, с лицом, блестящим от жирного крема, Муся, одетая в рубашку хозяйки. Она сразу похорошела, как будто отдохнула, отоспалась — посвежела. Порозовела кожа, разгладились морщины.

— Можно чаю? — спросила она.

Ольга Петровна кивнула:

— Конечно, конечно!

Быстро вскипятила чайник, достала клубничное варенье и нарезала лимон.

Муся неспешно пила чай, жмурясь от удовольствия, и с интересом посматривала на племянницу.

— Ну, Иринка! — проговорила она, окончательно смутив и так растерянную Ирину. — Колись! Как живешь? Чем дышишь? О чем мечтаешь?

Ирка, моментально покраснев, с испугом, словно ища поддержки, посмотрела на мать.

Ольга Петровна опешила и глупо хихикнула:

— А что? Говори! Может, сейчас я все узнаю?

Растерянная и обескураженная, Ирина спешно ретировалась:

— Спать хочу, мам!

— Конечно, иди! — обрадовалась Ольга Петровна. — Тебе завтра рано вставать?

Муся глянула на часы, широко и смачно зевнула, и Ольга Петровна заспешила в кабинет мужа, чтобы постелить гостье.

Прибравшись на кухне — господи, второй час! — Ольга Петровна тоже отправилась в спальню. Только блаженно вытянув ноги, она поняла, как сильно устала. Уснула быстро, но вскоре, минут через сорок, проснулась — давняя и верная спутница, бессонница, конечно же, тут же дала о себе знать.

Ольга Петровна лежала с открытыми глазами и следила за тенями от проезжавших машин, мягко скользящих по потолку. Внезапно зарядил сильный дождь, косыми и мощными струями забивший по стеклам. «Ну теперь уж точно не усну!» — вздохнула она, вспомнив, что снотворные таблетки остались в кабинете мужа. Не будить же Мусю, ей-богу. Она закрыла глаза, перевернулась на бок, подоткнула одеяло — так поуютнее — и стала караулить сон, впрочем, отлично понимая, что это труд напрасный и лишний. Перед глазами всплывали картинки — детство, их большая и в целом крепкая и дружная семья. Но конечно же, не без проблем.

Дедушка и бабушка — любимые дедушка и бабушка. Деда она помнила плохо — он умер, когда ей было шесть лет. А вот бабушка прожила еще девять. Родители взяли ее на похороны деда с собой — у мамы была четкая установка, что, во-первых, ребенок не должен бояться смерти, а во-вторых, проводить близкого человека необходимо. Потому что скорбь и сочувствие вызывают в человеке только лучшие чувства.

Оля стояла поодаль, боясь подойти к гробу и близко увидеть деда. И все же попрощалась — положила цветы в изголовье, слегка зажмурившись от непонятного страха перед покойником. Кстати, Муси, двоюродной сестры, на похоронах дедушки не было — дядя Гриша, ее отец, пряча глаза, сказал, что дочь приболела.

Ольга запомнила, как ее мама тогда как-то странно и недобро усмехнулась. А вот бабушка сыграла в Олиной жизни огромную, неоценимую роль. Бабушку любили все — таким она была человеком. Тихая, добрая, мудрая, ничего ни от кого не требующая — ни от детей, ни от внуков. До последних дней она жила одна у себя в квартире, не желая — несмотря на уговоры — переезжать к детям. Перед майскими она обзвонила детей и позвала их в гости.

Все удивились — накрывать стол она была уже не в силах, на семейные торжества ее всегда привозили к детям, а тут! Что за блажь? Непонятно.

Но, конечно же, все собрались. А бабушка накрыла такой стол, что на пороге комнаты все остолбенели — на белой, парадной, туго накрахмаленной скатерти стояли блюда с пирожками — фирменным бабушкиным блюдом. Плошки с салатами, студнем и заливным. Растерянные дети недоумевали — как же так, мама? И главное — зачем?

Бабушка тихо посмеивалась, рассаживая гостей за праздничный стол.

Это был прекрасный, душевный и теплый вечер — на несколько часов все забыли семейные дрязги, проблемы и вечные заботы — шумно, как в молодости, общались, перебивая друг друга, много смеялись и вспоминали счастливые годы из детства.

Бабушка смотрела на всех с тихой, умиротворенной и счастливой улыбкой. Смотрела и молчала:

человеком она была не говорливым. Расходились поздно за полночь. Конечно, перед уходом перемыли посуду, убрали стол, подмели.

Прощаясь, бабушка дрожавшими руками крепко обнимала детей и внуков. В ее глазах стояли слезы.

Никто ни о чем плохом и не думал — наоборот, все были счастливы: мамочка молодец! Такой пир закатила! Надо же, справилась — труд-то великий!

На следующий день бабушка не брала телефонную трубку. Кто-то сорвался с работы и полетел к ней.

В квартире царила идеальная чистота — посуда была убрана в буфет, плита и раковина сверкали — словом, ничего не напоминало о вчерашнем празднестве.

А бабушка лежала в кровати — спокойная, довольная, умиротворенная, счастливая. Сложив руки поверх одеяла. На голове новый платок. Бабушки больше не было...

Непостижимо! Непостижимым оказалось все — и ее предчувствие близкой кончины, и непонятно откуда взявшиеся силы. И сдержанность, немыслимая сила духа при прощании с семьей — только она знала, что было это прощанием.

Оля плакала, стоя на кухне у окна. На столе лежал пакет с бабушкиными пирожками, которые та засунула ей в коридоре.

Увидев пакет, она разрыдалась в голос. Есть любимые пирожки с земляничным вареньем казалось ей сущим кощунством. И она потихоньку от мамы высушила их на батарее и убрала в дальний ящик письменного стола.

Пирожки превратились в сухари и хранились долго, лет пять, пока Ольга не вышла замуж и не переехала к мужу, в счастливом угаре забыв про свое хранилище. Пирожки нашла мама, поплакала и, конечно же, выбросила.

— Память в сердце, Оля! — сказала она тогда. И, конечно, была права.

На похороны бабушки Муся пришла. Они с Ольгой не виделись пару лет — Ольга училась как одержимая, а Муся (ей тогда было четырнадцать) жила своей жизнью, игнорируя семейные сборища.

Горевали все сильно — для всех, абсолютно для всех, бабушка была человеком родным, близким и очень любимым. Не плакала только Муся — держалась в стороне, явно тяготясь ситуацией. С бабушкой попрощалась, положив на могилу цветы. И сразу — это было очень заметно — постаралась поскорее исчезнуть. На поминках ее уже не было.

Перед тем как уйти, она подошла к горюющей Ольге, осмотрела ее критическим взглядом.

— Ну как дела? Все корпишь над книгами?

Оля, всхлипнув, кивнула — поступать в этом году.

— А-а-а! — протянула скучающим голосом Муся. — Ну-ну! Ты уж старайся! — усмехнулась она. В голосе ее были и издевка, и какое-то непонятное превосходство. Она скользнула по Ольге взглядом и явно разочаровалась. Махнула рукой и быстро пошла к чугунным воротам кладбища, открывающим дверь в жизнь живую и шумную.

Ольгина мать смотрела вслед племяннице, и взгляд ее был задумчивым, печальным и расстроенным, что ли?

Ольга знала: Мусина мать и жена дяди Гриши, маминого родного брата, сбежала с любовником. Оставив не только мужа, но и пятилетнюю дочь. Про «сбежала» и «любовника» Ольга, конечно, подслушала.

Там было еще много чего, далеко не лестного, сказанного родней в адрес неверной жены.

Мать Муси, ту самую беглянку, Ольга немного помнила — высокая, статная, красивая женщина, темноволосая и светлоглазая. Крупный красивый рот был накрашен ярко-красной помадой. Звали ее Софьей. Впрочем, имени ее в семье не произносили. Говорили или «Гришина бывшая», или «мать Муси», или, совсем коротко, *та*. Была она надменной и молчаливой. Ольга запомнила ее курящей на кухне и смотрящей куда-то вдаль, поверх людей, их забот и проблем. Казалось, она существует не в этом мире, не в этой квартире, не в этой семье, полной радостной и шумной родни. Она всегда выглядела здесь чужой, и, кажется, ее это не огорчало.

Лет в двенадцать Ольга осмелилась начать с мамой разговор про *ту*. Мама недовольно отмахнулась.

— Это вообще не ваше дело! Не детское! Какая вам разница — что там и как? В жизни много чего бывает, вырастешь — разберешься! — А потом все же нехотя добавила: — Ушла она от Гриши, Оля! Полюбила другого и ушла. Ничего страшного в этом не вижу. А вот то, что девочку оставила, — это да, это беда.

Конечно, хотелось расспросить подробности — к кому, например, ушла красавица Софья. Почему не взяла с собой дочь? Куда она уехала? Наверное, далеко, раз не появилась в Москве ни разу?

Но Ольга поняла, что больше ни на какие вопросы ответа не получит — мама и так слишком много сказала.

Брошенному и внезапно крепко запившему Грише стали помогать всем миром, всей семьей — Мусю забирали к себе на выходные, брали с собой в поездки и отпуска, билеты в цирк и театр покупались с расчетом и на Мусю тоже. Девочка, казалось, не была предоставлена самой себе, но у нее не было матери. Что тут говорить?

Она была непростым ребенком — об этом тоже шептались взрослые потихоньку от остальных детей. И, конечно, оправдывали: сирота, и это при живой матери! Кошмар и позор для семьи.

Впрочем, и такое однажды Оля услышала, от кого, не запомнила:

— Да при чем тут эта Софья, господи? — жарко сказал чей-то женский голос. — Муська с самого детства стерва была! Еще при мамаше! Вы что, забыли? А это только усугубило, не спорю. Хотя если б мамаша осталась, может быть, было и куда хуже.

Муся была странной, да. Нелюдимой, дерзкой, упрямой. С ней было сложно, так говорили все взрослые. Но еще Муся была несчастной, брошенной собственной матерью.

Дядя Гриша довольно быстро женился. «Хорошие мужики на дороге не валяются», — сказала на это Ольгина мама. Женился на скромной, казалось бы, женщине — серой, скучной и некрасивой, полной противоположности Софье. «Что у нее там в голове — непонятно!» — нечаянно услышала Ольга разговор родственников.

Отношения с мачехой у Муси не сложились, кто тут виноват — непонятно. И Муся тот еще фрукт, и тихая мачеха-учителка тоже, как оказалось. В общем, загадка, поди их разбери.

Пару раз Муся убегала из дома — было, было. Ловили и возвращали. Отец ругал ее нещадно. Мачеха подливала масла в огонь: фокусы падчерицы ей давно надоели.

К пятнадцати годам Муся выросла в красавицу. «Вылитая *та*», — шептала родня. Те же темные, почти черные волосы — это называлось «жгучая брюнетка». Синие яркие глаза. Красивый, сочный, немного брезгливый рот. Стройная фигура, высокая грудь, красивые ноги.

Ольга видела, как на Мусю, совсем еще юницу, заглядываются мужчины всех возрастов.

Муся, казалось, этого не замечала — шла быстро, торопливо, с высоко поднятой головой, с вечной презрительной усмешкой на красивых губах.

Ольга хорошо помнила поездку на юг, в Севастополь. Тогда они прихватили и Мусю. Жили в пансионате на берегу — прекрасное время! Рано утром бежали с мамой на море — скорее бы окунуться, пока еще не разжарилось июльское солнце, только встающее из-за горизонта. На пляже было пустынно и тихо: отдыхающие спали крепким и сладким сном — полшестого утра.

Купание было радостным, восхитительным — Ольга с мамой заплывали далеко, почти до буйков. Плавали обе отлично.

От ранних купаний Муся сразу отказалась: «В такую рань? Не-ет, ни за что! Я что тут, в тюрьме? Завтрак по расписанию, обед по расписанию. Подъем и отбой — тоже! Нет уж, увольте!» Мама согласилась: «Как хочешь, Муся! Дело твое».

Скоро Муся и завтраки стала игнорировать. Спала до одиннадцати и просила сестру принести ей из столовой «чего-нибудь».

Ольга украдкой от мамы засовывала в карманы куски хлеба с сыром и вареные яйца.

После завтрака мама шла на море, а Ольга — будить Мусю. Сонная Муся, сладко потягиваясь, прямо в постели ела принесенное Ольгой, стряхивая крошки тонкими пальцами на пол, и хвалила сестру:

— А ты молодец! С тобой можно в разведку! — И громко, заливисто смеялась.

На пляж она шла, когда ей заблагорассудится — днем, в самое пекло, или поздно вечером, когда темнело.

И никакие мамины и Ольгины уговоры и просьбы, никакие требования и взывания к совести на нее не действовали: «Вы меня взяли? А я вас просила?» Все, точка. И растерянная, расстроенная мама замолкала.

А однажды Муся исчезла.

Не было ее почти сутки. Потом мама говорила, что эти сутки были самыми страшными в ее жизни. Муся исчезла утром, пока Ольга с мамой ходили на рынок, чтобы купить свежего творога девочкам на завтрак. Впрочем, Муся творог не ела — предпочитала бутерброды с колбасой. Вернувшись с базара, обнаружили, что Муси нет дома. «В такую рань? —

удивились обе. — Такого еще не бывало. А может, Муся отправилась на пляж? Захотела наконец искупаться в утреннем море?»

Ольга побежала на пляж — Муси там не было. К вечеру мама пошла в милицию, наказав дочери караулить беглянку дома. Ночь была страшной — мама кругами ходила по комнате, застывала, замирала у окна. Ольга, изо всех сил борясь с тревожным сном, пыталась ее подбодрить.

Утром обессилевшая мама решила звонить в Москву. Но на почте случилась какая-то поломка на линии, и Москву не давали часа два или больше.

В два часа дня появилась Муся — бледная, усталая и очень сонная.

— Где ты была? — закричала измученная тетка, Ольгина мать.

Муся, широко и сладко зевнув, спокойно и равнодушно посмотрела на тетку и сестру и, словно раздумывая, а стоят ли вообще они ее внимания, — лениво ответила:

— Где была, там меня нет!

Возмущенная Ольга громко, криком выговаривала бессовестной и наглой Мусе:

— Мы не спали, сходили с ума. Заявили в милицию. Мама побежала звонить нашим, в Москву, сказать, что ты пропала! А может, тебя убили? Изнасиловали? Увезли бог знает куда? Ты могла бы хотя бы оставить записку?

Муся, продолжая позевывать, отмахнулась от Ольги, как от назойливой мухи.

— Да заткнись ты! Достала! Все со мной нормально, поняла? И нечего было кипеш поднимать!

«Убили, изнасиловали!» — смешно! Я сама... кого хочешь! — И она хрипло рассмеялась. — И вообще я хочу спать, поняла?

Скинув с себя сарафан, голая Муся нырнула в постель, повернулась на бок и тут же уснула.

Мама села на табуретку и, уронив голову на руки, расплакалась. Но больше она не сказала Мусе ни слова! «Вот ведь выдержка! — думала Ольга. — Я бы так не смогла!»

До отъезда оставались считаные дни. Мусе был объявлен бойкот — ни Ольга, ни тетка с ней не разговаривали. Мама положила на ее кровать деньги:

— Это тебе на питание. Если задумаешь снова уйти — поверь, сладко не будет! Местная милиция предупреждена.

Муся презрительно хмыкнула, но деньги взяла.

В купе ехали вместе. На полпути Муся поменялась с пожилой женщиной.

— Не хочу смотреть на ваши постные лица! — бросила она тетке и сестре.

На вокзале расстались. Разумеется, никто не услышал от Муси ни «спасибо», ни «извините». Да никто этого, собственно, и не ждал.

Только в такси мама выдохнула:

— Уф, слава богу! Я думала, что этот ад не кончится никогда!

Ольга была так зла на сестру, что ни видеть, ни слышать о ней не хотела. Как-то поймала обрывок маминого разговора по телефону:

— Ушла? Знаешь, я не удивлена ни минуты! После того, что было в Севастополе! Я тогда лет на десять постарела. Не знаю, как вообще это пережила!

И никто ничего и никогда поделать не сможет! Потому что уже поздно. И еще потому что гены! А это, моя дорогая... Ой, да хватит о ней! Много чести!

Муся ушла? Куда, к кому? Да какая, и вправду, разница! Совсем чужой человек!

* * *

Успешно окончив школу, Ольга легко поступила в институт. Выбрала геолого-разведочный. Почему? Наверное, романтика молодости. Хотела ездить в экспедиции, «в поля». Искать минералы. Твердо верила, что найдет что-то, еще не известное науке.

Родители удивились: «Тебя, с твоим аттестатом, возьмут в любой вуз! А ты собралась в какой-то мальчиковый и непонятный! И все это глупости юности — экспедиции, разведки и твои дурацкие поля!» Больше всех бушевал папа. Он мечтал видеть умницу дочь врачом или в крайнем случае учителем.

Но сметливая мама быстро сообразила — после того, как вместе с дочерью посетила день открытых дверей. В геолого-разведочном было полно парней! Гораздо больше, чем девушек. И это означало, что ее тихая и скромная дочь там будет в большом почете. И, несомненно, выйдет успешно замуж. А уж в педагогическом ее шансы совсем невелики — там одни девочки, мальчишки наперечет. А что касается полей и экспедиций, здесь волноваться нечего — будет семья, появятся дети, тут уж будет не до полей! А если муж-коллега будет часто в командировках — тоже совсем ничего страшного! Любая разлука пойдет только на пользу.

Мама рассчитала все правильно — на третьем курсе Оля вышла замуж. Лева, ее жених, понравился всем — интеллигентный, приличный парень. Москвич. Живет с чудесной и милой мамой в хорошей квартире на Верхней Масловке.

При первом же знакомстве будущие родственники понравились друг другу — одна среда, одно поколение. Мама и будущая свекровь мирно ворковали на кухне, обсуждая скорую свадьбу.

Ольга смотрела влюбленными глазами на своего Левушку — он был прекрасен!

— Лева, Левушка, — повторяла она перед сном. — Какое же счастье, что мы повстречались!

Свадьбу справили скромную, «интеллигентную», по словам мамы. Тихое кафе, родня и несколько институтских общих друзей. После свадьбы стали жить у Левы. Он объяснил, что оставить маму не может. Ольга согласилась легко — квартира была большой и удобной, близко от центра, а значит, от театров и музеев, куда молодые ходили часто. К тому же она мгновенно полюбила свекровь.

Ей сказочно повезло — ни в чем и ни в ком она не разочаровалась. Муж по-прежнему был нежен, свекровь подтвердила свой статус милой и доброжелательной женщины, жили они дружно, с долгими вечерними чаепитиями на кухне, и их обязательно ждал сладкий пирог — спасибо свекрови.

Весь быт был тоже на ней, хотя Ольга изо всех сил старалась помочь. Но свекровь от помощи отказывалась.

— Дети мои, — с легким пафосом объявляла она. — Пока я жива, и вы поживите! Пока я могу, вы свободны от этих дурацких и нудных бытовых хлопот!

И «дети» радостно сбегали из дома — в гости, на выставки, на премьеры, на шашлыки с друзьями.

Сразу после защиты диплома Ольга забеременела. И эту новость все приняли на «ура». Мама бегала по магазинам, доставала «приданое» малышу — все в то время доставалось трудно и с боем.

Свекровь подрубала пеленки, вязала носочки и шапочки. Беда пришла перед самыми родами — Ольгина свекровь, мать Левы, тяжело заболела.

Ольга, дохаживающая свой срок, от переживаний родила на две недели раньше. Да и слава богу! Это и вытащило тогда ее мужа, совсем впавшего в отчаяние. Родилась девочка, назвали Ирочкой — конечно же, в честь бабушки.

Девочка много болела, и вся семья крутилась возле Ирочки, молилась на нее, предугадывая любые желания. И разумеется, баловала!

Когда Иришке исполнился год, Лева уехал в первую экспедицию.

Ольга невероятно скучала, писала ему каждый день письма и даже — вот уж чего не ожидала! — стала пописывать простые и трогательные стишки. Правда, отослать их мужу так и не решилась — отчего-то было неловко.

Помогала, конечно, мама — приезжала, готовила обед, гуляла с Иришкой, давая дочке поспать. Свекрови сделали операцию, и появилась надежда. Врачи, правда, особенно оптимистичных прогнозов не давали, но несколько лет жизни ей все-таки обещали.

А Ольга томилась, скучала, ждала своего мужа так трепетно, что плакала от любви. Муж приехал через три месяца — в отпуск.

И эти две недели были лучшими и самыми яркими в их жизни. Нет, потом будет еще множество чудесных, замечательных и нежных дней! Брак их действительно оказался счастливым. Но почему-то те две недели Ольга запомнила навсегда.

С одним только не сложилось — с Ольгиной карьерой. Дочка много болела, и она была вынуждена сидеть с ней дома. Не садовский ребенок — таков был вердикт врача.

Конечно, быт заедал. Конечно, бесконечная кухонная и домашняя возня нестерпимо надоедала. Теперь все было на ней, на Ольге — свекровь почти все время лежала. Но мудрая мама, которая снова оказалась права (про экспедиции и поля), объясняла тоскующей дочери, что *все и сразу* в жизни не бывает! «Ты счастливая женщина: муж, ребенок, достаток, родители. Живи и радуйся. А работа твоя подождет!»

Иришка пошла в первый класс, и вот тогда Ольга вышла на работу, в геологический музей, научным сотрудником. Планы, конечно, были радужными: защититься, продолжить карьеру. Но жизнь внесла коррективы. Поначалу-то все было неплохо. С дочкой выручала мама: кормила ее после школы, помогала делать уроки, ходила с Иришкой гулять.

Ольга видела, как ее коллеги бились за жизнь, словно в кровавой схватке, много было и разведенных, и одиноких. Большинство жили в тесноте, с соседями или родителями. Те, у которых были мужья, часто страдали от их измен, грубости или пьянства. Дети дерзили, плохо учились. Старики требовали внимания и от всей души мотали нервы. Ко всему этому в те времена быт стал совсем невыносимым, тяжеленным: продукты исчезали или за них требовалось почти сражаться.

Женщины жили тяжело. В обеденный перерыв — какое там поесть или передохнуть! — хватали авоськи и бежали по магазинам. Одна вставала в очередь за мясом, другая — за колбасой, третья караулила сметану или сыр.

Ольге становилось стыдно — продукты покупала мама, забирая Иришку из школы. И дома Ольгу ждал полный порядок — накормленная дочка, сделавшая все уроки, нагулянная и довольная жизнью. Чистая квартира и вкусный ужин — райская жизнь!

Свекровь тоже старалась изо всех сил, делала все, что могла: читала Иришке книги, учила с ней стихи, слушали вместе музыку.

С мужем все тоже было замечательно — ничего в их отношениях не изменилось — так разве бывает? Ольга так же ждала его, как в первые годы их жизни, и так же по нему скучала. Нет, она скучала сильнее, чем раньше.

И она видела, чувствовала, что он отвечает ей тем же — женщину не обманешь, она все сразу поймет или почувствует.

Иногда, просыпаясь среди ночи от неясного страха, Ольга вдруг пугалась: «Так много — и мне? За что, почему? Почему мне, такой обыкновенной, такой заурядной, такой... «никакой»? Я же совсем обычная! И понимаю это прекрасно! Сколько красавиц, умниц не могут устроить личную жизнь! Сколько попыток, сколько страданий, сколько разочарований! А у меня так все легко получилось! И с первого раза! Муж, дочь, родители. Я никогда не считала копейки — геологам платят отлично. Я не жила в коммунальной квартире, не варилась в невозможном и страшном быту. Я не испытывала ужасных неудобств, невыносимых условий. Меня не предавали и не обманывали. У меня как-то сразу все сложилось! Все то, к чему многие идут тысячи лет».

И ей становилось не по себе.

Но, как часто бывает, жизнь решила проверить на прочность и ее, безмятежно-счастливую Ольгу. Свекрови стало резко хуже.

Болезнь снова вернулась, увы... Да теперь — на последней стадии. Врачи разводили руками — хирургическое вмешательство уже невозможно. Теперь — только уход и уход! Больная безнадежна — наберитесь терпения.

Беда свалилась так внезапно, так страшно, накрыв их с головой — невозможно стало дышать, есть, пить, разговаривать. Просто жить. За эти спокойные и безмятежные годы они, казалось бы, забыли, что женщина безнадежно больна. Забыли и слова врачей, что болезнь может вернуться. Человек ведь всегда рассчитывает и надеется на лучшее.

А тут еще и Иришка не пропускала ни одну заразу, цепляла все подряд. Берегли ее изо всех сил. Зимой рот девочки был закрыт шарфом, под который обязательно подкладывали носовой платок — холодный воздух, опасность! Из носа подтекала растаявшая оксолиновая мазь, которую Иришка размазывала по лицу.

Под вязаный капор надлежало повязывать ситцевый платочек, плотно прилегающий к ушам. В ушах — комочки ваты. Иришке не разрешалось играть с одноклассниками в школьном дворе ни в салочки, ни в пятнашки, ни в резиночки, ни в прятки: «Будешь носиться — вспотеешь». Нельзя было лепить снежки, шлепать по лужам, даже в резиновых, на шерстяные носки, сапогах.

Ольга без конца готовила диетические блюда — протертые супы, бесконечные каши (на воде, на молоко аллергия), запеканки, суфле и кисели.

Мороженое покупалось по праздникам и, конечно же, ждало своего часа — вместе с несчастной Иришкой, терпеливо наблюдающей, как твердый, белоснежный, потрясающе пахнущий ванилью кирпичик в хрустящей вафле медленно подтаивает и растекается сладкой лужицей.

— Уже можно, мам? — Дочь с мольбой заглядывала Ольге в глаза. — Уже растаяло, да?

Ольга тыкала чайной ложечкой в блюдце и натыкалась на слабое сопротивление не до конца растаявшего брикета.

— Нет, Ирочка! Еще минут десять!

Дочка, конечно же, соглашалась и продолжала неотрывно, как зачарованная, смотреть на вожделенное лакомство.

Подхватывала Иришка и ветрянку — где?

Да, конечно, в подъезде! На пятом этаже заболел мальчик, я знаю! Ветрянка — недаром от слова «ветер». Достаточно проехаться в лифте, — оправдывалась Ольга перед мамой и мужем.

Коклюш. Господи, коклюш! Передается воздушно-капельным путем! А он, этот «воздушно-капельный» — всюду, везде!

Сердце рвалось при взгляде на дочь: бледная, с темными кругами под глазами, вечно сопливая и кашляющая девочка то и дело пропускала школу, болела месяцами.

На подоконнике стояли банки с заваренными травами: мать-и-мачеха (от кашля), эхинацея (для повышения иммунитета), ромашка для желудка, душица, зверобой, шалфей, мята, солодка.

На горловине банок лежала темная от настоя марля — заварить, распарить, процедить. В китайском термосе с синими розами настаивался шиповник. В граненом стакане плескался мутный и вязкий, как кисель, настой семян льна. Дочку тошнило от одного вида этих «серых соплей».

Нет, конечно, дочку Ольга развивала: книжки, пластинки со сказками, открытки с репродукциями из Эрмитажа и Третьяковской галереи.

Казалось, и дочка уже привыкла к тому, что она не такая, как все. Как эти веселые, шумные, крикливые и розовощекие девчонки-одноклассницы, смотревшие на нее с искренним сочувствием и сожалением.

Ольге очень скоро пришлось уйти с работы. Она то и дело моталась с дочкой по врачам — поликлиника районная, поликлиника платная. Узкие специалисты, гомеопаты, профессура и частники —

только по очень сильному блату! По очень важному звонку и за о-о-очень приличные деньги!

Деньги, слава богу, были! Спасибо мужу и родителям.

Про себя она совсем забыла — какое уж тут! Никогда не была модницей — а уж теперь... Закручивала волосы в пучок на затылке — быстро, удобно. Ногти? Да какой там маникюр, вы о чем? Она же вечно в воде — приготовь, постирай, завари, процеди. Ногти вечно ломались и слоились. Накрасить глаза? А зачем? В детскую поликлинику? Или в лабораторию с банкой мочи?

Мама пеняла: «Оля, так же нельзя! Ты совсем молодая женщина! И такое пренебрежение к собственной личности!»

Мама уговаривала ее осветлить волосы: «У тебя же такой невыразительный мышиный цвет! Покрась ресницы, хотя бы в парикмахерской, Оля! И надо подщипать брови, а то ж ты прямо «дорогой Леонид Ильич». С юмором у мамы было все хорошо.

Ольга беспечно махала рукой: «Мам, не до того! И вообще, какая разница?» — «Муж! — значительным голосом отвечала мама. — У тебя, Оля, интересный молодой муж! На такого, знаешь ли...» И мама загадочно замолкала.

Ольге было смешно: «Левка? Ты в смысле *того самого*?» — «Того, Оля, именно *того самого*!» Ольга приходила в бурное веселье: «Ну, ма-ам... Ты о чем? И где ему *это* делать? В поле, мам?» Мама смотрела на Ольгу как на ископаемое: «Ты что, серьезно? На полном серьезе, Оль? Нет, я, конечно, за тебя очень рада. Нет, я счастлива просто! Ты так уверена в нем и в себе... Да, я все понимаю, у вас большая любовь. Взаимопонимание, полное доверие, но, извини, он молодой и интересный мужчина, Оля! А ты, кстати, молодая женщина! И забывать об этом не просто глупо — грешно!»

Но — счастливая! — Ольга об этом и вправду не думала. Все мысли были закручены, завязаны на нездоровой дочери и теперь, увы, на тяжело больной свекрови.

Ольга рвалась. Рвалась на сто, тысячу частей — с самого раннего утра до самого позднего вечера ей хватало, хватало хлопот и совсем не хватало времени.

Свекровь — ее гениальная, бесподобная, терпеливейшая и мудрейшая свекровь — приняла новую реальность почти спокойно и мужественно. Не капризничала, не плакала, не скулила, не проклинала судьбу, задавая пустые вопросы — почему мне? Вопросы, которые в таком страшном положении задают все.

Ей только жалко детей — любимого сына, постаревшего в один миг, и милую, любимую невестку.

— Ох, Олюша! Теперь еще и я свалилась на тебя, как сосулька с крыши!

Ольга часто плакала, закрывшись в ванной, пустив сильную струю воды — не дай бог, услышат! И это она задавала вопросы — за что, почему? Почему ее, эту чудесную женщину?

И тут еще ко всем дочкиным болячкам добавилась аллергия — практически на все. В мае полетел тополиный пух, зацвели одуванчики — просыпаясь, природа расцветала и заодно мучила и губила слабого и без того измученного ребенка.

Иришка начала задыхаться, перестала спать по ночам, расчесывая в кровь бледную, нездоровую кожу.

Порекомендовали очередное светило — чудо-доктор принимал на дому. Подхватив еле живую Иришку, Ольга отправилась в Измайлово, еле нашла богом забытую улицу.

Дверь открыла немолодая дама в легкомысленном стеганом розовом халате и в таких же розовых атласных, каких-то «прелюбодейских» тапках. На голове дамы громоздилась пышная, слегка скособоченная, потрепанная «башня». Сильно напудренное лицо и блестящие от перламутровой розовой помады губы сложились в «бутончик».

— Вы от Веры Ивановны?

Растерянная Ольга кивнула.

Дама в розовом жестом предложила войти, отступив вглубь коридора.

«Наверное, домработница!» — догадалась Ольга, ожидая наконец увидеть светило — наверняка сухую, интеллигентную, поджарую старушку-профессоршу с пучком и в строгих очках, непременно в черной или серой юбке и белой накрахмаленной блузке.

Но дама с пучком и в блузке все не являлась. Зато Розовая Дама — так моментально нарекла ее Ольга — все тем же царственным жестом пригласила их пройти.

— Девочку мы определяем сюда, — сказала она, и Иришка, как завороженная, прошла за ней в комнату. Комната была странной — мягкие игрушки, от крохотных мышек до огромных, почти в человеческий рост, собак и слонов, коробки с играми, бесконечные пупсы, куклы всех размеров и мастей, батарея машинок, от крошечных, с ладонь, до грузовиков и подъемных кранов, проигрыватель со стопкой пластинок, детская плита с кастрюльками и сковородками, мини-больница с приборами, шприцами и стетоскопами и пластмассовыми баночками. Все это магазинное изобилие, невозможная детская роскошь оглушали и даже пугали.

Иришка, державшая мать за руку, сжала ее так сильно, что Ольга испугалась — и подозревать не могла, сколько силы таится в руке ее немощной дочери. Еще больше побледневшая девочка с испугом посмотрела на мать.

— Можно, мам?

Ольга кивнула. Розовая Дама строго велела Ольге:

— Ступайте за мной!

Иришка, обычно робкая и застенчивая, на мать даже не оглянулась.

Розовая Дама провела Ольгу на кухню. Светило так и не появилось. «Может, занята? Или вышла?» — продолжала недоумевать растерянная Ольга.

Но Розовая Дама уселась напротив, слегка распахнув полы халата и показав полные круглые колени. Потом она ловко закурила папиросу и наконец кивнула.

— Рассказывайте! И поподробнее! Здесь важны все детали.

Ольга, изо всех сил пыталась взять себя в руки и собраться с мыслями.

— Да-да, непременно!

Розовая слушала внимательно, ни разу не перебив. Вопросов она не задавала, только все время помечала что-то в своем блокноте. Тоже, представьте, розового цвета! Вот уж чудно...

Ольга закончила говорить, и Розовая, прикурив новую папиросу, проговорила:

— Ну все понятно. Сейчас понаблюдаю за девочкой, а уж потом... — Она бодро прошла в «игровую», и Ольга услышала их с дочкой разговор. Точнее, не сам разговор — подслушивать под дверью ей было неловко, — услышала, как Розовая что-то спрашивает у дочки, а ее молчаливая Иришка отвечает бодро и живо. Ольга чуть выдохнула и наконец огляделась — кухня вполне соответствовала хозяйке: была игривой, с налетом кукольности, не очень настоящей, тоже игрушечной, что ли?

Розовая, в цветах, клеенка. Бежевая мебель с сиреневыми цветочками, яркая кастрюлька — тоже в цветочек. Игривый абажур в кружевах, на подоконнике, в тесный ряд, горшочки с фиалками, от темно-фиолетовой до кипенно-белой. И коврик у плиты пушистый и тоже, ох, розовый. «Что-то определенно не то у тетеньки со вкусом, — вздохнула Ольга. — Может, застряла в детстве? Педиатр все-таки, с позволения сказать».

Через час с небольшим Розовая вышла из детской. Молча села напротив и принялась что-то строчить теперь уже в обыкновенной школьной тетради. Испуганная Ольга не выдержала.

— У нас... очень плохо? — почти шепотом спросила она.

Розовая остановила ее жестом пухлой руки, дескать, не мешайте, мамаша!

Сжавшись от страха, Ольга молчала.

Наконец Розовая отложила ручку и, глубоко выдохнув, подняла на Ольгу свои водянистые, выпуклые глаза.

— Ну, значит, так! — проговорила она, и Ольга вздрогнула.

Оказалось — ничего страшного, все поправимо и излечимо.

— Но! — Снова кверху пухлый палец в розовом маникюре. — Но! Меры надо принимать быстро, пока вы окончательно не загубили ребенка! Чудесного ребенка, надо сказать!

При слове «загубили» Ольга снова вздрогнула.

— Итак. Срочно поменять климат! Срочно — вы слышите? На море, в Крым, где тепло и сухо. В степь, вы меня понимаете? Потому что все это — начало астмы!

Ольга послушно соглашалась:

— Да-да, я понимаю!

— Не меньше, чем на полгода! Это, надеюсь, вы тоже услышали? Никаких на два месяца или на три. Вы меня слышите? Минимум на полгода, до самой зимы! Питание — козье молоко. На крайний случай — парное коровье. Если не найдете козу. Но надо найти, вы постарайтесь, мамаша! Свежий творог, масло, свежие яйца. Сон на свежем воздухе — вы меня слышите? Если прохладно — в спальный мешок! Купить в магазине «Все для туриста»! Закаливание начать с обливания ног, дальше — больше, но постепенно! А все остальное, — она постучала пухлым пальцем по тетради, — все остальное я вам написала. — И она почти швырнула Ольге через стол тетрадку.

Дрожащими руками Ольга запихнула эту тетрадку в сумочку и осмелилась:

— Вы меня, пожалуйста, извините! Но у меня сейчас... такая ситуация! В смысле дома! Свекровь... тяжело, неизлечимо больна. Ухаживать некому. Муж почти все время в командировках — геолог. Я... Мне сложно уехать, вы понимаете? Я не могу оставить ее! Да и потом, меня не поймут...

— Ну, решать — вам! — жестко отрезала Розовая, прихлопнув рукой по столу. — Только запомните: упустите время — дочь вам спасибо не скажет, потому что останется инвалидом. Ни семьи, ни детей — будет всю жизнь спасать свою жизнь. А так — у вас есть шанс. Откажетесь — как дальше будете жить? Да и потом, — она замолчала, уставившись на Ольгу, — свекрови вашей, как я понимаю, никто не поможет. А здесь помочь можно. Необходимо. Так что решайте! На все воля ваша. — И она резко встала, давая понять, что разговор закончен.

Поднялась и Ольга, аккуратно положив под розовую сахарницу красную десятирублевку — огромные, между прочим, деньги.

Иришка ворковала с Розовой в коридоре. Увидев мать, почти расстроилась:

— Уходим? Уже? А мы еще придем сюда, мама?

Ольга молчала. Накинув на дочку курточку, посмотрела на Розовую и довольно сухо поблагодарила. Та равнодушно кивнула.

Всю дорогу до дома Ольга молчала. Иришка, потрясенная всем, что увидела, рта не закрывала, с восторгом рассказывая матери о новой знакомой и необыкновенных — слышишь, мама! — игрушках.

Дома, наконец уложив дочку спать и накормив свекровь, Ольга ушла к себе и довольно быстро приняла решение: никакого моря и никаких полгода! Это невозможно! Человек же она, в конце концов! Человек, а не сволочь последняя.

А насчет этой Розовой, так ей, честно говоря, нет никакого доверия, вот. Тоже мне, светило! Полусумасшедшая и, кажется, одинокая тетка. И что там у нее в голове... Нет, ни за что они никуда не поедут! Как после всего этого она посмотрит мужу в глаза?

Но все же позвонила Вере Ивановне, маминой подруге, которая и навела на Розовую Даму, — сомнениями, разумеется, поделилась. Та рассмеялась и удивилась Ольгиной недоверчивости:

— Инга Станиславовна тебе не подошла? Ну, Оля... Ты меня удивила! Она же бог, эта тетка! Стольких деток спасла! Могу тебе перечислить только среди общих знакомых. Слушать ее надо, и все! А свои сомпения засунь куда подальше, ты меня поняла? — И с воодушевлением взялась перечислять вылеченных и спасенных детей. Это, конечно, впечатляло, но решиться Ольга не могла.

Она попыталась объяснить, что то, что предложила Розовая Дама, — просто невозможно, и все!

— Не-ре-аль-но! — по слогам произнесла она.

Вера Ивановна не перебивала, а когда Ольга закончила, тихо сказала:

— Дело, конечно, твое. Но я бы не пренебрегала советами Инги! Она всегда — в точку. Ни разу не ошиблась, ни разу. В общем, решать, Оля, тебе! И еще подумай, какие у тебя приоритеты. Кому ты больше нужна и кому ты реально сможешь помочь. В конце концов, у твоей несчастной свекрови есть сын.

«Все так. Чужую беду рукой разведу, это понятно, — подумала Ольга и решила: — Рассказывать об этом никому не буду. Никому, даже маме! А уж про Леву и говорить нечего».

А через пять дней Иришка подхватила ангину. И это в разгар весны, в середине апреля! После антибиотика развился ложный круп. Ольга открыла на полную мощь кран с горячей водой в ванной, напустила густого пару и усадила дочку на табуретку. «Скорая» приехала через тридцать минут. Из ванной Иришку, потную и замученную, врач выносил на руках. Девочка лежала бессильно опустив руки, с закрытыми глазами, и ее густые, вьющиеся, влажные волосы, словно водоросли у утопленницы, висели безжизненно и страшно. После укола она уснула.

Ольга сидела на краю ее кровати, уставившись в одну точку. Потом резко встала, вышла из комнаты и набрала мамин номер.

Мама ахала и охала, перебивала дочь и наконец вынесла свой вердикт:

— Да о чем же здесь рассуждать? Какая же ты, прости господи, дура! Чего ты боялась? Ты что, на гулянку собралась? С любовником в Сочи? Пиши срочно Леве. Нет, не письмо — телеграмму! И все вместе мы будем решать! Хотя все уже решено! Надо искать квартиру, заказывать билеты и придумывать, что делать с бедной Ириной Степановной! Такая большая семья! Кто-то поможет, Оля! Ты же знаешь, какие у меня организаторские способности! — рассмеялась мама.

— А Лева? — тихо спросила Ольга.

— Лева — Иришкин отец! — отрезала мама.

Муж должен был вернуться через три дня, и Ольга решила телеграммой его не беспокоить. Да, все так. Мама права. В конце концов, ей там тоже будет не сладко! Чужой дом, чужой город. И она совершенно одна. Со всем хозяйством, со всеми Иришкиными капризами и болезнями. Кстати! Незадолго до этого, примерно месяцев за пять или чуть больше, она встретила Мусю. Шла по Горького, торопилась, да и погода прогулкам не способствовала — ноябрь, самая середина, самая гадость: снег еще не лег и не прибрал темные тротуары, не прикрыл грязь и копоть. Выпадал он на короткое время, крупными хлопьями вперемешку с дождем. Рано темнело, было ветрено, сыро, зябко. Противно.

До метро оставалось каких-нибудь десять минут, и Ольга прибавила шагу. Обернулась она на знакомый, как ей показалось, чуть хриплый, но громкий смех. Из парадного ресторана «Центральный» с шумом выкатилась компания. Было сумрачно, лиц не разглядеть, только силуэты. Компания громко возмущалась ненастьем, и несколько мужчин безуспешно пытались поймать такси.

На ступеньках, под козырьком, осталась пара — высокий и крупный мужчина в невиданном длинном пальто с пышным меховым воротником и высокая, стройная женщина. Она притоптывала длинными ногами в узких лаковых ботиночках, пытаясь, видимо, согреться, и, подняв пушистый воротник темного пальто, со смехом жалась к мужчине, закидывала голову, заглядывая ему в глаза, грозила пальцем в блестящей перчатке, стряхивала снежинки с непокрытой головы и снова смеялась. Мужчина, казалось, не обращал на нее никакого внимания — был строг и невозмутим.

Наконец они увидели затормозившее такси и быстро пошли навстречу. Через минуту оба исчезли в теплом чреве машины, а окончательно продрогшая Ольга, стряхнув с себя оцепенение, бросилась вниз к метро — снегопад и дождь только усилились.

Конечно, она рассказала все это маме. Та ее выслушала, а потом вспомнила:

— Да, да! Кто-то говорил, что сейчас Муся живет с каким-то богатым и важным тузом, директором то ли овощной базы, то ли ресторана — какая разница? — Мама горько усмехнулась. — Муся, как всегда, себе не изменяет, главное — деньги и удовольствия.

Ольга быстро забыла об этой встрече — проблемы накинулись так, что только держись. Приехал муж, и Ольга, которую колотил непонятный озноб, решилась ему все рассказать. Он был, конечно, растерян:

— Как же так, Оля? А как же мама? А я? Я не справлюсь тут один, без тебя.

Ольга его успокоила:

— Не волнуйся и не переживай, мама нашла сиделку, приличную женщину. Она медсестра, и деньги ей очень нужны. Ну и мама поможет, конечно! И тетя Галя, мамина двоюродная сестра. Она врач, как ты помнишь. И Галина дочка Маринка — все готовы помогать и страховать друг друга. Левка, милый! А что же нам делать? — расплакалась Ольга. — Иришка совсем замучилась! И я вместе с ней.

Муж подошел к ней, крепко обнял.

— Да, ты права! Иначе мы этого себе не простим.

Ольга разрыдалась еще сильнее и почувствовала, как дрожат его руки.

Все убеждали, что с жильем на юге не будет проблем — до сезона еще далеко, начало мая. Комнат полно — местные только этим и живут. Народу в это время немного, отдыхающие повалят только в конце мая и в начале июня. А до этого времени можно спокойно купить и молоко, и творог, и яйца. И даже мясо и кур — естественно, только на рынке. Правда, и цены соответствующие. Зато в начале мая уже есть свежая зелень, редиска и даже молодая картошка. А уж потом пойдет клубника, а вскоре и черешня. Вот благодать!

Растерянная Ольга собирала чемоданы. Господи, сколько, оказывается, нужно везти! Две кастрюли — на суп и компот. Две сковородки — маленькую и среднюю. Мясорубку, чтоб ее! Иришка ела только прокрученное и протертое. Полотенца, постельное белье — непонятно, что там дадут хозяева. Конечно, одежду на два сезона — весну и лето. Обувь. Иришкины книжки и учебники. Девочка пропускает школу, если не заниматься, программу потом не нагнать. Себе — почитать. Настольная лампа — для того же. Карандаши, фломастеры, бумагу купим на месте. Две любимые куклы — Светлану и Каролину. Ночной горшок — все понятно, среди ночи во двор ребенка не потащишь. Шлепки, сандалии, туфельки, резиновые сапоги себе и дочке. Сарафаны и куртки. Ну и так далее, по списку. Посреди комнаты стояли два чемодана, словно два крокодила, раскрывшие ненасытные пасти. А вещи все прибавлялись.

В последний вечер перед отъездом зашла в комнату свекрови. Понимала — прощается. Встретились глазами, одна — полными вины, другая — печали и предсмертной тоски. Ольга взяла Ирину Степановну за руку. Рука была тонкая, словно детская — не толще Иришкиной. Заплакали обе. Ничего не говорили друг другу — невозможно, не было сил.

— Прости, если когда-нибудь обидела тебя, — тихо сказала Ирина Степановна.

Ольга попыталась улыбнуться:

— О чем вы? Никогда и не было! Никогда!

Потрескавшиеся губы свекрови дрогнули от боли.

— Иди, Олюша! Иди! Так... всем будет легче...

Ольга поцеловала ее руку и, не оглядываясь, вышла из комнаты.

* * *

В поезде дочка была увлечена пейзажами за окном — хотя весной все было довольно скучно и серо. Она без умолку болтала, расспрашивала застывшую в своей боли Ольгу, тараторила без конца, и Ольге приходилось брать себя в руки.

Думала о своих — о свекрови, о муже, о жизни. «Правильно ли я поступаю?» В голове встревоженным птенцом билась мысль: «Приличный ли я после этого человек?»

Ответов не было. Была жизнь. Которая диктовала свое.

Приехали в Симферополь. Оттуда взяли машину до Малореченского — Малоречки, как называли ее местные.

Выбрали Малоречку, конечно, по причине дешевизны — курорт малоизвестный. В ту пору еще почти и не курорт, так, местечко на море. Посоветовал кто-то из знакомых.

Ехали два часа — уставшая Иришка продолжала вертеть головой и без умолку трещать. Наконец въехали в поселок. Шофер задал традиционный вопрос — куда вам, барышни?

Растерянная Ольга пожала плечами:

— А бог его знает! Нам надо бы комнату снять!

— Тогда — в квартирное бюро, — решил шофер и через минут десять лихо притормозил у дощатого синего домика с неброской табличкой.

Выгрузили вещи — шофер усмехнулся:

— Ну и нарядов набрали, а, барышни?

В маленькой комнатке за старым письменным столом сидела, отчаянно зевая, молодая женщина. Увидев непрошеных гостей, удивилась и поправила высокую прическу. Ольга рассказала о своих скромных пожеланиях — нужна комната недалеко от моря, желательно с большим крыльцом или терраской. На полгода — не меньше!

При этих словах женщина удивленно вскинула брови.

— Так надолго? — удивилась она.

— Надолго, — подтвердила Ольга. — Приехали к вам оздоравливаться!

Женщина раскрыла свои кондуиты — старые амбарные пышные и лохматые тетради и начала что-то выписывать — скорее всего, адреса. Вдруг остановилась, посмотрела на уставшую Ольгу и сказала:

— Послушайте, женщина! Что мы тут с вами копаемся? А может, у меня посмотрите? Я не вредная, вреете? Да и комнатка у меня опрятная! Просто не сезон — вот и свободна! А уж в конце мая из рук будут рвать! До моря, правда, минут двадцать пять, если честно! И то быстрым шагом. Зато тихо и чисто — ни машин, ни людей. Если ближе к морю, в сезон от туристов устанете — шум, гам, музыка. А грязи-то сколько! Нет, правда! Может, посмотрите? — Она поднялась со стула и протянула Ольге руку. — Меня Таней зовут, а вас?

Ольга согласилась:

— Посмотрим! Чего ж не посмотреть, если тихо и чисто! Я Ольга! А дочь моя — Иришка.

Домик Татьяны оказался маленьким и неказистым — хозяйка с испугом поймала расстроенный Ольгин взгляд. Внутри оказалось две комнатки — слава богу, раздельные. В зале — так называла Татьяна ту, что побольше, жить будет она, хозяйка. А вот в спаленке — постояльцы! Спаленка оказалась уютной — по-деревенски простой и очень теплой. Бордовые шелковые шторки на окнах, такое же покрывало, две вазы с искусственными цветами — пышными георгинами. Телевизор под кружевной салфеткой и малиновый коврик возле кровати.

Татьяна отдернула шторы, распахнула окно и с гордостью посмотрела на Ольгу. Вид из окна на гору был и вправду завораживающий. У Ольги перехватило дыхание. Наступали ранние сумерки, и над горой вился парок или туман, кто его знает. Гора казалась голубоватой, с оттенком сиреневого.

И Ольга решила: остаемся!

— Ну, располагайтесь! — выдохнула хозяйка.

Ольга сварила кашу и уложила усталую Иришку поспать. Они с Татьяной расположились на кухне. Пили чай и болтали. Две женщины всегда найдут темы для разговоров. Говорила в основном Татьяна — чувствовалось, что ей необходимо выговориться.

О своей жизни она говорила спокойно и рассудительно, все время приговаривая: «Такая вот у меня судьба».

А судьба была... Ох! Страшная.

Родила Татьяна в восемнадцать, от «проезжего молодца» — тут она усмехнулась. Паренек из Ленинграда отдыхал в Малоречке с родителями. Познакомились на танцах — где знакомится молодежь? Ну и...

— Вспыхнули чувства. Под кустом мою Женьку и зачали. Через неделю он уезжал. Адреса не оставил — хотя я и надеялась. А потом и поняла, что залетела. Ребеночка оставила — тут даже и разговоров не было! Мать, конечно, бесилась, уж как только не обзывала! И шалавой, и шлюхой. И даже похлеще. Соседи смотрели косо. Да что там смотрели — вслед шипели, не стеснялись. Поселок у нас небольшой, все на виду. Ничего, я терпела. Да и мать тоже можно было понять! Все надеялась, что по-людски у меня получится — хороший парень, свадьба, ребенок. Сама жизнь прожила — не дай бог. А тут еще я! Но вышло, как вышло. Ходила я гордая, и на все было наплевать! Живот выпячу и — вперед! Так ребеночка ждала... — Татьяна замолчала и отерла ладонью слезу. — Родилась девочка, дочка. Назвала Женечкой. Здоровенькая, хорошенькая, крепенькая. Мама, конечно, смирилась, во всем помогала. И Женьку заобожала. Куда денешься, внучка! Она работала целыми днями — выживать-то ведь надо, да? Работала в прачечной при санатории. Работа тяжелая — целыми днями таскай грязное белье. Тюки неподъемные. А я с Женькой и на хозяйстве. Тогда мы еще держали и птицу, и поросят. Жили как-то... Правда, теперь мне кажется — очень счастливо жили... А паренек мой так и не узнал, что у него доча народилась, — грустно улыбнулась она.

Ольга молчала, понимая, что то, что она услышит дальше, будет определенно трагедией.

— А в пять лет Женечка умерла, — каким-то слишком спокойным голосом сказала Татьяна.

— Как? — вскрикнула Ольга. — Как — умерла?

Татьяна спокойно продолжила, только голос чуть задрожал:

— А как умирают? Обычно. Заболела и умерла.

Растерянная Ольга не понимала, что ей делать — спрашивать дальше, молчать? Не выдержала:

— Таня, прости! Но я... Не понимаю! Ты же говорила — здоровая, крепкая девочка?

Та безучастно ответила:

— Ага. Была. А потом болезнь обнаружилась. Страшная. Сначала ничего особенного, ну синячки появлялись — то там, то сям. Я и внимания не обращала! Все в синяках — носятся ведь. Потом слабеть стала, худеть. Есть перестала. Все поспать норовила. Походит чуть-чуть по дому и: «Мама, я спать хочу. Полежать».

Ну мы и бросились в Симферополь, в больницу. А там... Там сказали, что поздно. Лейкоз. Я тогда хотела в Москву ехать, в Питер. Даже отца ее хотела разыскать — а что, пусть помогает! В таком-то горе. А как его найти? Я и фамилию его не знала — только имя. Ну, говорил, что живет в самом центре, у дома, где Пушкин жил. Ну а потом стало ясно, что все бесполезно. И дочка моя... умерла.

Ольга вздрогнула и положила свою ладонь на ладонь Татьяны.

Та встала, умылась под рукомойником и обернулась с улыбкой на лице.

— Все, хорош! — делано-бодрым голосом сказала она. — Что я тебя нагрузила? Ты отдыхать сюда приехала, а тут я!

Ольга попробовала возразить, но Татьяна ее перебила:

— Все, Оль! Честно — хватит! И что это меня пробрало? Я ведь давно все отплакала. Даже слез не осталось. Ладно, давай отдыхай! Завтра я тебе все расскажу. И все покажу, а, Оль? Ты ж тут, у нас надолго — все надо знать и все понимать.

Ольга легла, прижавшись к теплому дочкиному боку. Подумала: «А я еще бога гневлю! Господи, дура какая! У меня есть Иришка. Мама и папа, любимый муж. Квартира и деньги! А тут...»

Из приоткрытого окна доносились невероятные, незнакомые запахи — свежести, прохлады, оживающих, просыпающихся садов. Где-то далеко мелодично и равномерно посвистывала птица. Ольга подумала, наверное, крупная. Почему — сама не поняла. Но живо представила эту самую птицу — огромную, с широким размахом мощных крыльев, с переливчатым оперением и красивым, чуть загнутым клювом. Птица непременно жила на горе, свив гнездо на макушке широкого дерева. Вот ведь какие глупости лезут в голову.

Уснула не сразу, но спала замечательно — крепко, спокойно, без тревожных сновидений. Перед сном посмотрела на дочку, Иришкино лицо было спокойным и безмятежным. Казалось, даже чуть посвежело и порозовело.

Утром, проснувшись, заварила кофе — настоящий, ароматный, бразильский. Ухватила перед самым отъездом.

Татьяна завороженно рассматривала хрусткий пакетик и без конца нюхала его.

— Вот ведь, а? Я и не знала, что кофе так может пахнуть! Оль! А можно еще? Одну кружечку?

Потом важным голосом объявила:

— В санаторке, то есть в санатории, в физкабинете, работает подруга. Что надо — устроим! Процедуры какие Иришке твоей. Имеются знакомые и в магазине, и на почте — тебе ж надо будет звонить? Ну так вот! А очередя там знаешь будут какие, когда туристы нахлынут? Обалдеешь! Яйца из-под кур и молоко из-под коровы можно брать у тети

Тони — второй дом от угла, я тебя туда сведу, договоримся. Люська Кругликова, подружка моя, та завмагом у нас. Если чего — обращайся! Я тебя и с ней познакомлю. Правда, стерва Люська отменная! Сама понимаешь, торговля, все на поклон к этой цаце. — Татьяна тараторила без умолку.

В первый день решили осмотреться, прогуляться — в общем, начать новую жизнь.

Татьяна убежала на работу, а Ольга пошла будить заспавшуюся дочку.

После завтрака пошли на море. Оно было не очень приветливым — свинцово-серым, даже угрожающим в своем застывшем, ненатуральном спокойствии. Дул довольно холодный ветер, и Иришка замерзла. Еще она была разочарована.

— Мам! Что, море — всегда такое? — все спрашивала она.

Ольга смеялась и успокаивала ее:

— Вот погоди! Наступит тепло, и будешь плескаться, да с каким удовольствием! Меня бабушка не могла из воды выгнать, поверь!

Иришка с недоверием на нее поглядывала и, кажется, впервые не верила.

А вот прогулка по поселку понравилась — Малоречка была поселком зеленым, уютным. Местные с удивлением разглядывали вновь прибывших, вступали в разговоры:

— Кто вы, откуда и чё приехали в такую рань? У кого остановились?

В общем, с этого дня началась их курортная жизнь. Ольга привыкала к ней трудно и долго — по вечерам очень хотелось домой. Скучала по маме и мужу. Но видя, как оживает и расцветает Иришка, тут же приходила в себя — все не зря, не зря! Все она сделала правильно.

Домой звонила через день. Трубку брали то мама, то тетка, то муж. Там было все по-прежнему. У Ирины Степановны, увы, никаких улучшений. Впрочем, их и не ждали — только бы не было отчаянных мук.

Ольга умоляла поставить ее в известность, *когда*...

Мама торопливо отговаривалась:

— Да-да, разумеется!

Но Ольга чувствовала, что мама лукавит.

Муж почти не разговаривал — отделывался короткими фразами: «Ты все знаешь, Оля. Что тут повторять?»

Она не обижалась — все понимала. Конечно, все понимала! Им там, у постели умирающей, куда хуже, чем ей.

Свекровь умерла через два месяца после их отъезда в Малоречку. Конечно же, от Ольги все скрыли — сказали только после похорон, на следующий день.

Мама на Ольгины упреки ответила:

— А для чего, Оля? Кому теперь это поможет? Да и расходы на билеты. А еще и теребить Иришку! Только вы там попривыкли.

Мама была человеком разумным...

Все так. Только на всю жизнь осталась вина — Ирину Степановну в последний путь она не проводила.

Летом, конечно, стало повеселее, несмотря на наплыв отдыхающих, огромные очереди в магазинах и в общепите, на пляже и просто на улицах. Малоречка ожила, оживилась, словно проснулась, закипела короткая, всего-то на три месяца, бурная жизнь.

На танцплощадках до позднего вечера оглушительно гремела музыка, по ночам слышались крики и смех молодежи, стало живее и веселее. Но и более шумно, грязно. Впрочем, жили они на окраине Малоречки, а вся жизнь проходила в так называемом центре. Да и спать укладывались рано — у них своя жизнь, свой распорядок. В кафе и на танцплощадки они не ходят.

С началом сезона Татьяна принялась худеть, каждое утро с недовольством рассматривая себя в зеркало, хлопая по пышным бедрам. И тут же расстраивалась.

Ольга успокаивала ее:

— Да брось ты, Тань! У тебя все отлично!

Татьяна вздыхала и махала рукой:

— Тебе хорошо говорить! Тощая, как... — задумывалась она, боясь обидеть жиличку. — А мне жизнь надо устраивать, Оль! Ты понимаешь? И времени у меня — с гулькин нос! Лето знаешь как пролетит? Сама не заметишь!

Собой была недовольна, но... Глаза загорались, юбки подкорачивались, а стрелки на глазах становились длиннее и ярче.

Пару раз приходила под утро — шумно и громко раздевалась, что-то роняла, вздыхала, долго ворочалась в постели — слышимость через фанерные стенки была преотличная.

«Только бы никого не приводила домой, — с испугом думала Ольга. — Тогда точно придется съезжать».

Татьяна то веселилась, то впадала в транс — смотрела в одну точку, не ела и не разговаривала. Ольга понимала — очередной отдыхающий сорвался с крючка, снова ничего не сложилось. Но говорливая хозяйка уходила в себя и ничем не делилась. «Да и слава богу! — думала Ольга. — Сама разберется».

Однажды застала Татьяну за бутылкой вина.

— Зачем, Тань? Да еще и одна?

Та смахнула слезу.

— А что мне теперь? Так хоть легче. Вот и лето к концу. Ты уедешь. Потом снова осень. Дальше — зима. И я одна в этом доме. Снова ждать лета, Оль? Снова ждать, когда какой-нибудь хрен подкадрится, купит бутылку и шоколадку и пригласит в кино? И это еще в лучшем случае, Оля! А то и сразу к себе... — Она замолчала. — А я ведь пойду, Оль! Пойду, понимаешь? Буду знать, что на раз или на два. Или на две недели. На весь его отпуск. Если ему, козлу, понравится! А ему, скорее всего, понравится! А почему бы и нет? Своя-то давно надоела! А здесь — свежачок! Пусть на неделю! Все новые ощущения. Всегда интересно — и кто откажется, правда? А при этом будет деньги считать — бюджет-то семейный! Никаких подарков, никаких сюрпризов. Курортный роман — никаких обязательств! А съедет по-тихому, даже не попрощавшись. Ты мне поверь. Потому что стыдно. Сколько их было, таких трусоватых! Тайком съедет — не дай бог, скандал учиню! И знаешь. — Она замолчала. — Он будет к жене торопиться. К концу отпуска — точно! Я ж это чувствую. Меня обнимать и скучать по жене. По старой, постылой жене. Представляешь? Ну и слиняет, конечно.

А я буду ждать нового лета. Буду, не сомневайся! Противно будет, стыдно. Самой себя будет стыдно. А все равно буду ждать! А вдруг, а? Вдовец какой или разведенный? Все ж в жизни бывает? Верить буду. Что я приличная женщина, а не шалава. Просто я очень устала от одиночества, Оля. И очень хочу *своего*! Своего, понимаешь? А не чужого. Любого, но своего! Уж как я буду его любить... Только я знаю, одна! Вот так и живу, Оль! Вот такая я... дрянь. И дура такая.

— Не дура. — Ольга погладила ее по руке. — Каждая женщина надеется на счастье. Хочет семью. Каждая! И не страдай — значит, *твоего* еще не было! Но точно будет, поверь!

Татьяна подняла на нее глаза.

— Ты правда так думаешь?

Ольга кивнула и увидела, как та приободрилась и приосанилась — даже глаза заблестели. Доброе слово и кошке приятно. «Вот ведь женские судьбы, — подумала Ольга. — Да нет, человеческие! Все хотят счастья. Любви и покоя. Честности и правды. Никто не хочет ворованного и чужого. Просто так получается».

Иришка радовала — с аппетитом трескала черешню и абрикосы, не вылезала из воды, загорела, порозовела, поправилась. И ни разу не заболела! Ольга смотрела на нее — и сердце таяло от счастья. Но домой хотелось нестерпимо. По ночам ей снилась ее квартира, родная и уютная, кухня с занавесками в красный горошек, любимый диван, картины на стенах, двор за окном. По своим скучала отчаянно — упрашивала мужа приехать хотя бы на недельку, на пару дней. Он почему-то отказывался, ссылаясь на работу. Да и настроение, если честно... Нет, конечно, он соскучился. «Но не до курортов мне сейчас, Оль, ей-богу».

Она обижалась — значит, совсем не соскучился.

Голос был у мужа странный — незнакомый, глухой. Ольге казалось, что его раздражают ее звонки. И становилось очень тоскливо и тревожно. Но она успокаивала себя, что все это — и его голос, и настроение, и нежелание приехать — закономерно. Человек мать потерял! А тут она со своими обидами и дурацкими предложениями. И она опять умирала от чувства вины: неужели все-таки не простил?

Упрашивала приехать и маму, но заболел отец — обострилась застарелая язва, — и мама днями не выходила из больницы.

И Ольга снова страдала. У мамы ни перерыва, ни передыха — сначала Ирина Степановна, теперь — папа. А она тут ест персики и виноград, купается и загорает. Да еще капризничает и ноет. Стыдно, ей-богу!

Чувство вины потом мучило Ольгу всю жизнь. Всю жизнь она помнила о той поездке. Всю жизнь не отпускало — вот глупость-то, да? Никакая логика (свекровь все равно уходила, дочку надо было вытаскивать и так далее) не работала. Будь она верующей, давно бы отмолила, покаялась. А так... Только страдала.

В начале сентября решила ехать домой. Настолько было плохо, что даже не посоветовалась со своими. Спать перестала, считала не дни и часы — минуты!

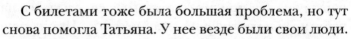

С билетами тоже была большая проблема, но тут снова помогла Татьяна. У нее везде были свои люди.

Ольга отбила мужу телеграмму — решила не звонить, чтобы не уговаривали остаться еще на месяцок — подступало самое лучшее время, бархатный сезон. В телеграмме указала номер поезда и вагона.

Накануне купили две огромные корзины фруктов — янтарный и темный, почти чернильный, виноград «каталон» и «кокур», фиолетовые, с ладонь, сливы, огромные, крепкие, с малиновым бочком груши «бере», сочные, медовые, Ольга почему-то вспомнила, что их любил Есенин. Персики с пушистой кожицей и бутылку домашнего вина — выпить за встречу.

При подъезде к Москве была возбуждена и страшно нервничала. Поглядывала на дочку. Подкрасила глаза и губы — косметикой она пользовалась редко и мало.

Ей понравилось свое отражение, что бывало совсем нечасто, почти никогда. Сейчас из зеркала на нее смотрела молодая, загорелая, румяная и сероглазая женщина со слегка выгоревшими, вьющимися, мягкими волосами.

Наконец поезд дернулся и остановился. По платформе, заглядывая в окна, побежали встречающие. Ольга вглядывалась в людей, пытаясь отыскать любимого мужа. Мужа не было. Зато она увидела маму, которая растерянно улыбалась и махала им рукой.

Сердце екнуло. Интуиция? Значит, что-то и вправду произошло? Ольга выскочила из вагона, едва не забыв подхватить дочку.

Первый вопрос:

— Мама, где Лева?

Мама отвела глаза:

— Да ты не волнуйся! Все не так страшно. Просто Лева в больнице.

Ольга почувствовала, как ее заливает тревожным жаром.

— В больнице, господи! Что с ним, мамочка?

— Ничего страшного, — ответила бодрым голосом мама, тут же взявшая себя в руки. — Ничего страшного! — уже увереннее повторила она. — Нервное расстройство, детка, это часто бывает! Сама понимаешь — почти год в стрессе. Мужики ведь слабый народ. Положили его в клинику неврозов, в Соловьевку. Конечно, не без проблем. Ты же знаешь, как сложно туда попасть. Диагноз простой и довольно распространенный — нервный срыв, депрессия. Сейчас уже легче, честное слово! Я езжу к нему через день. Он уже говорит, начал есть понемногу. И даже выходит гулять! — Мамино лицо озарилось счастливой улыбкой.

— Говорить? — переспросила Ольга. — И даже гулять? Мама, ты что? Что ты такое говоришь, мама? Получается, что он не говорил, не ходил и даже не ел?

— Да, Оль. Было. Три недели лежал носом к стенке. На вопросы не отвечал, ничего не ел, только до туалета еле дошаркивал. Ну слава богу, схватились мы быстро, не зря наша Галя — медик! Сразу сообразила, в чем дело. Правда, — мама задумалась, — мы очень боялись, что добровольно он туда не пойдет. Знаешь, как эти больные... Они же не всегда понимают, что с ними происходит. Не могут дать объективную оценку своему состоянию. Врачи говорят, что это нормально. К тому же мать потерял, есть причина... В общем, завтра поедешь и сама все увидишь. — И мама переключилась на внучку, запричитала, заохала: — Ирочка! Да ты на себя не похожа! И где наша прежняя Ирочка? Худая и бледная, словно веточка? Теперь ты похожа на пирожок с повидлом! А, детонька?

Мама тискала внучку. Зацеловывала, тормошила. Смущенная и отвыкшая от бабушки девочка вырывалась и жалась к матери.

Остановили носильщика, загрузили коробки с фруктами, из которых вырывался на волю сладковатый, пьянящий запах, и чемоданы и двинулись к выходу. Очередь на такси была внушительной. Сев в машину, мама назвала свой адрес.

— Поедете к нам, пообедаем, отдохнете. Наговоримся, наконец! Я так соскучилась, Оля!

Ольга перебила ее:

— Сначала на Шаболовку! В Соловьевку! Какой пообедаем, мама? Какой отдохнем?

Мама с испугом глянула на нее, но возражать не посмела.

Такси остановилось на Донской. Ольга обернулась на мать:

— Как ты могла, мама! Как ты могла все это скрывать? Кого ты из меня делаешь, мам? Законченную сволочь? — Она выбралась из машины, на ходу распорядившись: — Ты и Иришка — домой! — И бросилась к воротам больницы.

Иришка провожала ее изумленным взглядом, кажется, собираясь заплакать. Но Ольге было абсолютно на все наплевать — в том числе и на дочку. В корпус она вбежала, чуть не грохнувшись на ступеньках.

В трехместной палате было тихо. На кровати у окна лежал мужчина, почти с головой укрывшись верблюжьим одеялом со сбитым пододеяльником. Она осторожно подошла поближе и увидела родной затылок. Слезы подступили к горлу.

— Левушка! — просипела она. — Левушка! Это я.

Он тяжело и громко вздохнул и медленно, словно нехотя, повернул голову.

Ольга увидела его измученное и бледное лицо, запавшие, полные тоски и боли глаза, острые скулы и сухой, плотно сжатый рот.

— Оля, — сказал он и закрыл глаза. — Ты вернулась?

Ольга встала на колени возле кровати и обняла его. Плакали оба. Сначала громко, сил сдерживаться не было, потом немного утихли, ощущая, что бурные слезы чуть облегчили, чуть примирили их с обстоятельствами, с ситуацией, с ее виной, его обидой и общей болью.

Ольга села на край кровати и принялась рассказывать мужу про жизнь в Малоречке, про море и горы, про забавную и несчастную хозяйку Татьяну, стремящуюся изо всех сил схватить удачу за хвост. Про дочкины успехи — пять кэгэ плюс, а, Левка? Ты не узнаешь ее! Мама сказала, что наша доходяга — просто пирожок с повидлом! Ой, Левка! Какая же я балда! В машине же полно фруктов! Персики, виноград, груши! А я ничего не взяла... Ладно, завтра принесу тебе полный набор!

Он пытался улыбнуться, слабо кивал, и она видела, что он очень устал.

Заправив пододеяльник, Ольга укрыла мужа одеялом, приоткрыла окно — на улице было тепло и сухо — и, видя, что он уснул, на цыпочках вышла в коридор.

Лечащего врача она не застала, только дежурного. Но тот был равнодушен и вял.

— Все — до завтра! — отмахнулся он. — До лечащего врача.

Ольга заглянула к мужу в палату. Он по-прежнему спал.

Написала короткую записку: «До завтра! Буду утром. Держись! Я люблю тебя».

Выйдя на улицу, которую уже укрыли сентябрьские сумерки, села на скамейку. Парк при больнице был зеленый, усаженный ухоженными кустарниками и деревьями. Перевела дух, немного успокоилась.

— Все не так страшно, — повторяла она. — Мама права. Все не так страшно! Я вытащу его, вытяну!

Потом медленно пошла к метро, чувствуя, как невероятно, просто нечеловечески устала.

Иришка уже спала. Встревоженная мама ждала Ольгу на кухне с горячим ужином. От еды она отказалась — навалилась такая усталость, дойти б до кровати.

Извинилась перед мамой:

— Все разговоры — завтра! — И как подкошенная рухнула в кровать.

Она и сама на себя удивилась — тихая и скромная Оля, привыкшая к тому, что за нее все всегда решают родные — мама, папа или муж, — превратилась в тигрицу, яростно защищающую и охраняющую свой прайд. Она переполошила всю больницу, дошла до главврача, не удовлетворяясь врачом лечащим. Он показался ей равнодушным и неопытным. Скорее всего, так оно и было.

Леву перевели в соседнее отделение, в двухместную палату и принялись «поднимать на ноги».

Из больницы Ольга почти не выходила — приезжала рано утром, а уезжала только к позднему вечеру. Через две недели муж стал прилично есть — кормила его сама, бульонами, жиденькой кашей, сладким кефиром. Выводила на улицу, усаживала на лавочку, если был солнечный и погожий день, и вслух читала газеты, бросая на него встревоженный взгляд.

Лев сидел с закрытыми глазами, и было непонятно, дремлет он или слушает.

Но это было не важно! Важно было то, что он встал с кровати. Дошел до скамейки. Выпил полстакана бульона. Съел половинку персика. Попросил чаю с лимоном. А однажды захотел мороженого. Она чуть не разревелась от счастья. Тут же бросилась к метро, купила три порции — на выбор, эскимо, фруктовое и шоколадное. Он съел половинку фруктового. И все равно это было огромной радостью.

Спустя полтора месяца она его забрала домой.

* * *

Постепенно все налаживалось — муж приходил в себя, дочка совершенно определенно окрепла и перестала пропускать школу. Ольга занималась домом, хозяйством — семьей. Глобальные беды отползали, словно раненый и злобно скулящий волк, медленно отходили, и жизнь наконец начинала приобретать подобие прежней.

Конечно, беспокойство и тревога оставались: муж, и прежде не весельчак и балагур, стал еще более замкнутым и молчаливым. Нет, в душу к нему Ольга не лезла — ни-ни! Не такой она человек. Да и врач объяснил — не трогать! Ничего не требовать, ни на чем не настаивать. Ничего не заставлять и не ставить задач — никаких. Не уговаривать.

Придет в себя, придет. Здесь — только время!

И все же часто Ольга терялась, наткнувшись на Левин абсолютно отсутствующий взгляд. Начинала с тревогой, которая его раздражала, заглядывать ему в глаза. Предлагать что-то — наверное, все же навязчиво.

Иногда принималась плакать, правда, всегда старалась спрятаться, уйти. Но он же догадывался, слышал...

И еще спустя год попыталась восстановить супружеские отношения, которых давно не было. Ох, сколько же это ей стоило! Самое травматическое воспоминание... Нет, не ради себя она это делала, ни в коем случае! Уж с чем, с чем, а со своими желаниями она справляться умела. К тому же и робкой была, и зажатой. И темперамента слабого, если уж честно... Попыталась ради него, подумала, а вдруг это и есть ключ к успеху? Нежность, объятия, слова? Вдруг вот сейчас все переменится и они станут ближе? Вдруг растопится этот лед, лопнет эта плотная пленка, рухнет эта стена? Муж и жена — одна сатана. В конце концов в книгах, фильмах говорят и пишут, что именно телесная близость способна растопить лед.

Настраивала себя долго. Страшно было очень.

А вышло еще хуже... Господи, как она потом жалела об этом! Как проклинала себя! Как была противна себе! Как было стыдно. Предлагала себя, словно шлюха.

А он отверг ее с таким раздражением, с таким пренебрежением, с такой брезгливостью, словно смахнул с руки надоедливого комара — смахнул и прихлопнул.

Она хорошо это запомнила — свое унижение, свой стыд, женский крах — навсегда.

Конечно, потом все наладилось. Вернулось на круги своя спустя месяцев семь или восемь.

Но никогда больше, ни разу в жизни, она не предлагала ему себя. Ни разу не повернулась к нему лицом, ни разу не погладила его по спине, не поцеловала в шею, не прижалась — ни разу!

Того страшного и дикого урока ей хватило вполне. Хотя дура, наверное? Был человек болен — тебе ж объяснили. Предупредили — не трогать!

А взгляд его тогдашний запомнила. И скривившийся рот.

Разве это можно забыть? Может, можно, только она не смогла.

Позже, когда Лев был уже вполне в порядке, Ольга пыталась завести с ним серьезный разговор о том, что ее давно мучило.

Но он от разговора уходил категорически:

— При чем тут ты, Оля? Ты сделала все, что могла. Поступила абсолютно правильно. Ты спасала Иришку. И слава богу, есть результаты! И только благодаря твоей самоотверженности и упорству. А маме, увы, ты уже помочь не могла. А про меня ты просто не знала, и правильно, что моя многоумная теща тебе не сказала. Мы же справились, да?

Ольга принималась плакать и каяться, но разговор на этом заканчивался.

Однажды, вспоминая те страшные дни, мама случайно обмолвилась, что тогда в их доме появилась Муся — вернулась блудная дочь! Правда, ненадолго, как всегда, на пару месяцев. Почистила перышки — и тю-тю! Но справедливости ради — она тогда помогла!

— Ты представляешь, Муся — и помогла? — удивлялась мама. — Ну как тебе, а? И за Ириной Степановной ухаживала, и меня поддержала! Что говорить, и сама Муся не сахар, и жизнь у нее — не пожелаешь врагу.

Тогда Ольга как-то пропустила все это мимо ушей — уж точно тогда ей было не до Муси, определенно. Но про себя мельком отметила, что Муся молодец. Ну хотя бы так.

Вскоре после смерти Ирины Степановны Муся в очередной раз исчезла из виду. Надолго ли? Да кто это знал?

Сначала выскочила замуж, все радовались: приличный человек, преподаватель. Может быть, все образуется? Пора бы, пора. Но через год все рухнуло, и Муся от мужа ушла.

Говорили, что теперь у нее случилась огромная любовь, чего прежде как будто не было. Ну и, конечно, не без «криминала». А Муся у нас по-другому не может, грустно шутила родня.

По слухам, Муся сошлась с совсем молодым мужиком, мальчишкой, моложе ее на десять лет или больше. При этом он был женат. Муся увела его от совсем юной жены и грудного ребенка. «А что удивляться? Разве нашу красавицу что-то может остановить?» — неодобрительно комментировали родственницы.

И еще ходили слухи, что очень скоро Муся с возлюбленным из столицы уехали. Куда, почему? Кто-то утверждал, что они завербовались на Север — подкопить денег для покупки квартиры. Кто-то настаивал, что сбежали они на «юга», к теплому морю. «Как же, поедет наша красавица в вечную мерзлоту! Просто смешно».

А кто-то утверждал, что парочка живет-поживает совсем недалече — в трехстах километрах от Москвы, где-то в Ярославской или Ивановской области. Прикупили домишко в деревне и вполне себе счастливы.

Но и в эту версию верилось почему-то с трудом — Муся и деревенская жизнь? Сложно представить.

Но так или иначе, Мусю никто не видел. Комнату свою она закрыла, ключ отдала Ольгиной матери — кажется, ей одной из всей большой родни она доверяла.

Спустя пару лет Ольга увидела эту комнату — периодически мама ездила туда для непонятных проверок. Что там было проверять или за чем следить — непонятно.

Комната, да и сама квартира, оказались темными и сырыми. Какими-то затхлыми, что ли. Жили там двое соседей — древний и глухой дед, не снимающий ни зимой ни летом огромные серые валенки, и семейная пара — лимитчики, пьяницы.

На непрошеных гостей смотрели криво: «Ходют тут всякие!»

Но за комнату исправно платили, посторонние не появлялись — словом, придраться было не к чему.

Комната была темная, узкая, волглая. Узкая кровать с панцирной сеткой и сиротским солдатским одеялом. Колченогий стол у окна, две табуретки. Комод со слониками. Пыльная тряпка, подобие шторы, на пол-окна. Лампочка Ильича под серым потолком.

В комоде — тонкая стопка постельного белья, старого, ветхого, в крупных заплатах.

Ольга поежилась. Да... Жить в этом ужасе — не приведи бог!

Это все, что Мусе удалось выколотить из родителя. Ни нормальной мебели, ни белья. Ничего. Откинули с барского плеча эту комнатуху — живи и радуйся! Большего не заслужила.

— Сбежишь отсюда, — протянула Ольга. — Дай бог, чтобы заработали на нормальную квартиру.

Мама согласилась:

— Дай бог!

Когда умер дядя Гриша, Мусин отец, попробовали отыскать Мусю — вызвать ее на похороны. У кого-то нашелся старый пустой конверт с расплывчатым, почти не читаемым адресом: поселок Урай. Посмотрели на карте — где-то в Сибири.

Но фамилию отправителя было невозможно прочитать — то ли чернила расплылись, то ли конверт промок. А вдруг это от Муси? Уверен в этом никто не был. Но написали, хоть какая-то надежда.

Ответ, как и ожидалось, не пришел.

Не получила? Не ее адрес? Уехала оттуда? Да и вообще — жива ли?

«С такой, как наша Муся, — судачила родня, — все что угодно может случиться».

Постепенно про нее забыли — на семейных, конечно, уже сильно поредевших, сходках ее уже почти не вспоминали. Что уж тут вспоминать? Хвастаться нечем.

Ольга Петровна оказалась домашней хозяйкой. С карьерой, увы, не сложилось. И как бы ни уговаривала она себя, как бы ни увещевала, что судьба ее женская завидная и спокойная — у многих ли такое в нашей стране? Как бы ни убеждала себя, что дочь, муж и вообще семья — самое главное в жизни, основное и незыблемое женское предназначение, порой накатывала смертная тоска. Глядя на стопку сверкающих тарелок, на пирамиду начищенных до блеска кастрюль, на безукоризненно выглаженное белье, она почти ненавидела себя и заодно мужа. Хотя последнее, конечно, было несправедливым. Брак их получился очень крепким, честным и верным — словом, удачным.

Ее спокойный, уравновешенный и благодарный характер и его вечная занятость, полное погружение в профессию, природная неприхотливость и абсолютная некапризность — это все и дало блестящий результат.

К тому же сыграли свою роль и частые Левины командировки — оба успевали соскучиться. Уезжал он надолго — на месяц, на два. Были и зарубежные выезды — уж здесь-то точно полгода, не меньше.

Вроде все сложилось, и все были счастливы.

Ольга, конечно, ценила все это и в минуты тоски повторяла себе, что у нее все прекрасно. Да и на самом деле все было прекрасно, ее судьбе позавидовали бы тысячи женщин. Но — отчего такая тоска, отчего?

Правда, она, к счастью, быстро проходила.

* * *

Вспоминая той ночью прошлую жизнь, Ольга Петровна забеспокоилась — что там задумала ее непутевая сестрица, что у нее в голове? На какое время Муся останется в их жизни? Спросить не спросишь, неловко. А скоро ведь Новый год! Под праздник должен приехать муж — на побывку, как он говорил. Да, в отпуск — на три недели. А потом снова в Индию, в экспедицию.

Но эти три отпускные недели в доме должно быть тихо, спокойно, вкусно. И, главное, надо обойтись без посторонних.

Что делать? Остается надеяться, что к тому времени Муся съедет. Ну не на всю же жизнь она у них поселилась! Придет в себя, отдохнет, оглядится — и в свою жизнь. В конце концов, у нее есть жилплощадь. Да и потом, сколько лет ее не было. Ни письма, ни звонка. И вот нате — явилась! Ворвалась в чужую жизнь — и ничего, как будто так и надо. Муся есть Муся! К ее бесцеремонности и даже наглости все давно привыкли. На первом месте у нее всегда она сама. Только вот Ольга давно от этого отвыкла.

Неужели снова привыкать?

Но мысли подобные она от себя гнала, становилось стыдно. «Бедная, несчастная, одинокая Муся. Сестра. Снова жизнь не сложилась. И что же мне? Жалко куска хлеба? Ночной сорочки и чистого белья? Привыкла в своем теплом и уютном болоте — не дай бог, подует ветерок и кто-то побеспокоит! Ладно, не будем о плохом — в конце концов, до Нового года еще далеко. Все как-нибудь разрешится».

Утром встала проводить Иришку — так было всегда, хотя в последнее время дочка ворчала: мать, как всегда, будет настаивать на горячем завтраке, а есть Иришка по-прежнему не очень любила.

Дочка плескалась в ванной, пока Ольга Петровна хлопотала на кухне: две белые гренки — хлеб сначала вымочила в смеси яйца с молоком, потом пожарила на сливочном масле — Иришка тощая до неприличия. Подумала и положила на тарелку кусок сыра и ветчины — а вдруг? И тут же вздохнула: сейчас начнутся препирания, и дай бог, чтобы дочь съела хоть половину от этого, хоть четверть.

Наконец Ира вышла из ванной — на голове полотенце. Голову надлежало мыть каждый день, непременно. Но здесь Ольга Петровна давно не спорила.

Иришка оглядела накрытый стол, и на ее лице появилась брезгливая и недовольная гримаса.

— Мам! Ну ты, честное слово! Я ж не борец сумо!

Ольга Петровна сделала «большие глаза».

— Ты о чем, Ира? Уйдешь ведь на целый день! Хорошо, если какую-нибудь плюшку в институте схватишь, уж я тебя знаю!

Дочка вздохнула, села за стол и осторожно, словно это был таракан или клоп, двумя пальцами взяла кусок сыра и отломила кусочек гренки. Глотнула какао — поморщилась.

— Мам! Опять один сахар! Я же тебе говорила! — с плаксивой миной сказала она. — Хочешь меня в слона превратить?

Ольга Петровна промолчала, налила себе чаю и села напротив — отслеживать дочкин завтрак.

— Мам! — вдруг сказала та. — А зачем нам, — она кивнула на дверь, — эта Муся?

Ольга Петровна с удивлением посмотрела на дочь.

— В каком смысле — зачем? Ты что, Ир? Она же моя сестра! И кстати, твоя тетка. Человек глубоко несчастный и одинокий. Как ее не приютить? И что, мне надо было ее выгнать на улицу? Ты меня удивляешь, Ира!

— Не на улицу... А вообще — она здесь надолго?

— Этого я не знаю! — резко ответила Ольга Петровна. — И спрашивать, как ты понимаешь, мне не совсем ловко. Придет в себя, отдохнет — и поедет к себе. У нее есть комната. Уедет! — подтвердила уже не очень уверенно Ольга Петровна. — Ну не навеки же она здесь останется? — Голосу своему она старалась придать беззаботность, однако получилось тоскливо.

— А-а! — протянула Иришка. — Ну хорошо!

— А что, она тебе так активно не нравится? — вдруг спросила Ольга Петровна.

— Нравится — не нравится, какая разница, если ненадолго. А вообще, конечно, — она чуть нагнулась и заговорила шепотом, — если честно, не очень нравится, мам! Какая-то она... — Дочь замолчала, задумавшись. — Вульгарная, что ли? Хотя какое-то дурацкое слово, из прошлой жизни! И еще — от нее веет чем-то, — Иришка задумалась, — чем-то опасным! Ну, мне так кажется.

Ольга Петровна вздохнула:

— Какая есть! Она ведь родственница, сестра. Несчастный и одинокий человек. В общем, Ира, будем... терпеть. Да! И еще, — Ольга Петровна понизила голос и оглянулась на дверь, — ты бабуле пока не говори, а? Ну, в смысле, про Мусю.

Иришка убежала, так и не поймав материнский наказ:

— Платок на голову, Ира! Уже прохладно!

Хлопнула дверь лифта, затем подъезда, и Ольга Петровна присела на стул. Это чувство ей было знакомо — оцепенение. Так было всегда, когда за ними — мужем и дочерью — захлопывалась дверь и она оставалась одна. Просидеть так она могла и пятнадцать минут, и полчаса, и даже час. Потом брала себя в руки, заставляла встать и начать день. В эти минуты она ни о чем не думала, словно дремала. Может, отдыхала перед хлопотным днем? Как-то подумала: «А если б работала? Бежала бы сейчас по лужам, по снегу к автобусу. Торопилась. Боялась бы опоздать, сломать каблук, не успеть вскочить в автобус, в вагон метро. Бежала бы потом до работы. После работы бежала бы снова — булочная, кефир, автобус, метро. Снова автобус. Ужин, стирка, дочкины уроки. Господи боже мой! Я же счастливая женщина!»

И она поднимала себя со стула и принималась за дела. А дел, как известно, мало не бывает — в смысле, дел женских, домашних.

Потом хлопоты закручивали ее, заморачивали и времени на раздумья не оставляли. Пока все переделаешь... Еще и магазин, химчистка, прачечная. Ремонт обуви. Платежи всякие. Поездка к маме. Аптека. Два раза в неделю — рынок.

Изредка удавалось прилечь днем — «по-любимому», с книжечкой.

Вот и сейчас вспомнила, что в доме гостья. Наверняка будет спать до обеда — Муся была не из ранних пташек.

Ольга Петровна прикрыла на кухне дверь и принялась варить, печь, жарить.

Гостья вышла и вправду почти к обеду — на часах было половина второго. Застыла на пороге в ночной сорочке и Иришкиных тапках, широко зевая.

— Как спалось? — приветливо улыбнулась хозяйка.

— Нормально. Я всегда сплю хорошо. — И она засмеялась.

Села завтракать. Ольга Петровна подавала — яичница, салат, кофе, бутерброд.

Муся ела молча, с достоинством. Кивком благодарность.

— Спасибо! Ты, Оля, просто настоящий профи, впрочем, у тебя всегда были задатки! — И снова рассмеялась.

Ольга Петровна делала свои дела: резала на борщ овощи, тушила свеклу, жарила лук.

Муся по-прежнему сидела нога на ногу и покуривала — естественно, не спросив разрешения.

— Слушай! — вдруг оживилась она. — А Ирка твоя — прехорошенькая!

Ольге Петровне это было приятно.

— Да! Прехорошенькая! Такой неизбитый сейчас тип: темные волосы, светлые глаза. Тонкое, интеллигентное лицо. Хорошая фигура. Тощая, что теперь очень ценят. Другие не жрут, а этой — дал бог.

— Лучше бы жрала! — посетовала Ольга Петровна. — Кощей Бессмертный, кошмар! Не могу смотреть просто, сердце плачет. И вообще... — Ольга Петровна замолчала. — Странная она у меня девочка. Ни подруг, ни парней. По-моему, и не целовалась ни разу. Не из этой жизни она, моя Ирка. Это, конечно, неплохо, но жизнь-то устраивать надо. Хорошо, вот подружка какая-то появилась, одногруппница. Знаешь, я просто счастлива! Хоть в кино вместе ходят, в кафе. Оставалась у нее пару раз — к сессии готовиться. И семья вроде хорошая. Интеллигентная семья, все врачи.

Муся поддакивала, но в глазах ее прочно застыла скука.

Небрежно бросила:

— А что удивляться? Есть в кого! Ты у нас тоже была скромница-схимница: ресницы не красила, курить не курила, вино не пила. Просто тебе повезло — встретился Левка. А если бы нет? — И она насмешливо и в упор посмотрела на Ольгу.

— Ну, я в магазин! — подхватилась Ольга Петровна. — Хочешь, пройдемся вместе?

— Нет, Оль! Спасибо. Я лучше пойду поваляюсь. Ну если хозяйка не возражает.

Хозяйка, разумеется, не возражала.

Купив то, что было задумано, Ольга Петровна присела в сквере на лавочке. Погода наконец смилостивилась, и на небе появилось неяркое, прохладное осеннее солнце.

Домой идти не хотелось. Совсем не хотелось.

Если вдуматься, если быть честной с самой собой, что сложнее всего, Муся права. Все, что она сказала сегодня, — чистая правда, и про скромницу, и про вино. И про Леву тоже. Не попадись ей тогда на вечере Лева, шанс остаться старой девой вполне стал бы реальностью. Повезло? Наверное. Сколько было на том вечере прекрасных девиц, ярких, модных, нарядных. А повезло ей, Ольге! Выходит — судьба? Да, слушать все это было обидно. Хотя что здесь обидного? Человек сказал правду. И кстати, ничем ее, Ольгу, не оскорбил. Не обозвал, не припечатал дурным словом. И что обижаться? Смешно и глупо. Ольга Петровна встала со скамейки и медленно пошла к дому. «Надо просто перетерпеть, — уговаривала она себя, — просто надо, и все! Другого выхода нет. А там как-нибудь все разрешится. Как, собственно, всегда разрешалось».

В комнате Муси — ой, господи, в Левином кабинете — было тихо. Значит, гостья спала. Ну и хорошо, ну и славно. И Ольга Петровна затеяла пироги — с капустой и луком. Конечно, для дочки. Пироги Иришка, пожалуй, любила. По крайней мере парочку схватит, это уж точно. И наверняка завтра возьмет в институт угостить свою Лену, новую приятельницу. А где Лена съест, там и Иришка подхватится.

С тестом Ольга Петровна возиться любила, и тесто ей отвечало взаимностью. Всходило всегда легко, пышно — не тесто, а загляденье! Да и во время кухонной возни отходили куда-то и дурацкие, тревожные мысли, и отпускала сердечная печаль. Правильно говорила бабушка: дел у женщины должно быть много. Тогда и печалей останется меньше.

Иришка пришла поздно — пришлось поволноваться. На вопрос, где задержалась, ответила с раздражением:

— Мам, ну что за вопросы? У Ленки была, кино смотрели.

Чуть не вырвалось: «А какое кино, доченька?»

Слава богу, прикусила язык. Какая разница, какое кино? Была у подружки — и слава богу. Все не одна, все не дома.

За ужином Муся с интересом рассматривала Иришку. Та смущалась, ловя на себе заинтересованный взгляд тетки, и отводила глаза.

Ольга Петровна, убрав со стола и перемыв посуду, ушла к себе — намаялась за день. Села в кресло и включила телевизор. Шел старый хороший фильм, и она увлеклась.

Когда он закончился, Ольга Петровна, зевнув, глянула на часы: боже мой! Половина двенадцатого! Надо глянуть, что там у дочки. Завтра ей рано вставать, совсем рано, в институт к девяти. Значит, будильник надо завести на семь.

Дверь в Иринину комнату была открыта, но ее самой там не было. Зато из кабинета, из комнаты Муси, раздавался оживленный смех. Удивленная, Ольга Петровна заглянула туда.

Иришка и Муся сидели на кровати и оживленно болтали. Увидев мать, дочь вздрогнула и, кажется, смутилась. А Муся глянула на сестру с насмешкой. Или — показалось? Но почему-то вся эта сцена вызвала у Ольги Петровны какой-то душевный дискомфорт, что ли? Словом, все это было ей, если честно, не очень приятно.

— Ира! — Она взяла себя в руки. — Тебе же завтра рано вставать!

Дочь скривила рот:

— Ой, мам! Ты как всегда!

— Как всегда, я волнуюсь, — твердым голосом, собрав волю в кулак, ответила Ольга Петровна.

— Ладно, сейчас пойду! Доставлю тебе удовольствие, — раздраженно отозвалась дочь.

Ольга Петровна увидела, что Муся усмехнулась — последняя фраза ей явно понравилась, — и, сухо кивнув, удалилась к себе, еще раз поймав себя на странной мысли: ей все это неприятно. Крайне неприятно, если по правде. Только вот почему? Сама не поняла.

С того дня дочь приходила домой рано — в институте не задерживалась, в кафе и кино с подружкой не ходила. Казалось, что она спешила домой. Быстро поев, она тут же удалялась в комнату к Мусе, плотно прикрыв за собой дверь. И вскоре оттуда доносились то приглушенный разговор, то негромкий смех.

Иногда было тихо. Совсем тихо. Ольга Петровна замирала под дверью и прислушивалась. Некрасиво, конечно, но поделать с собой она ничего не могла. Если тихо, значит, разговор ведется шепотом? Значит, не хотят, чтобы она слышала? Она, мать?

На душе было тошно. Пыталась разобраться, уговорить себя, но получалось плохо. Нет, все понимала: есть вещи, которые матери трудно сказать. Хотя какие у Иришки секреты? Вся ее жизнь на виду. Ладно была бы влюбленность, мальчик. Тогда понятно — поделиться надо. Обидно, что не с матерью? Обидно. Но дочка всегда была человеком закрытым, не склонным к откровениям совершенно. Этим она была в своего отца. Впрочем, Ольга и сама не из болтливых.

Странно то, что в наперсницы она выбрала Мусю. Хотя все понятно: у той опыт! Не то что у матери. Да и с чужим человеком поделиться проще, чем с родным.

Из радостного — позвонил муж и сказал, что приезжает точно уже, взяты билеты. Признаться, слегка волновался, что отпуск сорвется — застряли с одним делом, бросить нельзя. К счастью, разобрались.

Спрашивал, что привезти — есть прекрасные камни.

— Да, местные. Нет, ты мне поверь! Кто, как не я, в этом разбирается. Хочешь — изумруды, хочешь — звездчатые сапфиры. Прекрасные топазы разных оттенков. Хочешь — какой-нибудь экзотический кошачий глаз или цитрин. Аквамарин, опал. Ну, Оль? Подумай!

Ольга Петровна растерялась: она не была отчаянной любительницей драгоценностей и украшений. Но она была женщиной! Мельком глянула на себя в зеркало: глаза голубовато-серые. Значит, ни зеленые изумруды, ни красные рубины не подойдут. Сапфиры? Наверное, да. Точно, сапфиры.

Ну и смущенно протянула:

— Тогда... сапфиры, Левушка! Только если недорого, слышишь?

Муся сидела на кухне и тянула остывший черный кофе.

— Левка звонил?

Почему-то Ольге Петровне было неприятно, что Муся называет ее мужа так пренебрежительно, так запанибратски — Левка. Какой он ей Левка, ей-богу? Но поправить сестру не решилась. Поняла, что выглядеть это будет довольно глупо. Вроде ревности, что ли?

Ольга Петровна кивнула:

— Да, приезжает. В аккурат к Новому году. Семейный праздник — мы всегда вместе. К тому же положенный отпуск. Он очень устал: командировка тяжелая, климат ужасный. С едой проблема, грязь и инфекции — Индия, сама понимаешь.

— Не знаю, не была! — усмехнулась Муся. — Но страна интересная. Необыкновенная страна. Я столько про нее прочитала!

Ольга Петровна сделала вид, что не заметила Мусиной колкости.

— Новый год. — Муся призадумалась. — Да, ты права. Праздник семейный. — И резко встав, вышла из кухни.

Ольга Петровна растерялась — что это значило? Что Муся хотела этим сказать? Праздник семейный и ей там не место? Или другое — праздник семейный и она, Муся, тоже член семьи? А разве нет? Разве сестра — не член семьи? Пусть даже двоюродная?

* * *

Из дома Муся почти не выходила — так, пару раз. Где была — не докладывала, ни слова. Ольга Петровна не спрашивала — не было любопытства в ее характере. Но приходила Муся хмурая и, кажется, расстроенная. Ни разу — ни разу! — в дом ничего не принесла, не купила.

«Ну да ладно, — думала Ольга Петровна. — Может, совсем нет денег? Да наверняка нет — откуда?»

Правда, как-то решилась, осмелилась:

— Муся! А что с твоей комнатой? Ты там не была?

— А что, надоела? — Муся посмотрела ей прямо в глаза. — Ты, Оля, так и скажи: «Вали, сестрица! Хорош, нагостилась».

Ольга Петровна покраснела и страшно смутилась:

— Господи, Муся! Ну как же ты можешь! Живи, сколько хочешь. Я просто спросила.

Покривила душой, покривила. А что тут скажешь?

Одно мучило, тревожило и огорчало — Мусины ночные посиделки с Иришкой. Они продолжались иногда до глубокой ночи. Ольга Петровна просыпалась и слышала, как в кабинете все так же шушукались, посмеивались. Секретничали.

Как-то не выдержала, спросила:

— Муся! А о чем вы там с Иркой?

— Ревнуешь? — коротко хохотнула та. — Да брось! Так, обо всем. О жизни, Оля! Просто о жизни.

Ольга Петровна покраснела:

— Странно все как-то... Нет, я понимаю — о жизни! Но...

— Хорошему не научу? — перебила ее Муся. — А ты не волнуйся. Плохое — это тоже опыт, сестрица! Согласна? Пусть послушает, сделает выводы. А то с тобой — это ж как в инфекционной больнице в отдельном боксе — от всего мира закрыта. Что ты можешь ей рассказать? Чем поделиться, чему научить?

— Знаешь, а может, не надо? В смысле — делиться? У каждого свой опыт, в том числе и плохой. На чужих ошибках вроде не учатся...

— Не я ее зову! — резко ответила Муся. — Сама в гости просится.

Потом Ольга Петровна подумала — а ведь снова Муся права! Не она к Ирке стучится — та к ней приходит. Наверное, видит в ней героиню — бурная, яркая жизнь. А что она, мать? Домашняя клуша. О чем с ней говорить? О борщах и котлетах? И что она в своей жизни упустила? Что сделала не так? Чтобы с единственной дочерью и никакого доверия?

А время шло. И тревога росла. И кажется, незваная гостья съезжать не спешила. От мамы Ольга Петровна по-прежнему все скрывала. С дочерью говорить было бесполезно, кажется, Ирка была влюблена в свою непутевую тетку. По-прежнему рвалась домой, быстро сбрасывала пальто, наспех мыла руки, отказывалась от ужина и торопилась в комнату Муси.

Ольга Петровна только вздыхала. Ей и самой давно стало неуютно в собственном горячо любимом доме.

Как всякая женщина, тем более домохозяйка, она обожала свою квартиру. Мыла, чистила до фанатизма, украшала и лелеяла. Дом был для нее всем — убежищем, спасением, лучшим местом на свете. Каждый раз, заходя в свою квартиру, она испытывала ни с чем не сравнимое облегчение и радость: уф, наконец-то я дома!

Даже не любила коротких отлучек, а уж что говорить про долгие, например, в пансионат или дом отдыха, или на море.

Всегда торопилась домой. Здесь был ее тихий рай, где все было знакомо, известно и мило.

Домоседка — да! И что тут плохого?

А вот теперь домой ей не хотелось. Теперь она старалась оттуда уйти — искала дела, а они, как известно, найдутся всегда.

Ездила два раза в неделю к маме. К сестрам, к тетке, к давней школьной подруге Марине, к которой не ездила уже лет пятнадцать.

* * *

Перемены такие неожиданные, что Ольга Петровна не на шутку испугалась, начались внезапно.

Как-то вечером — Иришка пришла довольно поздно — она села ужинать. Ольга Петровна уселась напротив.

Муся была у себя.

Дочка неспешно поела, долго пила чай и вдруг сказала, что устала и уходит к себе.

У Ольги Петровны вырвалось:

— А к Мусе? Ты не пойдешь?

Иришка подняла на мать глаза и покачала головой:

— Нет, мам. Достаточно. Хватит. И вообще, не пора ли твоей Мусе съехать по месту прописки? Как-то затянулось все, мам! Тебе так не кажется?

Ошарашенная, Ольга Петровна лихорадочно подбирала слова:

— Да, Ира. Достаточно. Лично мне — уж точно! Только вот как ей об этом сказать? Не представляю. Ты же знаешь — решительности у меня ноль. Никогда не могла отказать человеку. Да и потом — родственница, сестра. В непростом положении. Нет, я не смогу! А скоро Новый год, и папин приезд, и отпуск. Что же нам делать?

— Это твой вопрос! — жестко отрезала дочка. — Ты ее приютила, тебе и решать! — У двери обернулась. — Только я очень прошу тебя, мам! Сделай это, пожалуйста, как можно быстрее!

Вот так номер! Что там случилось? Чтобы после такого восхищения и обожания — такое разочарование и даже раздражение, злость? Спросить у дочери? Вряд ли услышит правду. Спросить у Муси? Этого точно не хочется. А до Нового года осталось всего ничего. Всего-то пару недель. Так, надо собраться и наконец решиться! В конце концов, не ради себя — ради дочки и мужа. Ради всей их дружной семьи. В конце концов, Ольге винить себя не в чем — почти три месяца Муся у нее прожила. Почти три месяца Ольга Петровна готовила, подавала, убирала за ней, стирала и гладила. И ни разу не попрекнула, ни разу не сделала замечания, ни разу не высказала и даже не показала своего раздражения или недовольства. Но и вправду достаточно. Муся здорова, у нее есть жилплощадь, и пора начинать самостоятельную жизнь — как бы ни было ей удобно здесь, в чужом доме, на всем готовом. Кажется, и ей пора отвечать за свою жизнь. Но что там у них все-таки произошло с Ириной? Как же все странно и непонятно...

И Ольга Петровна решилась.

Тяжелый разговор она завела во время обеда.

Начала издалека:

— Муся, а ты съездила наконец в свою комнату?

Муся глянула на нее, как всегда, с саркастической усмешкой.

— Опять про комнату? Видно, точно я тебе надоела. Даже такой святой, как ты, я надоела.

Ольга Петровна смутилась и что-то замямлила:

— Да нет, о чем ты. Я так, просто. Ну... в смысле информации. Ты совсем не волнуешься по поводу своего жилья?

Муся ответила жестко:

— Ты уже не в первый раз заводишь этот разговор. И я все поняла, Оля. На днях съеду. Ты не волнуйся. Я и так, можно сказать, злоупотребила твоим гостеприимством и твоим терпением. Тебе большое спасибо! Я все оценила. Все правильно — нечего пристраиваться к чужой жизни, пусть даже сытой, благополучной и очень размеренной. Да и ты мне не обязана вовсе, я все понимаю. Съеду, да. В ближайшее время.

Уф, словно гора с плеч! Нет, Муся — какая угодно, но она всегда была умной, что говорить. Просто жила по-другому. Страстями жила, для себя.

Ольга Петровна, стараясь побороть неловкость и неудобство, пыталась продолжить:

— И еще, понимаешь, Лева приезжает. Дома не был почти пять месяцев. Конечно, устал и хочет тишины и покоя. Расслабиться хочет. Он же вообще — такой, одиночка, нелюдимый. Даже гостей еле терпит пару часов. Ну, что делать, такой человек... Ты уж меня... нас... Извини.

Муся кивнула и достала сигарету. Курила она по-прежнему на кухне.

— Знаешь, Оля, — вдруг начала Муся, — а я тебе всегда завидовала. Всегда.

Ольга Петровна, собиравшаяся встать и заняться посудой, от неожиданности села.

— Мне, Муся? Ты мне завидовала? Господи, ну ты даешь! А мне казалось, что это я завидовала тебе! Твой красоте, свободе. Раскованности. Смелости. Тебя не интересовало чужое мнение. А я всегда оглядывалась — на всех! Ты делала все, что хотела. Позволяла себе все. А я... я как мышь прожила всю свою жизнь. Всю жизнь зависела от всех — от родителей, от мужа, от дочки. Да и что из меня получилось? Домашняя курица. Все.

— Завидовала, — твердо повторила Муся. — Семье твоей. Родителям — нормальным родителям! А у меня? Отец был слабак. Ну а мать — сама знаешь. Сбежала, как крыса с корабля. Ладно от мужика, это понятно. Я бы сама от такого сбежала. Но от ребенка? Потом эта, тихоня, серая мышь. Папашкина жена.

Тихая, забитая, смирная. А меня ненавидела. Я же все чувствовала, все понимала. Просто сверлила меня, прожигала насквозь. Куски за мной считала, веришь? Ну ты помнишь — я из дома тогда и ушла. — Муся замолчала. Молчала и Ольга Петровна. — Ничего у меня не получилось, Оля. Ни семьи, ни детей. Глупо я жизнь прожила. Пусто. Как бабушка наша говорила — профурыкала. Вот хорошее слово, подходящее. Именно — профурыкала, лучше не скажешь. И что в итоге, ты мне скажи? Да вот что — никому я не нужна. Никому! Ни одному человеку на свете. Даже такой доброй душе, как ты, не нужна. В общем, лето красное пропела, Оль. Страшно возвращаться туда, к себе. В полное одиночество. Чокнусь, наверное. А поделом! Что позади? Сплошные аборты и потные страсти. Вот так-то, Оля. А впереди? Сама понимаешь.

Ольга Петровна дотронулась до ее руки. Рука была холодная, неживая, хотя дома было очень тепло.

Ей стало невыносимо жалко Мусю — несчастную, нелепую, одинокую.

— Мусенька! Ты не спеши! Какие наши годы, как говорится! — И Ольга Петровна выдавила из себя улыбку. — Еще как ты устроишь свою жизнь! Ты же такая красавица, господи! Посмотри на себя! Фигура какая! Ну где ты видела баб в пятьдесят с такой талией. А волосы? А все остальное? Нет, Муся! Уверена — все образуется. Появится наконец человек. Приличный человек!

Муся перебила ее:

— Послушай, Оля! Ну хватит! Ну это просто смешно! Да и я от страстей устала. Слишком много их было в моей жизни — на три бы хватило. А насчет приличных мужчин — так они и достаются приличным женщинам. Таким вот, как ты. Все давно разобраны, Оля! По справедливости.

Ольга Петровна с жаром, чувствуя огромное облегчение от того, что она наконец решилась и все сказала и Муся восприняла это нормально, продолжила:

— Нет, Мусенька! Нет. Ты заслужила! Ну сколько можно страдать? Ты свою горькую чашу уже испила. Остались приличные мужики, я тебя уверяю!

Муся смотрела на нее, чуть прищурив глаза:

— Ну да. Остались, наверное. Вот, например, твой Левка! Да?

Ольга Петровна смутилась:

— Ну при чем тут он, Муся? Он давно и прочно женат. А в смысле того, что приличный, — так кто ж будет спорить?

— Спорить тут нечего, — кивнула Муся, — только вот...

— Что? — удивилась Ольга Петровна и улыбнулась. — Что, есть сомнения?

— Да брось ты! Какие сомнения, Оля? Все сомнения остались в прошлом. Что вспоминать?

— Ты о чем, Муся? — настороженно спросила Ольга Петровна. — Ты... о чем говоришь? Прости, но я тебя не понимаю.

— Да ладно, — ответила та и посмотрела в окно. — Дела давно минувших дней. Что вспоминать?

— Продолжай, коли начала, — потребовала Ольга Петровна, чувствуя, как падает сердце.

— Оля! Да не о чем продолжать! Все прошло, испарилось — как не было.

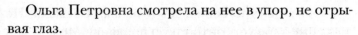

Ольга Петровна смотрела на нее в упор, не отрывая глаз.

Муся вздохнула и повторила:

— Да что вспоминать? Ну тогда, тем летом, помнишь? Когда ты с Иркой укатила на юг? Еще свекровь твоя помирала? Ну помнишь?

— Как такое можно забыть? — мертвым голосом, почти шепотом, предчувствуя катастрофу, ответила Ольга. — Только не понимаю, при чем тут это?

— Да ни при чем, ерунда! Я тогда помогала ему. Мама твоя попросила — подежурить возле этой твоей... Не помню, как ее звали.

— Ирина Степановна, — тихо напомнила Ольга. — Мою свекровь звали Ириной Степановной.

— Вот именно! Да и какая разница, как ее звали? Я не о том. Так вот. Левка твой тогда совсем духом пал: мать умирает, жена с дочкой уехали. Мужики народ слабенький, хилый, чуть что — ну, ты знаешь сама! В общем... — Она замолчала.

— Продолжай, — хриплым от волнения голосом твердо сказала Ольга Петровна.

— Думаешь? — задумчиво произнесла Муся, раздумывая, стоит ли ей продолжать. — Ну в общем... Закрутилось у нас с ним, с твоим Левкой. У меня-то ничего серьезного, так, пожалела. А у него... В него словно бес вселился, говорил, что влюблен, что такого у него еще не было. Я и сама испугалась! Видела, как несет его по кочкам. Аж страшно становилось. Стращал, что покончит с собой. Ты представляешь? Совсем смешно, а?

Ольга Петровна молчала, не в силах взглянуть на Мусю.

— Ну я быстро собралась и уехала. Сбежала. Не могла же тебе устроить такую подлянку. Может, зря я тебе рассказала? Оль, поверь, я все ему честно и сразу: «Ничего не получится, ни на что не надейся. У тебя жена, дочь, семья. Да и мне ты не нужен». Просто так вышло. Ну прости. У него было горе, у меня — тоска. Он, кажется, даже в психушку попал? Ну да, приличный человек, измучился сам.

— Тоска, — повторила Ольга Петровна, чувствуя, как ей трудно дышать. — У тебя была тоска. Я поняла. А он, мой муж, приличный человек. И это я поняла. Только зачем, зачем ты сейчас мне это все рассказала? Зачем, Муся? Чего ты хотела добиться? Ответь мне на этот вопрос! А на остальные ты, собственно, уже мне ответила.

— Зачем? — переспросила Муся. — Да не знаю. Так, к слову пришлось! Я надеюсь, ты не обиделась? Столько ведь лет тому, а? Как говорится, за сроком давности... Ты только в голову, Оль, не бери! Когда это было? Молодые мы были, горячие. Бестолковые. Когда совершать ошибки, как не в молодости?

— Я не обиделась, — кивнула Ольга Петровна, — только ты, Муся, уходи! Сегодня же, слышишь? Никаких пару дней. Сейчас уходи.

Муся молча встала из-за стола. У двери обернулась.

— Да, кстати! За Ирку ты не волнуйся! У нее все хорошо, в смысле того, что она не одинока. Есть у нее человек. Женатый, правда, но — бывает и так. Они встречаются месяцев восемь. Она влюблена. И слава богу, что влюблена, правда, Оль? Ты же так беспокоилась, что никого и ничего — полная тишина. — Муся приветливо улыбнулась. — Ну я пошла? Пора и честь знать, ты, Оля, права!

Ольга Петровна продолжала сидеть. Подняться со стула не было сил. Не было сил подумать. Не было сил все это осознать, перемолоть, прокрутить в гудящей и пустой голове. Вообще не было сил. Жить не было сил. Смотреть на этот мир не было сил. Ни на что не было сил, ни на что.

Кажется, прошло немного времени. Или много? Она не поняла. Да и какая разница. Жизнь обрушилась, рухнула и, кажется, не оставила надежды на выживание.

Муся заглянула на кухню в пальто и берете.

— Ну я пошла? Ты прости меня, Оля! Если сможешь — прости.

— Зачем ты мне все это сказала? — глухим голосом, медленно, еле шевеля пересохшими губами, проговорила Ольга Петровна. — Ответь мне на этот вопрос! — упрямо повторила она.

— Зачем? — Муся на секунду задумалась. — А душу свою облегчить, вот зачем! Стыдно было перед тобой. Ты меня так приняла! Кров дала и еду. Обласкала. А меня это мучило, веришь? Всю жизнь мучило — ты ведь такая... Святая, Оль. А я, я дрянь! И я это знаю. — И повторила: — Ну я пошла?

Ольга Петровна ей не ответила.

Тут же хлопнула входная дверь. «Все закончилось, — мелькнуло у Ольги Петровны. — Все закончилось. Все».

Она легла на кровать и закрыла глаза. Хоть бы заснуть и не проснуться. Это бы был лучший выход. Но сон не шел. Голова гудела, словно пивной котел. Она как будто слышала звук — гонг или колокол? Удар. Хорошо бы хватил удар! Но так, чтобы сразу. Чтобы без мук. Никого не мучить, никого из родных. Мама не переживет. А все остальные... Все остальные останутся жить — теперь она в этом не сомневается.

Муж, дочь. У Левы работа. Да и мужик он еще вполне ничего. Крепкий, здоровый. Закаленный. А может? Да запросто! Даже там, в экспедиции! Там тоже есть женщины, и молодые! Подберет какую-нибудь. Да запросто подберет. И проживет новую жизнь. А если... если там давно уже есть женщина? Почему бы и нет? Столько времени проводится вместе. Работа и отдых, общие интересы. Им, мужчинам, это всегда очень льстит. Нет, в том, что Лева не пропадет, теперь она уверена.

А Ирка... И *эта* не пропадет! Впервые она назвала любимую дочку не по имени, а местоимением. Назвала и сама вздрогнула. Тошно. Да, именно тошно! В доме, в ее родном доме, который она создавала всю свою жизнь, собирала по крупицам, по мелочам. Выстраивала его по кирпичикам. Чтобы крепко стоял. Чтобы всем было тепло и уютно. Чтобы дом этот был прочной, незыблемой крепостью. Пристанью. И они, ее самые близкие, были защищены от невзгод и проблем. Ведь дом — это так много, верно? Это же самое главное! Целую жизнь посвятила — всю свою, как оказалось никчемную, жизнь. Все — им, все для них. А они? Они оказались предателями и лгунами. Они ее предали. Растоптали. Ложью своей растоптали. Муж. Дочь. Сестра.

Она вспомнила тот страшный год. Заплакала.

Всю жизнь она прожила с чувством вины — бросила свекровь, бросила мужа. В памяти всплыли дни, когда она моталась в больницу, выхаживая его. Как кормила его с ложки, выводила на улицу. Радовалась тому, как он поел. Как прошелся по больничному парку. Как захотел мороженое и как она бросилась к метро, чтобы ему это мороженое принести. Как прислушивалась к его дыханию. Как... Как дотронулась до него, чтобы выпросить ласку. А он... Он в это время страдал. Страдал и скучал по этой Мусе! Он хотел уйти от нее, жены. От своей дочери!

Не хочется жить. Совсем не хочется жить. Может быть, все закончить? Нет, никогда! Не ради них — ради мамы.

А эта маленькая скромница! Схимница эта! Бегает к женатому мужику и... Стонет под ним. Обнимает его. Целует. Чем она лучше Муси? Да ничем!

И Ольга Петровна почувствовала, что брезгует дочерью. Что та стала ей неприятна. Мелькнула мысль — пожалеть? Во что девка вляпалась! Да, Муся права! Такое бывает. И кстати, часто бывает! Ирка — дура. Неопытная и наивная дура. Точнее — дурочка. Так будет точнее. Только отчего мне ее не жалко? Да оттого, что она все время врала! Бегала к чужому мужику и врала — «театр, подружка, семинар, подружкина дача, подготовка к экзаменам». А сама в это время... В чужих квартирах обнимала чужого мужика.

Если бы Иришка поделилась, поплакалась. Осознала, во что она влипла. Они бы вместе — мать и дочь — придумали что-нибудь. Ольга бы утешила дочь, оправдала. Или попыталась бы оправдать. А так...

Всю жизнь она думала, что дочке подруга. Что может ее защитить, прикрыть от непоправимых ошибок. От беды. А вышло...

Никому она не нужна — вот что вышло. Все могут без нее перебиться. Ирке даже станет полегче — мать не будет вызванивать ее, мучить вопросами, где была да с кем.

Такая ерунда — сегодня рухнула жизнь. И ее, Ольгу, засыпало обломками и осколками — только и всего! Правда ведь — ерунда?

* * *

Дочка пришла поздно. Удивилась, что мать не встала, не встретила, не предложила поесть.

Заглянула к ней:

— Мам! Все в порядке?

— В порядке, — коротко ответила Ольга Петровна. — Иди, Ира. Я сплю. Иди.

Все в порядке. Конечно, в порядке!

Три дня провалялась как в обмороке — не ела, не пила. Не разговаривала. Дочь забеспокоилась всерьез:

— Мам, а может, врача?

От врача отказалась. Какой врач ей поможет? Смешно.

На четвертый день встала и принялась за дела.

Уборка, готовка. Список в магазин — хлеб, молоко, кефир, яблоки.

Раз живу, раз осталась жить... Ну, значит, так надо.

Через неделю стало полегче. Чуть-чуть стало полегче — у женщины должны быть дела. Много дел.

Тогда и черные мысли уйдут, вспоминала Ольга Петровна слова бабушки.

И вправду, за этими обычными, такими знакомыми, рядовыми и привычными хлопотами ей стало легче.

Муж должен был приехать через неделю. Новый год приближался. Надо было съездить к маме, привезти ей продукты. Купить дрожжи и капусту на пироги. Не забыть шампанское, апельсины, ананас — Иришка его обожает. Ну что там еще? Ах да, соленые огурцы на салат! Слава богу, что вспомнила. И еще — зеленый горошек.

За пять дней до приезда мужа пошла в парикмахерскую — маникюр, педикюр, покрасила волосы. У косметолога сделала массаж и маску.

«Зачем?» — задала себе этот вопрос и оставила его без ответа.

А потом раздался телефонный звонок. Звонили из больницы:

— Ольга Петровна? Я звоню по поручению Марии Григорьевны Шаблиной. Это ведь ваша сестра, я не ошиблась? Так вот, Мария Григорьевна сейчас в больнице, в нашей районке. Три дня назад ее увезли с сердечным приступом. Подозревали инфаркт. К счастью, не подтвердился. Ей чуть получше. Но полежит еще пару недель, никак не меньше. Ей нужны кое-какие вещи — ночная рубашка, домашние тапочки. Да, халат! Желательно теплый — топят у нас хорошо, только вот из щелей страшно дует! Что еще? Ах да! Что-нибудь почитать. Журналы или что-нибудь легкое — детектив, например. Ой, хорошо, что не забыла! Две пары трусов и свежий бюстгальтер. Ну и сладенького — конфет, вафель или печенья.

Ольга Петровна молчала.

— Вы меня слышите? — насторожились на том конце провода.

— Слышу, — коротко ответила Ольга Петровна. — Простите — а вы кто?

— Я ее соседка — лежим рядом, в одной палате. Светланой зовут. Я тоже тут с сердцем — муж доконал, сволочь такая!

— Я вас поняла, — сухо перебила ее Ольга Петровна.

Господи, еще слушать про сволочь-мужа... Еще не хватало.

А Светлана, ничуть не смутившись, бодро продолжила:

— Мария Григорьевна сказала — «у меня замечательная сестра! Ни в чем не откажет!» Да, и еще, вы уж меня простите...

— Слушаю вас, — сухо ответила Ольга.

— Денег бы — вы уж меня извините! Мария Григорьевна не просила, это я от себя. Вы ж понимаете — здесь все дают! Медсестрам, врачам. Так тут принято. Не очень правильно, да. Я понимаю. Но такая реальность, что уж поделать... А кто не дает — тому, да, будет несладко. Вы уж простите меня, — повторила Светлана жалобным голосом, — за мою, так сказать, самодеятельность! Но Мария Григорьевна человек одинокий. И очень стеснительный, как я поняла. Сама ни за что не попросит. Вы согласны со мной? Не обижаетесь, а? Очень жалко ее, Марию Григорьевну! Ко всем ходят, а к ней... Ни яблочка, ни конфетки. А скоро ведь праздник!

— Не обижаюсь, — сухо ответила Ольга Петровна, — и все понимаю.

Положив трубку, отругала себя: «Зачем я вообще слушала весь этот бред? Какое мне дело до этой Марии Григорьевны? До ее болезни, до ее больницы? До ее яблочек и конфет? Почему я не бросила трубку? А потому что дура! Как была, так и осталась. Вот почему». И тут же разозлилась на Мусю: «Вот ведь дрянь! И после всего, что она натворила. Без совести и без чести. Впрочем, что удивляться? А когда Муся была другой? Наглости ей было не занимать. Уж если ей что-то надо... На все наплевать! На все и на всех — философия жизни».

И без того отвратительное настроение совсем испортилось.

Ольга Петровна принялась за глажку — лучшая терапия. Гладила она долго, старательно, тщательно, так, что заболела рука.

Потом плюхнулась на диван и расплакалась. Больше всего на свете ей хочется забыть эту дрянь! А она не дает! Взывает к совести — валяется там одна, голодная, холодная, всеми брошенная. А как ты хотела, милочка? Как жизнь прожила, то и имеешь.

Дочь позвонила и предупредила, что сегодня ночует у Ленки.

— Ты уверена? — жестко спросила мать.

— В чем? — растерялась та. — В чем я уверена, мам?

— Да в том, что у Ленки! — недобро усмехнулась Ольга Петровна.

Помолчав, дрогнувшим голосом Иришка ответила:

— А если и нет, то это моя жизнь, мама! И вообще ты ничего не понимаешь! Совсем ничего!

— Где уж мне!

Но дочь ее не услышала — бросила трубку. Ольге Петровне показалось, что Иришка расплакалась. Или только показалось?

Все правильно — это ее жизнь. И она ее проживет — только она. Со всеми ошибками, болью. Страданием и счастьем. Проживет так, как захочет. И никто не сможет ей запретить и ее предостеречь.

Она набьет свои шишки и прольет свои слезы. А мать будет страдать вместе с ней, жалеть ее и утирать ее слезы. Потому, что мать. Вот и все.

* * *

На следующий день Ольга Петровна встала рано. Быстро умылась, оделась и наспех выпила кофе.

«Районка» была ей хорошо известна — когда-то в ней лежал дядя Гриша, Мусин отец.

Доехала быстро — на троллейбусе минут пятнадцать. Зашла в магазин, купила апельсины, яблоки, пару лимонов. Подумала и добавила кекс и пирожки.

В здании больницы подошла к справочной.

— Мария Григорьевна Шаблина? Такая имеется, да. Вторая терапия, третий этаж, пятый корпус. — Регистраторша посмотрела на часы, висящие на стене напротив. — Пока дойдете, посещения откроются. Без пяти одиннадцать сейчас, а у нас пускают с одиннадцати.

Ольга Петровна поблагодарила и кивнула.

В корпусе подошла к гардеробщице. Украдкой сунула ей три тысячи мелкими купюрами и, отдав пакет с покупками, назвала палату и фамилию больной.

— Отнесите, пожалуйста! А это — вам! — И добавила еще триста рублей.

Та, оглянувшись, сунула деньги в карман синего халата и заговорщицки кивнула.

— А что сама не занесешь? Не желаешь? Чужой, что ли, кто?

— Чужой! — подтвердила Ольга Петровна, добавив: — И да, не желаю! — И быстро пошла к выходу.

На улице было бело и снежно. Она словно впервые огляделась и увидела всю эту предновогоднюю красоту, как всегда, обещающую радость и обновление. Жизнь.

Она глубоко вдохнула свежий морозный воздух и заторопилась домой.

Дома было столько дел! Что говорить — Новый год.

Праздник семейный. Конечно, семейный!

И значит, нужно спешить. Дела ждать не будут.

Определенно не будут!

И еще в эту минуту она поняла, твердо осознала, что ни одного вопроса она никому не задаст — ни дочке, ни мужу. Мужу — к чему? Все давно быльем поросло, почти прожита жизнь. Зачем ворошить?

А дочка... Захочет — расскажет сама, если в этом будет нужда. А если нет — так и это бывает. Не все человек может рассказать. И не все объяснить. Даже собственной матери. И еще... Может, она боится услышать ответ?

Да нет, совсем не в этом дело. Просто иногда складывается так, что вопросы лучше не задавать. Пусть они остаются, эти сложные незаданные вопросы. И дело тут не в ответе, совсем не в ответе!

Дело в том, что не на все вопросы бывают ответы.

И вообще, хватит слез и страданий! Впереди Новый год! Хватит ныть. Надо просто продолжать жить. Вот и все. Только... Все ли?

Прощальная гастроль

Зоя ушла в понедельник рано утром, едва забрезжил рассвет. Апрельский день обещал быть теплым — уже в семь утра загорелось по-летнему яркое солнце и осветило комнату. Теперь ее комнату — раньше, до ее болезни, эта комната была их общей спальней. Семейной спальней — почти тридцать пять лет.

Когда Зоя окончательно слегла, Александр переехал в комнату сына, которую по привычке все еще называли «детская».

Переехать туда, в детскую, его попросила она.

Согласился он сразу и, кажется, с облегчением — совместные ночи были уже тягостны и безнравственны, что ли... Он не спал, она мучилась. Зачем? К тому же человеком Зоя была рациональным, без всяких лирических глупостей и обид — другая бы точно обиделась: сбежал от больной жены.

Но — не она. Конечно, он теперь высыпался. Это было необходимо — предстоял обычный долгий и трудный день. И еще много долгих и трудных дней, похожих друг на друга, как бусинки одного размера, плотно посаженные на нитку.

Спустя три года в голове, как короткая молния, вспыхивала фраза, которой он невыносимо стыдился. Казалось бы, что было такого необычного в ней, в этой фразе? Обычная фраза, житейское дело: *«Когда-нибудь кончается все»*.

Кошмарная фраза, ужасная фраза. Невыносимая в своей правдивости и определенности. А в их случае — особенно. В случае, когда медленно, по миллиграмму, по миллиметру, по секунде уходит дорогой тебе человек. Кончается, иссыхает, словно из него испаряется жизнь.

Оправдывал себя тем, что Зоя отмучается. Да-да, именно она! При чем тут он? Он-то сладит, привыкнет. Честно говоря, к этой мысли он уже приноровился.

Но, положа руку на сердце, он и сам чувствовал, как и из него уходят жизненные силы, словно пересыхает от густого и долгого зноя земля. Он тоже слабел. Усталость, возраст.

Но разве сравнишь? Ему, по крайней мере, было не больно.

Странно, думал он. Его жена всю жизнь была легким человеком. Наилегчайшим просто. Зоя ладила со всеми, он и припомнить не мог даже какой-нибудь мелкий бытовой конфликт. Даже с его роднёй — матерью и сестрицей — ухитрялась поддерживать дипломатические отношения. А уж характеры там были... Не приведи боже.

Однажды он слышал, как сестрица ехидно и едко сказала матери:

— А ты личной жизнью сына и невестки займись, поучаствуй! Им поуказывай, с ними поспорь!

Оставь меня наконец в покое! Или хотя бы дай передохнуть!

Ответ матери его удивил еще больше, чем гневная и, наверное, справедливая речь сестры.

— А с ними неинтересно! — засмеялась мать. — Шурка вообще неконфликтный. А Зоя такая пресная и спокойная. О чем с ней спорить, к чему прицепиться?

Это, конечно, была шутка, матери вполне хватало участия в жизни дочери. Тем более что жизнь эта была бурная, непростая и действительно неудачливая. А у невестки и сына — размеренная и спокойная. Обычная счастливая семейная жизнь — ничего интересного.

Но Александр удивился и подумал, что это чистая правда! С его женой не то что поругаться было сложно — невозможно было даже поспорить.

Зоя не поддавалась на провокации, которые он, пребывая в плохом настроении, ей иногда устраивал.

«Удивительно легкий характер, — в очередной раз думал он. — Как же мне повезло».

И самое главное — Зоя ни разу не пожаловалась ему на его родню. А ведь могла бы! Ох, сколько бы женщин на ее месте сладостно бы копили, взращивали, удобряли и окучивали эти обиды! Но — не она, его Зоя. Он удивлялся этому, восхищался и был безгранично ей за это благодарен. Все ее любили — соседи, коллеги, случайные знакомцы на курортах, женщины, рожавшие с ней «сто лет назад», тетеньки, лежавшие с ней в больницах.

Продавщица Зинаида из близлежащего гастронома — стерва такая, что терялись и генералы, и ее коллеги-продавцы — с такими же соломенными «халами» на головах и красными перстнями на огромных руках. Он всегда этому удивлялся. Зинаида эта была дьяволом, всемирным злом: хамка, истеричка и, безусловно, воровка. Причем воровка наглая, циничная, не боящаяся ничего и никого. А вот с его женой, улыбчивой и уступчивой, она замолкала. Останавливалась в секунду, вмиг, едва заметив Зою возле прилавка.

Пыталась даже улыбнуться. Улыбка, конечно, скорее напоминала крокодилий оскал, но она улыбалась! Кивала и улыбалась:

— Ой, Зоечка Иванна, вы!

Радовалась ей, как первой любви. Очередь замирала.

А «Зоечка Иванна», ласково улыбнувшись, интересовалась делами крокодилицы: как старенькая мама, как сынок?

Очередь, громко и тревожно сглатывая слюну, с дрожью в ногах наблюдала за этой сценой. Не дай бог, что-нибудь пропустить! Вот, например, когда Зинка выльет черпак сметаны на голову этой смелой Зоечке Иванне.

И никто и не замечал, что за этим душевным разговором крокодилица Зинка ловко заворачивала в хрустящий пергамент постную ветчину, серединку, не «попку», «Любительской», кусок «Швейцарского» — тонкая восковая корочка с одной стороны, а не с трех. И, воровато оглянувшись и наклонившись под прилавок, двигала ногой бидон со сметаной «для своих» — то есть не разбавленной молоком или, того хуже, водой.

Зоя Иванна благодарила крокодилицу и желала «всего самого-самого! Главное — здоровье, Зиночка! А все остальное — приложится!».

Зина молча кивала и, как завороженная, провожала «подругу» немигающими крокодильими глазами. Очередь молча следила за обеими. Наконец Зина приходила в себя, начинала злобно вращать глазами и открывала ярко-малиновый рот, полный золотых зубов. Очередь привычно вздрагивала и готовилась к бою. Начиналась *нормальная жизнь*.

* * *

Улыбка у Зои была замечательной — открытой, широкой, бесхитростной, доброжелательной, белоснежной. Когда она улыбалась, на щеках у нее появлялись очаровательные ямочки. От Зоиной улыбки, кстати, немного робкой и беззащитной, люди терялись, теплели, добрели, смущались и радовались. «Сильное оружие», — смеялся он.

Александр тоже очень любил эту улыбку, которая отражала всю Зоину суть — человеком она была милым, спокойным, доброжелательным и совершенно бесконфликтным. Не жена, а подарок небес. Дорогой подарок, он это отлично понимал. А уж когда оглядывался по сторонам... Эх, думал, бедные мужики! И как они справляются со своими Зинаидами и прочими крокодилами?

Мать его была человеком резким — всю жизнь считала себя правдолюбкой и очень этим гордилась. А кому нужна была ее правда, собственно говоря? Люди не хотят знать о себе правду, да и об окружающих зачастую тоже. А мать лепила правду-матку в глаза. Недобрый был у нее язык, ядовитый. «Ядовитый плющ», — смеялась сестра, тоже, кстати, далеко не ангел: острый язычок переняла от маман, плюс к этому добавился сварливый характер, вечные ко всем претензии, капризность и мнительность. Избалованная, она с трудом примирялась с действительностью. Тем самым, конечно, усложняя свою женскую судьбу.

В тот день, когда он привел домой Зою, объявив ее своей невестой, домашние уже заранее были «в настрое». Хихикали и шипели: «Ну можем себе представить, кого он приведет!»

А его тихая Зоя покорила их сразу — через какие-то полчаса они сидели друг напротив друга, увлеченные обычной женской трепотней, и, кажется, смотрели на нее почти с нежностью и любовью.

Первые три года жили у него, в квартире его родителей. Прекрасная, надо сказать, была квартира. Ах, как жалко было оттуда съезжать! Но он понимал: его молодой жене все дается не так-то легко. Да и хозяйкой побыть хочется — женщина.

И эти три года совместного проживания не были омрачены ни одним скандалом, ни одной взаимной обидой. Квартира на «Динамо». Туда, на «Динамо», его, трехлетнего Шурку Краснова, привезли из коммуналки на Цветном, у старого цирка. Он помнил огромные жестяные тазы в темной ванной с облупленной плиткой, кухонный чад, капустный кислый запах, к которому примешивались запахи подгорелой каши и молока. В Первомай накрывали на общей кухне стол — точнее, сдвинутые столы, уставляли их разновеликими шаткими мисками и мисочками со всяческой снедью — от каждой хозяйки по способностям. Помнил пирожки с вязким и темным повидлом, липнувшим к зубам, их пекла, точнее, жарила в масле на огромной чугунной сковороде Паша-хромоножка. Глухонемая и добрая Паша, потерявшая в войну трех сыновей.

Помнил он и Риву Исааковну, фронтового хирурга, вдову, потерявшую на войне глаз, — затянутую в серый потертый халат, с клочковатой седой стрижкой, с вечной папироской в прокуренных и желтых зубах, сухую, с жилистыми, мужскими руками необычайной силы. Именно Рива открывала самые неоткрываемые банки и пробки, когда не справлялись мужчины. На кухне она бывала коротко — сварит овсянку, и к себе. К ней ходил *полюбовник*, как говорили старухи, еще фронтовой — полковник, симпатичный, довольно моложавый, семейный. Квартира удивлялась, что он ходит к Риве. К Риве-старухе. А Риве было тогда лет сорок пять.

Еще были Галушки — симпатичные, пухлые и одинаковые Галушки — мать, отец и три дочери, Ганка, Оленка и Сонька. В младшую, Соньку, он был влюблен еще с тех пор, когда они на пару сидели рядом на горшках в коридоре.

Галушки варили борщ — и ничего другого. Старый борщ кончался и начинался новый. «Та другогу и не едять! — смеялась Галушка-мать. — Жруть три разу на дню, борьщ, борьщ, борьщ! Ну и еще сало!»

Сало Галушка солила сама: приносила кусок жирной свинины, натирала солью и перцем, тыкала в мякоть, как семечки, острые дольки чеснока, заворачивала в чистую тряпицу и засовывала между рамами — доходить.

Иногда сало воровали. Галушка принималась горько плакать: «Зачем же воровати? Я шо, и так не дала б? Да шо у вас народ за такой, у вашей Москве?»

Галушек «пригнали» из Полтавы, где «все у них було» — «коровка, бычок, порося и хорошая белая хатка». А речка какая! Синяя вода, прозрачная — пили из нее! Солнышко доброе, люди добрые. А какие сады! Вишня цветет — как невеста! Поля, огород и простор — вольница! Мужа Галушку повысили «через партию», по словам его жены. Но кажется, это их радовало мало. «Тута, — Галушка принималась плакать, — тута у вас мрак и темно».

Свою комнату он помнил плохо — темные обои и вечное недовольство матери: «переклеить, переклеить!» А отец отнекивался: «Скоро дадут квартиру, Вера! К чему здесь разводить?» Мать раздражалась и, кажется, мужу не верила.

Но квартиру дали! На «Динамо», огромную, как им, особенно ему, казалось. Три комнаты, два балкона. А кухня какая! Но мать опять была недовольна: трогала стены, дергала рамы, терла на пальцах осыпавшуюся краску и хмурила лоб: «И вообще здесь выселки, до центра не добраться». Отец вздыхал и обижался. Любимая присказка: «Тебе, Вера, не угодишь!»

В этой квартире прошла его детская, юношеская жизнь, а потом еще пара лет и жизни зрелой и даже семейной.

Он помнил, как гонял на трехколесном велосипеде по коридору, а сестрица капризным голосом

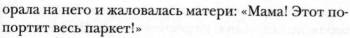

орала на него и жаловалась матери: «Мама! Этот попортит весь паркет!»

За него заступался отец: «Оставьте ребенка в покое!»

Но когда отец уходил, кататься ему не разрешали. Да он и не спрашивал, все понимал.

Недолго отец радовался новому жилью — умер через два года от инфаркта. Начались неприятности на работе — отец служил в Метрострое, на большой должности. Ну и сгорел, как говорила мать, сгорел на работе.

Александр помнил похороны отца: черный с малиновым гроб, крышка с какими-то рюшами, огромные венки с черными с золотом лентами и множество незнакомого народу, будто на демонстрации. Дверь в их квартиру была раскрыта настежь.

Народ тек, словно река, на долю минуты останавливаясь около матери, сидящей на стуле и укутанной в большую черную шаль.

На соседнем стуле сидела сестра, а он стоял рядом. Сестра крепко держала его за руку.

Еще он очень хотел есть и рвался на кухню, откуда шли разные запахи и где молча крутились незнакомые женщины в темных платьях и в маминых фартуках.

Но сестра цыкнула на него, когда он попытался вырвать руку, и глянула зло:

— Стой, я тебе говорю! Ты что, не понимаешь?

Нет, он понимал. Понимал, что отца больше нет и что в доме большое горе. Что плачет мама и плачет сестра. И все говорят какие-то слова утешения, от которых мама плачет еще сильнее, еще громче.

Но есть очень хотелось, потому что завтраком его никто не покормил, не до этого было. И что он мог поделать? Да, только терпеть. На кладбище его не взяли — чему он был, честно говоря, несказанно рад.

В доме оставались мамины подруги. Они говорили шепотом, бесшумно двигались, без спросу открывали шкафы, доставали скатерти и «гостевую» посуду и совсем не обращали на него внимания, будто его и не было.

Тогда он сам проник в кухню и схватил там что-то с тарелки — кажется, это был кусок курицы. Рванул к себе в комнату и там, придерживая спиной дверь, проглотил ее в одно мгновение. Сердце сильно колотилось, и ему казалось, что он сделал что-то ужасное.

После смерти отца все стало плохо. Денег не хватало — мать, не работавшая несколько лет, устроилась в патентное бюро, но платили там мало, а запросы, по словам матери, остались большими.

При отце было все — продукты из «заказов» в шуршащей бумаге, от масла до черной икры. Машина с водителем. Большая зарплата. Ателье, куда не попадали «простые смертные, а только жены начальников». Именно там мать шила платья, блузки, пальто и даже шубу, черную блестящую шубу из каракуля, которой очень гордилась.

Сестра училась в седьмом классе. Он пошел в первый. Жили теперь скромно — мать умоляла его завтракать и обедать в школе — в их домашнем холодильнике было «более чем скромно». Пропала твердая колбаса, жестяные баночки с икрой, шоколадные конфеты и многое другое. Зато появились плавленые сырки, а он их любил больше, чем все остальное.

По отцу он почти не скучал, забыл его быстро — детская память коротка. Просто помнил, что *раньше* была совсем другая жизнь, — конечно, лучше, чем та, которая есть.

Зато теперь у него была своя комната. Не общая с сестрой, а своя — бывший кабинет отца.

К сестре, пока мать была на работе, приходили подружки. Они плотно закрывали дверь в ее комнату и о чем-то шептались. Ему было интересно, и он пытался подслушать. Но сестра, словно чувствуя это, резко открывала дверь, которая била его по лбу. Он показывал ей кулак, краснел от обиды и злости, прятался у себя.

Именно там, у сестры, он впервые и увидел Тасю. И эта любовь протянулась на долгие годы — с его раннего отрочества лет, наверное, до тридцати. Эта любовь украсила его жизнь, усложнила, перемешала и перепутала ее. Но он не пожалел об этом ни одной минуты.

* * *

Смутился он сразу, как только увидел ее. Тринадцатилетний паренек и почти взрослая девятнадцатилетняя студентка.

Ах, как же она была хороша! Плод воспаленного юношеского воображения в чистом виде — изящная, хрупкая, с непослушной копной волнистых пепельных волос, легкие прядки и локоны все время норовили вырваться на свободу, освободиться из-под гнета шпилек, из-под плена шапочки или платка.

Милый курносый, в редких и бледных веснушках нос, серые глаза в темных и густых ресницах. «Тася, Тася, — шептал он по ночам. — Я буду любить тебя всю жизнь! И ты будешь моей!»

Мальчишка, дурак...

Он постоянно караулил, когда она придет к сестре. Пропускал кружки и прогулки, сидел на кухне, затаив дыхание и поглядывая в окно: именно оттуда, из кухни, был прекрасный обзор.

Тася приходила часто — потом он узнал, что жизнь ее дома, в семье, была почти невыносимой: лежачая бабка со скверным характером и издерганная отцовскими изменами мать, папаша то уходил к новой жене, то появлялся дома, как в отпуск. А наивная и несчастная мать ждала его и надеялась, что этот отпуск будет последним.

У Красновых, в огромной и просторной квартире, где было не то чтобы шикарно, но все-таки сытно и вкусно — мать была кулинаркой отменной, — за чашкой чая с яблочным пирогом да за задушевными кухонными разговорами Тася оттаивала душой. В этом доме ей было хорошо и спокойно. А маленького Шурку, смущенного, разглядывающего ее с широко раскрытыми и восторженными глазами, она просто не замечала. До поры не замечала. Но — до этой поры было еще далеко.

Она скидывала в прихожей свои короткие сапожки, старенькое пальто, оправляла перед зеркалом непослушные волосы, одергивала клетчатую юбочку и темный свитерок и только тогда, словно только заметив его, кивала.

— А, Шурка! Привет! — И тут же исчезала в недрах сестриной комнаты, прикрыв за собою дверь.

А он стоял в коридоре, уткнувшись носом в облезлый песцовый воротничок ее изношенного пальто. И снова отправлялся на кухню — девицы спустя полчаса непременно шли пить чай или кофе.

Сестра злилась:

— Шурка, иди к себе! Что это за новости — делать уроки на кухне?

А Тася ее останавливала:

— Людка, не злись! Ну, пусть посидит малец! Кому он мешает?

В груди бухало колоколом: «Малец», «Кому он мешает».

Он краснел, злился и в эту минуту почти ненавидел ее. «Ну, подожди! Я еще вырасту! И я тебе... Покажу!»

Шурка утыкался в тетрадь, а девицы, тут же позабыв о нем, продолжали щебетать, изредка поглядывая в его сторону — не слышит ли? Не прислушивается? А он делал равнодушный вид: «Да пошли вы со своими сплетнями! Знаю я вас, девиц». И смешно оттопыривал губу в знак презрения.

Иногда Тася оставалась у них ночевать. Однажды он столкнулся с ней с утра у туалета. Смутился страшно, до горящих бордовых ушей. А она, широко зевнув, в ночной рубашке и босиком, растрепанная и чуть припухшая, равнодушно прошла мимо него — не смутившись ни капли, даже не запахнув наброшенный халат. Зевнула и слегка махнула рукой:

— А-а-а, Шурка! Привет.

Дверь в туалете защелкнулась, и он услышал, как через пару минут раздалось урчание сливного бачка.

Он был разочарован. И даже обескуражен. Она как все остальные? Так же ходит в туалет, чистит зубы, сплевывая порошок в раковину? Сморкается! Господи, вот это да. Ковыряет в носу? Нет, вот это совсем невозможно! Она же фея. Принцесса. Сказочный эльф. А эльфы в носу не ковыряют! Разве она простой человек, которому присущи все эти довольно гадкие моменты обычной, естественной, неприукрашенной жизни? Нет, нет! Такого не может быть! Все это не про нее. И думать забудь!

И он снова любил ее с прежней силой. Да нет — еще больше, еще сильней.

Боялся, зная характер сестрицы, — не дай бог, поссорятся, разбегутся! Людка — стерва отменная, как говорит даже мама. Сколько у нее было подруг? Вот именно! И где они, эти подруги? А здесь... Не дай бог! Тогда Тася исчезнет, исчезнет из его жизни навсегда. И тогда он... просто умрет.

Шурка подолгу рассматривал себя в зеркале — ничего хорошего, совсем ничего! На лбу горели прыщи, по-дурацки топорщились волосы. Нос казался огромным, просто один нос на лице. А руки... Он сжимал хилые бицепсы — дерьмо, а не бицепсы. Решил подкачать — записался в бассейн и на бокс.

Однажды они с Тасей оказались в квартире вдвоем: мать была на работе, сестра еще не вернулась из института.

— Людки нет? — удивилась Тася, причесываясь перед зеркалом.

Он мотнул головой.

— Не-а, еще не пришла. Может, чаю?

Голос срывался.

— Чаю? — задумалась Тася. — А сделай-ка мне, Шурка, бутерброд! Я страшно голодная!

Обрадовавшись, он кивнул и рванул на кухню. Открыл холодильник и увидел баночку красной икры, наверняка припрятанную матерью на праздник — через неделю были ноябрьские. Подумав минуту, схватил баночку, не думая о последствиях, точнее, ему было на них наплевать.

Вспорол ее и щедро и густо стал мазать на хлеб. Тася вошла на кухню, увидела бутерброды и удивилась:

— Ух ты! Ничего себе, а? А нам не влетит?

Он небрежно отмахнулся:

— Да ладно, подумаешь! Купим еще!

Громко сглотнув слюну, Тася принялась жадно есть. Минут через сорок появилась сестра. К тому времени бутерброды были съедены, а ополовиненная баночка припрятана в самый дальний угол холодильника — в овощной ящик.

Преступление было обнаружено дня через два, когда мать взялась варить борщ и полезла за свеклой. Крик стоял... Хорошо, сестрицы не было дома — тогда бы ему досталось вдвойне! Но пережили. Взял все на себя.

— Мам, так захотелось! Просто сдержаться не мог, ты уж прости. А остальное вам с Людкой! А я больше ни-ни!

На праздник мать отварила яйца и положила в них остатки икры — укладывала ложечкой и вздыхала. Но больше не сказала ни слова и ничего не рассказала дочери. Кажется, она тоже боялась Людкиного гнева.

Шурка понимал: открываться в своих чувствах ему еще рано. Вот лет в шестнадцать-семнадцать, когда наконец он подкачает руки — уже сейчас заметно, кстати! И когда пройдут эти дурацкие прыщи. Пройдут ведь когда-нибудь!

А однажды услышал, как мать и сестрица шептались на кухне. Замер в коридоре, неслышно притормозив, — это было давно отработано.

— Сама виновата! — настаивала сестра. — Нет, ты мне ответь, ее что, кто-то неволит? Добровольно ведь! Идет на костер добровольно!

— Да что ты понимаешь! — грустно ответила мать. — Не всегда можно справиться с чувствами. Не всегда, Люда! Это ужасно, да. Но это и счастье великое — такое испытать, понимаешь?

Сестра опять возмутилась:

— Мама, о чем ты? Какое же счастье? Там горе одно! И никакой пер-спе-кти-вы! — по слогам проговорила она. — Никакой, понимаешь? Двое детей и карьера! А он карьерист, ты мне поверь! Не из тех, кто сломя голову и в омут, ты понимаешь? А она будет страдать. И, кстати, после этого аборта, да еще и с такими осложнениями неизвестно, родит ли она вообще. И что на выходе? Ему одни удовольствия, а ей — одно горе! Да и вообще, мне, мам, кажется, что он отменная сволочь.

«Карьерист. Двое детей. Жена. Неудачный аборт. Родит ли вообще. Отменная сволочь» — эти слова вертелись у него в голове. Получается, что это все — о его Тасе?

Она влюблена. Нет, не так. Она сгорает от любви к женатому человеку, у которого двое детей и карьера. И еще... Она, его Тася, сделала аборт. Неудачный аборт от того мужика. Господи, слава богу, она жива! Он где-то слышал — от *этого* умирают. А, да! Их соседка по старой квартире — Лиза, кажется? Вот тогда все шептались: «Лизка умерла от аборта».

— Осподи боже! — приговаривала тетя Паша. — Спаси и сохрани!

Тася пришла к ним спустя неделю после подслушанного Шуркой разговора. Он, принимая ее пальтишко, боялся поднять глаза.

Тася сразу прошла в Людкину комнату, на этот раз не задержавшись у зеркала.

Мельком — а он глянул на нее именно мельком — заметил, что она очень бледна. И еще, что ее пушистые и блестящие волосы как-то сникли, потускнели, пожухли, словно увяли.

И из Людкиной комнаты в этот день не раздался ни один, даже самый скудный смешок. Слышались только шепот и плач.

* * *

В Людкиной жизни тоже бурлило. Шурка улавливал какие-то секретные сведения по обрывкам ее разговоров с матерью. У сестры тоже случилась любовь, и как-то эта любовь наконец обнаружилась. Его звали Витольд — рослый красавец под два метра, спортсмен и плейбой. Он и стал Людкиным первым мужем. Сестра смотрела на него во все глаза, по словам матери — ему в рот.

Витольд был туповатым и нагловатым. Себе он при этом казался крайне остроумным — травил дурацкие и пошлые анекдоты, заливаясь тонким, «женским» скрипучим смешком.

Людка, конечно, все понимала и его стеснялась. А мать страдала. И, кажется, ненавидела зятя, все время шептала сестре, что он их объедает. Ел он и вправду ужасно много — казалось, что чувство насыщения ему незнакомо. А после обеда или ужина мог и рыгнуть. «Удав», — с возмущением говорила мать.

— Ах, простите! Пардон! — юродствовал он, видя опрокинутое лицо жены и брезгливую гримасу тещи. — Пардон, говорю! Так вышло! Все ж мы люди, человеки, — хохотал он.

Людка молча вставала из-за стола и принималась греметь посудой. А мать уходила к себе.

— Вот точно не человек, а свинья, — бормотала она, — и еще — редкостный хам.

Шурка на своего шурина внимания не обращал — есть человек, нет. Не уважал его, это и понятно. Так, пыль под ногами, таракан, букашка — не больше.

Тася в то время заходила к ним редко — ссылалась на больную бабку, которая все еще жила и продолжала портить и без того кошмарную жизнь.

Года через два Людка, слава богу, выгнала этого Витольда. Мать, конечно, в стороне не осталась.

После Людкиного развода Тася опять стала часто у них бывать, чему Шурка, естественно, был несказанно, просто по-сумасшедшему, рад. Казалось, Тася немного отошла от своего горя. Но настроение у нее было по-прежнему неважное и неровное. То она смеялась, то вдруг начинала грустить. Что происходило в ее жизни? Знать он не мог, а спрашивать у сестры было неловко. Да и после развода Людка, по словам матери, словно взбесилась окончательно, постоянно попрекая мать в том, что та во всем виновата.

Позже, думая о Людкиной судьбе, Александр стал понимать, что доля правды в этом была: мать всегда принимала самое непосредственное участие в жизни дочери.

Вообще, отношения у них были странные, то они ругались до крика и взаимных оскорблений, то принимались страстно, словно пылкие любовники, мириться — с громкими слезами, жалостью друг к другу, с мольбами о прощении и бурными объятиями.

Со временем он возмужал, появились и бицепсы, и трицепсы — старания не прошли даром. Исчезли прыщи и вся эта нелепая подростковая атрибуция. Даже нос, его крупный, отцовский нос, как-то ловко и ладно встал на свое место.

Он видел, что стал не только вполне нормальным, но и даже симпатичным. Ей-богу! Даже сестрица, тоже ядовитый плющ, однажды, задержавшись на нем взглядом, с удивлением сказала:

— Надо же! А Шурка наш стал вполне себе ничего! Прямо мужик из него вылупляется. Ох, скоро девок будем гонять, а, мам?

«Какие там девки!» — подумал он тогда. Хотя замечал, если честно, что девицы стали и впрямь на него заглядываться. Только не нужны были они ему, все эти девицы. Он по-прежнему любил Тасю. Нет, не по-прежнему — еще сильнее.

Теперь Тася появлялась у них совсем редко — студенчество кончилось, их с Людмилой пути разошлись — все понятно, наступила другая жизнь. Но созванивались они все еще регулярно. Людмила тут же скрывалась в своей комнате, с трудом протаскивая телефонный шнур под дверь.

— Не хочу, чтобы мать слышала! — шептала она подруге.

Смешно! Как будто она что-то скрывала от матери, точнее — пыталась скрыть. Ну а если и пыталась, то не больше, чем на пару дней — тайны Людмила хранить не умела, да и их отношения с матерью этого и не предполагали — они не могли жить друг без друга, дышать. Тухли без скандалов, без взаимных предъявлений претензий и обид. Не могли жить без своих страстных и громких примирений, не могли долго таиться друг от друга. Они остро нуждались друг в друге. Однажды, когда начался очередной скандал, Людмила бросила матери в лицо:

— Лучше бы ты *тогда* устроила свою жизнь! Может быть, и меня наконец оставила в покое!

«Тогда? — вздрогнул Александр. — А разве вообще было когда-нибудь после смерти отца это «тогда»? Или я что-то пропустил? Пропустил из-за того, что меня всегда, уже целую кучу лет, волновала только Тася?»

Но у сестры все же спросил, что та имела в виду.

Людмила раздраженно ответила:

— Да ничего примечательного! Алексей Алексеич к ней сватался через два года после смерти отца.

Александр помнил этого Алексея Алексеевича — заместитель отца, хороший и крепкий мужик, кажется, вдовец без детей.

— А что мать? — осторожно спросил он, боясь почему-то услышать правду.

— Да ничего! Ты что, нашу мать не знаешь? Послала его далеко и надолго. Вот и все. А ведь мужик он был неплохой. Жила бы себе и радовалась. По крайней мере, меня бы освободила от своей тирании. Может, тогда бы и у меня что-нибудь вышло.

«Вряд ли, — подумал он. — У Людмилы поразительная, уникальная способность вляпываться в очередное дерьмо. Закон граблей с ней не работал. Может, такая судьба?»

Сестрица без конца выходила замуж — один мужчина сменял другого. В основном это были гражданские браки, но случилось и три законно зарегистрированных. Людмиле были важны все атрибуты — поход в загс, покупка очередного свадебного платья, замысловатая прическа, свадебное путешествие — вот уж совсем смешно! Именно так она обозначала эти поездки: «Мы едем в свадебное путешествие». Ну и, разумеется, пир в ресторане! Ресторан снимался известный и знаменитый — не только своей кухней, но и бешеными ценами. Главное, чтобы был пафос: бархатные гардины, накрахмаленные скатерти, хрустальные фужеры и важный, напыщенный, как индюк, метрдотель.

И, конечно, оркестр. Тоже атрибут важного и пышного события. Такая вот, последняя свадьба состоялась у нее после сорока. Ах, как Людмила была смешна с пышным начесом, в бесконечных рюшах, в белоснежных туфлях на немыслимой и неустойчивой шпильке. Грохнулась на парадной мраморной лестнице в «Праге» — и стыдно и смешно.

Конечно, каждый раз она наивно надеялась, что вот это уж точно в последний раз! И, потерпев очередной крах, пережив кратковременную депрессию, снова устремлялась к счастью. Наверное, это было нормально. Детей Людмила не родила — боялась или чувствовала, что на этот раз опять ненадежно? Кто знает.

Александр все видел и понимал — мать, что называется, руку к этому делу прикладывала. Ситуацию она чувствовала всегда превосходно, и у нее были свои методы, свои способы влияния. Например:

— Люда, обрати внимание, как он отвратительно ест. Нет, ей-богу! Я не могу сидеть рядом. Если не возражаешь, я буду обедать одна. А сколько он ест! Ему надо срочно провериться на глисты!

— Какие глисты, мама? Ты совсем обалдела! — принималась возмущаться сестра. Но через какое-то время задумывалась.

Питаться отдельно? Тоже несусветная чушь!

Сестра, разумеется, возражала:

— Как это так? Мы же семья!

Но цель была достигнута — она принималась обращать внимание на то, как ее супруг ест. А действительно, мама права! Причавкивает, крошит хлеб, хлюпает, стучит ложкой по стенке стакана. И ковыряет спичкой в зубах! Ах да! Еще и цыкает после еды. И правда невыносимо. Теперь аппетит был безнадежно испорчен. Да и настроение тоже. И отношение к мужу постепенно менялось — мужлан, деревенщина, хам. После нескольких замечаний начинался скандал, и в один прекрасный день этот мужлан и деревенщина собирал чемодан и хлопал входной дверью.

Людмила принималась рыдать. Мать искренне удивлялась:

— Ты по кому плачешь, детка? Я искренне не понимаю! Лично мне кажется, что ты освободилась от страшной обузы! Ведь с ним даже в свет не выйти — сплошной позор!

Свет. Какой там свет, боже мой! Редкие походы в кинотеатр, еще реже — в театр. И несколько раз в год поход в гости, в основном к престарелой родне.

Следующий вариант отваживания очередного мужа выглядел так:

— Люда, а что, *этот твой* совсем не читает? — Спрашивалось это так, между делом. — Даже газет? Вот странно! Меня это так удивляет. Я такого не видела! И телевизор не смотрит! Ему что, совсем ничего не интересно? И что у него в голове? Один футбол?

Людмила снова спорила и снова начинала «прислушиваться». И вправду ничего не читает! И даже новости ему не интересны! Все же мужики интересуются событиями в мире, а этот приходит с работы, поест и — в кровать. Выходит, что мама права? Опять мама права? И она начинала мужа экзаменовать и при этом без конца интересоваться: «А тебе что, это неинтересно? Тебе вообще ничего не интересно? Ты вообще живешь для чего? Спать и есть?» Муж орал во весь голос: «Не нравится? Такая образованная, да? Ну и ищи себе ученого! А я останусь таким, какой есть!» Прощальный аккорд.

— По кому плачешь? — презрительно хмыкала мать. — По этому тупому ничтожеству? — И саркастический смех.

Какой-то муж был «жаден до невозможности, как с таким жить?».

Тут же ему была выдана кличка Гобсек. «Как твой Гобсек? Поел? Где твой Гобсек? А, на работе? Ты собралась в отпуск с этим Гобсеком? Интересно! Ха-ха! Тогда копи на мороженое — он тебе точно не выдаст!»

Капля камень точит. Да и Людмила была из поддающихся, зависящих от чужого мнения. Да и мать, безусловно, всегда верховодила и была для нее первейшим авторитетом.

Следует ли продолжать, что кто-то из мужей был потенциальным алкоголиком, хотя выпивал всего ничего. «Но все впереди! — удрученно вздыхала мать. — Сама все скоро увидишь! Да и наследственность... Отец у него, кажется, пьяница?» Еще один слишком часто навещал своего сына из первой семьи. «Носил туда деньги. Так много? — удивлялась мать, выпытав у дочери размер суммы. — Нет, это какой-то кошмар! Все туда, все! А что тебе остается? Теперь я понимаю, почему ты три года в старых сапогах! Терпимица ты моя, бедная девочка».

И «терпимица», конечно же, вскоре начинала возмущаться: «Сколько можно! Ты тащишь все туда! Чувство вины? Да мне наплевать на твое чувство вины, когда у меня текут сапоги!»

Было понятно — ни один зять матери не угодит. Цель была одна — остаться с дочерью наедине. Ревность или безграничный эгоизм? Скорее всего, второе. Мать боялась остаться одна, потому что какой-нибудь из Людмилиных мужей, порезвее и поумнее, мог вполне увезти ее из родительского дома. Или куда хуже — потребовать размена квартиры. Вот этого мать допустить не могла.

Оставшись с дочерью наедине, она снова становилась счастливой, оживленной и радостной. В те дни они не ругались, наоборот, мать крутилась вокруг Людмилы, угождала по-всякому — пекла торты, покупала обновки.

Людмила сначала злилась и винила мать. А потом успокаивалась и в душе соглашалась с ее словами: «Доченька, разве нам плохо вдвоем? Безо всяких там...»

Оставшись вдвоем, не надо было терпеть плохое настроение, капризы, бесконечные просьбы, грязные носки под кроватью, храп по ночам и чужих детей.

И вправду, хорошо ведь! Выходит, что мама права? Мама подает, мама стирает, мама готовит. А она, Людмила, может капризничать от души, дуть губки, демонстрировать настроение и требовать, требовать. Может улечься на диван и пялиться в телевизор. Может не чистить туфли и не гладить юбку. В воскресенье спать до обеда. Сидеть допоздна у подруги.

И как хорошо с мамой на море! Никто не пьет пиво, не играет в карты на пляже и не стремится каждый день в шашлычную, где невыносимо воняет жирным дымом и кислым дешевым вином.

С мамой, и только с мамой, можно неспешно прогуливаться по набережной, сидеть в кафе-мороженом. Часами разглядывать в магазинах юбки и колечки, не слушая фырканий и шипения в ухо.

С мамой можно было бесконечно читать по вечерам, и никто не потребует выключить свет с бесконечным «я хочу спать!».

С мамой можно сколько угодно лежать на пляже, потому что никто не дергает: «Я хочу есть! Тебе что, непонятно?»

Не надо стоять в бесконечных очередях в жутких столовках, где пахнет мокрыми тряпками, а ложки и вилки покрыты застывшим жиром.

А если захочется есть, мама достанет из пакета вымытый виноград, сладкие персики, душистые груши и свежие бутерброды — свежий бублик и местный белый солоноватый сыр. Красота!

Да и хватит с Людмилы страстей, душевных мук, предательств. Наелась досыта, все. Она наконец научилась ценить спокойную жизнь.

* * *

Тасе Александр открылся, когда ему стукнуло восемнадцать — решил, что пора. Ей было тогда к двадцати четырем. Замуж она так и не вышла, работала в школе и была по-прежнему несказанно хороша — для него уж определенно!

Теперь он, студент, встречал ее после работы.

Она, конечно, смущалась и просила ждать ее за школой: «Ученики и коллеги, как тебе не понять?»

Он брал ее тяжелый портфель, набитый тетрадями, и они шли гулять. Денег хватало только на пельменную или сосисочную, но их это вполне устраивало. За высоким мраморным столиком, обжигаясь горячими сосисками, макая их в жгучую горчицу, стоявшую тут же, на столе, в стеклянной банке, и запивая все это жидким кофе из котла, они разговаривали обо всем.

Шура рассказывал ей про институт, про последний байдарочный поход по рекам Маньё и Хунге — он тогда был заядлым байдарочником, — про последнюю книгу, которая его особенно потрясла. Про увиденный фильм — «Андрей Рублев» Тарковского. Вот уж талант так талант!

Тася слушала внимательно, перебила только однажды, прервав на середине фразы:

— Шурик! А зачем тебе все это надо?

Он от удивления и волнения глотнул из стакана еще горячий кофе и, чуть не подавившись, глупо спросил:

— Что — это, Тася? Прости, я не понял!

— Ты все понял, не ври! Я про себя и... про нас. Зачем тебе это все? — повторила она. Отведя взгляд и чуть помолчав, тихо сказала: — Разве ты не понимаешь, что это все напрасно? Бес-пер-спек-тив-но? — произнесла она по слогам. — У нас с тобой нет ничего впереди. Нет будущего, понимаешь?

— Почему? — тупо спросил он. — Почему ты так считаешь?

Она сморщилась, словно ее утомил этот дурацкий разговор.

— Да потому, Шура! И не строй из себя дурака! Я тебя старше на тысячу лет! Ты забыл? На целую жизнь, Шура! И в ней столько было дерьма, в этой жизни... А ты еще совсем ребенок, Шурка! Дитя, чистое и непорочное. — И она улыбнулась. — Рядом с тобой должно быть точно такое же дитя — тоже чистое и непорочное! И это будет правильно, Шурик! Справедливо. Потому что так устроена жизнь!

Он ненавидел, когда она называла его Шуриком.

— А если я люблю тебя! — Он хрипло сорвался на крик. — Разве такое не случается? Разве так не...

Она его перебила:

— Случается, да. Но это не для меня. Я так не смогу. Мне будет неловко, стыдно, понимаешь?

— Перед кем?

— Перед собой. Это сначала. А вскоре и перед тобой.

Он стал отчаянно спорить, уговаривать ее, даже настаивать.

Тася молчала, не ответив ему ни разу.

Только когда он заговорил о женитьбе, рассмеялась:

— Замуж? За тебя? Нет, нет, я не про то! Я про другое! Замуж за мальчика, который моложе тебя на шесть лет? Знаешь, как будет все это выглядеть? Нет? Ну я тебе объясню! Засидевшаяся в старых девах взрослая тетка ухватилась за последний шанс! Нет, мне наплевать, что скажут люди! Давно наплевать! Это важно мне, понимаешь? Именно мне! И потом, — она помолчала, — куда ты меня приведешь? — И посмотрела ему в глаза. — К маме и Людке? Или пойдем ко мне? Тебе рассказать, какой там у меня ад? Хочешь послушать?

Он стал ей возражать, снова приводить примеры, настаивать на том, что главное в жизни — любовь. А все остальное — чушь и бред! Какие-то шесть лет! Подумаешь! История знает примеры похлеще! Куда привести — вот уж вопрос! Да вариантов куча!

— Ну например? — усмехнулась она. — Нет, Шура! Вариантов в данном случает нет. Ни одного. Согласна с тобой, главное в жизни — любовь. Видишь, как меня мордой ни тыкали, а все еще верю. Но есть и другое главное! Из чего и состоит жизнь.

Близки они стали примерно через три месяца после бесконечных шатаний по городу — мать и сестра сподобились уехать в Киев к родне. Вот тогда и была у Александра с Тасей неделя почти семейной жизни. Почти семейной — тихой, размеренной, с завтраками и ужинами, с вечерними прогулками в парке, с походами в магазин. И эти семь дней он помнил всю жизнь, считая их лучшими и самыми счастливыми в жизни.

Тася решительно отвергала все разговоры об их дальнейшей жизни. А он упрямо думал: «Ну что ж, подожду! Ждал ведь сколько лет и дождался. Закончу институт, уеду на Север, заработаю. Что-то решу с жильем — в конце концов, разменяем квартиру! Портить жизнь себе я не позволю. Я не Людмила!»

Он был полон оптимизма, светлых планов, наивных надежд. И еще — был полон любви. Захлебывался в любви и нежности к Тасе. Ничего не изменилось, ничего. По-прежнему для него не существовало других женщин. А их было навалом! Студентки кокетливо заглядывали ему в глаза, словно что-то обещая, и загадочно улыбались. Он совершенно спокойно и равнодушно отмечал: «У этой прекрасные ноги. У этой — глаза. А эта — вообще хороша, всем удалась, не поспоришь».

И проходил мимо.

Летом, перейдя на третий курс, он уехал в Удмуртию на заработки. Мечтал купить Тасе новое пальто — старое совсем износилось.

Уехал в конце июня, вернулся в конце августа. Загорелый, окрепший, с мускулистым мужским торсом. Совершенно исчезли признаки юнца — он и сам с удовольствием видел в зеркале настоящего, как ему казалось, мужика и был страшно горд этим. Отрастил бороду — бриться там было несподручно. Борода его, конечно, взрослила.

Мать и сестра ахали и охали, глядя на него. Правда, Людка велела, чтобы «этот дурацкий веник» он тут же состриг.

Но он решил, если не понравится Тасе, то тогда избавится моментально. А Людка и мать тут ни при чем.

Вернулся поздно вечером, звонить Тасе не стал, думал устроить сюрприз. Решил приехать рано утром, чтобы встретить ее перед школой.

Сели ужинать, и он заметил, что мать и Людка как-то странно переглядывались, словно раздумывали, сказать ему что-то или смолчать?

Наконец сестра начала:

— Шур! Тут такие дела... — И она замолчала, посмотрев на притихшую мать, словно ища у нее поддержки.

Та отвела глаза.

— Что? — коротко спросил Александр. — Что у вас еще приключилось?

— У нас ничего, — ответила мать. — Тася вот...

— Что — Тася? — спросил он, не узнавая свой голос, сиплый, тонкий и истеричный.

— Тася... в общем, ее больше нет.

— Как это — нет? — не понял он. — Где нет? Здесь, в Москве?

Обе молчали.

Он заорал:

— Вы что, сошли с ума? Да говорите же наконец! Что значит — нет?

— Тася... погибла, — с трудом выдавила из себя мать. — Точнее, покончила с собой. Повесилась Тася. Вот такие, Шура, дела.

Сестра сочла нужным вступить в разговор:

— Она вообще была странной в последнее время. Хотя она была странной всегда. Да, мам? — Людмила посмотрела на мать, ища у той поддержки. — Думаю, она опять вляпалась в очередную историю, — продолжала сестра, — еще в один некрасивый роман. В этом деле она была мастерицей. Вечно ее не туда заносило. И выбиралась всегда, как из болота, — еле спасалась. То художник, пьяница горький. То тот старый козел, обремененный семьей. Тогда чуть не сдохла после аборта. Помнишь, мам? В последнее время мы виделись редко, с ней было тяжело в последнее время. Печальная была, тоскливая, вечно глаза на мокром месте. Я ее про личную жизнь — она отмалчивается: «Не надо, Люд! Не хочу на эту тему говорить». Мне вообще казалось, что она меня избегает — и встреч, и звонков.

Он вскочил с места и побежал по квартире. Сделав несколько кругов, рванул на себя входную дверь, забыв отпереть замок. Наконец, сообразив, повернул ключ, выскочил на лестничную клетку и уже там закричал. Страшно закричал, даже завыл.

Завыл, как раненый, смертельно раненный зверь. Как человек, потерявший сейчас все. Надежду. Веру. Да и вообще — жизнь.

Две недели после приезда он совершенно не помнил. Хорошо, что сообразил уйти из дома — уехал к однокурснику в Кубинку. Там, в деревенской избе, и отлеживался. Вечерами напивались, и это хоть как-то смягчало боль.

А к первому сентября вернулся в Москву уже другим человеком — теперь принадлежность к мужскому полу обнаруживали не только бицепсы, трицепсы и клочковатая борода — теперь он стал замкнутым, жестким, циничным. В общем, стал мужиком уже окончательно.

Спустя примерно полгода ударился во все тяжкие — загулял так, что пыль столбом. Бесконечные пьянки, странные и чужие, малознакомые компании.

Девицы без числа — из тех, кто не задает вопросов. Громкие, душные, потные ночи на чужих простынях. Иногда — на голых диванах, какие там простыни? Домой не приходил неделями — где спал, что ел, с кем пил?

Но это его, кажется, и спасло. А мысли-то были всякие, если по-честному. Может, туда, к ней? А что? Запросто! Сигануть с крыши, и все! Свободен навеки. Спокоен навеки. И счастлив уже окончательно. Потому что терпеть эту боль было невыносимо.

Мать и сестра смотрели на него с испугом и тревогой — не понимали, в чем дело. «Наверное, возраст такой, — вздыхая и успокаивая себя, рассуждала мать. — Мужик должен нагуляться. Попробовать многое. Иначе он не мужик. Не наестся — заголодает потом, в законном браке».

В общем, терпели. Скандалов почти не устраивали. Людка, конечно, пыталась: услышав скрип ключа, тут же выбегала в прихожую и принималась орать.

Странно, но мать ее оттаскивала и успокаивала. А его не трогала — чуяла, что нельзя?

О том, где похоронили Тасю, он не спросил. Понимал — не сможет увидеть ее могилу. Не сможет смотреть на ее фотографию *там*. Просто рехнется.

Ходил вокруг кладбища, не решаясь зайти.

Так прошел год. Слава богу, что не вылетел из института. А на четвертом курсе он встретил Зою.

Сразу понял — с ней не получится на голом диване и на чужих простынях. Да он к этому и не стремился — здесь было что-то другое. Совсем другое. Поняв это, осознав, прочувствовав, обрадовался: значит, еще не все потеряно? Не выгорело до дна? Черная, как после пожара, душа начала оживать? Травка зеленая начала пробиваться?

С Зоей все было *осторожно*. На поцелуй осмелился спустя месяца два. А так — за ручку, за ручку.

Она нравилась ему внешне — высокая, ладная, крепкая. Она шутила: «Я же крестьянских кровей, из деревни. Выросла на парном молоке. Вот так и не могу избавиться от своего румянца — а хочется благородной бледности».

Нет, ерунда! Все в ней было хорошо и красиво. Все гармонично. Длинная, красивая, крепкая шея. В яремной ямке — темная, почти черная, словно бархатная, родинка, которую все время хотелось потрогать пальцем — осторожно дотронуться, не дай бог повредить.

Волосы — густые, тяжелые, почти до пояса, темно-каштановые, блестящие, очень живые. Такие, которые никогда не оскудеют, и их ничем не возьмешь. Ухищрений они не требовали — пучок, коса, хвост, в свободном полете.

И глаза живые — карие, с еле заметной, только на солнце, желтинкой. И очень смуглая кожа. «У меня цыгане в роду, — смеялась она. — Что, не веришь? А, испугался! И правильно — у них в крови непокорность. И еще — вечное беспокойство!»

Шаг у нее был широкий, размашистый, смелый. Как-то в столовой она перехватила его удивленный взгляд, но не смутилась.

— Много ем? Да, так привыкла! У нас если не поешь — какой из тебя работник? Сил ни на что не будет. А вообще-то много, да. Девчонки сидят на диетах, а я... Они даже орут на меня, честно! — Она засмеялась и посмотрела на него озорно. — Да, орут! Ты нам мешаешь худеть! Это вечером, когда я нажарю картошки на сале. Запах стоит... А эти дурынды яблоки грызут и страдают!

Он улыбнулся:

— Да ешь на здоровье! Тебе даже... идет! В тебе есть какая-то сила. Сила жизни, вот! — выпалил он и смутился.

А Зоя, посмотрев на него абсолютно серьезно, кивнула:

— Да. Сила есть. Сила жизни. И еще — вот! — Она закатала рукав кофточки и напрягла руку. Кивнула на крепкий бугорок на плече: — Видишь? Вот то-то! Если чего, могу и в глаз.

И они рассмеялись.

Предложение Александр сделал через года полтора, поняв, что жить без нее он, в общем-то, не хочет. Привык к ней. С ней было спокойно, хорошо, уверенно как-то. Она не терзала его, как Тася. Впрочем, терзала Тася в первую очередь себя. Именно себя.

С Тасей было тревожно — всегда тревожно. Это придавало какой-то острый вкус их отношениям, но этот вкус был и горьким, и беспощадно-обреченным, что ли.

* * *

После его предложения Зоя не кокетничала, сразу кивнула:

— Ну слава богу, сподобился. А я уже почти потеряла надежду!

С чувством юмора у нее было прекрасно.

— Я люблю тебя и, конечно, согласна! Я хочу родить тебе двоих-троих детишек. Или четверых! Что, испугался? — засмеялась Зоя.

— А потянем? — улыбнулся Александр. — Вот я сомневаюсь. В себе сомневаюсь, не в тебе.

— Ну я же буду с тобой! — легко ответила она.

И в эту минуту он понял — она будем с ним, да. Всегда, в любых обстоятельствах. При любых, как говорится, раскладах. И никогда не стушуется, никогда не дрогнет, никогда не предаст.

Собственно, так и было всю их долгую и совсем непростую семейную жизнь.

Он терялся — она держалась. Он хныкал — она успокаивала. Он впадал в панику — она была кремень. Всегда. Успокаивала, поддерживала, утешала. Не ныла, ничего не требовала. Ее все устраивало — отсутствие денег, когда он потерял работу и не мог устроиться почти два года. Сказала — так, значит, так. Не война — проживем. Взяла полторы ставки, крутилась как могла. Бегала к старушке в соседний подъезд — готовила, прибиралась, — и это после работы. Платила ей дочка старушки — хорошо платила. Сначала. А потом деньги кончились — муж ушел, что ли? И тогда Зоя продолжала ходить к старушке бесплатно. «А как я теперь ее брошу? Она же привыкла ко мне! Да и что тут такого — забежать в соседний подъезд подмести, постирать и сварить суп?»

Александру было стыдно. Очень стыдно. Но понимал: как она сказала, так и будет. И бабульку она не оставит, не бросит — сколько ты ни пыли.

Ни троих, ни четверых детей не получилось. Получился один. «Зато какой!» — говорила Зоя.

Илья, сын, и вправду был удачный. Хорошо учился, много читал, занимался в кружках, бегал «на спорт». И везде были успехи. Никто и не удивился, когда он легко, без запинки, прошел в Бауманку. А конкурс там был ого-го!

Женился рано, на втором курсе, на девочке-болгарке. Пенка, так смешно звали невесту, вполне соответствовала своему имени — «камень», «скала». Смешная и очень серьезная девица. Впрочем, другие там не учились — все фанаты, все умники, все будущие светила, почти гении.

Она была, пожалуй, еще серьезнее их серьезного сына. Умница невероятная! Два года сын с женой жили вместе с ними. И ни одного скандала! Зоя поставила сразу, обозначив границы:

— Вы только учитесь! А я справлюсь со всем. Мне к хозяйству не привыкать.

Закончив институт, Пенка быстро защитилась и стала публиковать научные работы. А в конце девяностых, когда в стране был полный и безнадежный бардак, получила приглашение в Массачусетский технический университет. Илью, конечно же, пригласили тоже. И все-таки «паровозом» была Пенка.

Да и сам Илья говорил:

— Она куда способнее меня, пап! Честное слово!

И кажется, был от этого счастлив. Что это — отсутствие честолюбия? Да нет, вряд ли. Просто он любил жену, восхищался ею, гордился.

* * *

Дети уехали, и дом опустел. Через пару лет начали звать к себе. Но Александр с Зоей отказались — здесь их дом, здесь могилы родителей.

— Здесь Москва, театры, наша деревня, любимый дом, лес, сад. Посадки и мой огород! Да-да! Что вы смеетесь? — сердилась жена. — Я человек деревенский, и меня все еще тянет к земле.

Сын горячо спорил с матерью:

— Что, здесь нет лесов? Озер или рек нет? Березок и елок? Здесь всего этого навалом, мам! Ты только присмотрись! А ты не хочешь, я вижу! Здесь мы, твои дети. В конце концов, твои внуки! Тебе что важнее? Все мы или, прости, деревенский погост?

Зоя не обижалась — она вообще никогда не обижалась.

И тихо ответила:

— Мне, Илюшенька, все важно! И вы. И погост. Здесь все *мое*. А там, у вас, все... чужое. Вот уйду — заберете отца. Он-то поедет! Он не так строптив, как твоя глупая мать!

Александру нравилась Америка — богатая, чистая, красивая, доброжелательная. А главное — очень удобная! Для жизни удобная, для человека. Когда гостили у детей, он все время думал: «И почему у нас так не могут?» Вечный вопрос.

Пару раз он попробовал начать с Зоей разговор об отъезде. Она отвечала коротко и твердо:

— Я тебя очень прошу, не надо об этом. Ну разве нам с тобой плохо? Плохо здесь, плохо вдвоем? И вообще — зачем напрягать детей? Им и так не просто — много работают, выплачивают кредиты за дом и машины. Нет, ты подумай — а тут еще мы на голову свалимся? Ничего себе, а? Возись с нами, как с малыми детьми! Языка мы не знаем и вряд ли выучим. Машину ты не водишь — а там без машины никак. Значит, все будет на них — поездки за продуктами, визиты к врачам. Это объясни, то. Сюда привези, туда отвези. Мы же там будем совершенно беспомощны — хуже малых детей. Нет, нет и нет! Лучше будем наведываться в гости. Гостей легче любить, чем рядом проживающих скучных и недовольных пенсионеров. Подумай об этом, Шура! Хватит с них проблем, ты пойми!

Тогда он все понял — не сад ее держал. Вернее — не только сад. Удерживал ее здесь ее вечный страх быть обузой — а уж родному сыну и подавно. Вечная мысль — только б не в тягость. Только бы не напрягать, не дай бог!

Ну и смирился.

Жили они вполне прилично — вышли на пенсию, полгода жили в деревне, и даже он, городской человек, впервые почувствовал прелесть деревенской жизни — тишина, воздух, лес и грибы. Даже пристрастился к рыбалке. А уж Зоя там развернулась... Привела в порядок огород и сад, перестелили крышу — та была древней, ее еще родители настилали, и давно протекала.

Отскоблили почерневшие стены в избе и даже завели «скотный двор» — с десяток кур и пяток индюшек.

Часто ходили в лес, по грибы и по ягоды. Зоя, конечно, в этом была мастерица — там, где бесполезно и пусто проходил он, она шла следом и подбирала отличные и крепенькие белые.

В августе начинались «закрутки и закатки» — бесконечные банки с соленьями, компотами и вареньем. В избе стоял запах сушеных грибов — сушили, разумеется, в русской печке.

Уезжали поздно и тяжело — вернее, Зоя уезжала тяжело. В последние перед отъездом дни ходила по дому и тихо вздыхала.

А Александр торопился в Москву — скучал по городу, по городскому шуму, даже по запахам города: пыли, горячих шин. Возможно, не самым приятным, но точно родным.

Договаривались с соседом, чтобы отвез. Машину загружали «по горлышко». Александр ворчал:

— А кто все это съест? Нет, ты мне скажи! Не отправишь же ты все это туда, в Кембридж?

— Я бы отправила, — грустно вздыхала жена. — Но кто же возьмет и кому это надо?

* * *

Тасю Александр никогда не забывал. Конечно, с годами вспоминал все реже и реже, это понятно. Но в день ее рождения всегда ездил на кладбище. Всегда, каждый год. И, разглядывая ее фотографию на дурацком и пошлом эмалевом медальоне, где она — вот чудеса! — была почти живой и очень похожей на себя, всегда ловил себя на мысли, что так и не забыл ее, не вычеркнул из сердца окончательно и навсегда.

И это — несмотря ни на что! Вот что было удивительно.

* * *

В их доме именно Зоя считалась здоровым, сильным и крепким человеком. Он, как и всякий мужик, любил покапризничать при любой, самой незначительной хвори. При банальном насморке сразу скисал и укладывался в постель. Она посмеивалась над ним, но ухаживала на полном серьезе.

Ни разу не устыдила, не упрекнула.

А уж если случалось что-нибудь посерьезнее, тут уж он отрывался по полной — стонал, закатывал глаза, требовал и капризничал от души.

Она снова — сплошное терпение. Нет, пару раз, конечно, срывалась: «Ну что ты, в самом деле! Давай-ка взбодрись!»

Именно он считался в доме человеком с проблемами, с тонкой организацией и с кучей болезней — язва (Зоиными, кстати, усилиями давно зажившая — она самоотверженно поила его картофельным соком, заваривала семя льна, пичкала его алоэ с медом), возрастной простатит — а у кого, простите, в таком возрасте его нет? Давление поднималось, здесь помогал сок калины. «Все не так страшно», — уверяла Александра жена.

Она ничем не болела. Ничем и никогда. Или он просто не замечал? Или она ловко скрывала? Но ведь не жаловалась, а?

А вот слегла именно она. Усмехнулась: «Дряхлое дерево долго усыхает и долго скрипит. А вот крепкое...»

Диагноз свой поняла сразу. Заглянула ему в глаза и спросила:

— Да? Ну я так и думала! Да ладно, ничего страшного. Как-нибудь вылезем!

Врач сразу предупредил:

— Поздновато. Есть шанс, но небольшой. Совсем небольшой. Из положительного только одно, и это одно крайне важно. Зоя Ивановна — боец! И большой оптимист. С ее силой духа! Думаю, — онколог тяжело вздохнул и отвел глаза, — еще немного протянем. Здесь важно желание человека, его стремление жить. Очень важно, да.

Но когда Зоя поняла, что это — почти всё, что шансов почти никаких, то все-таки скисла.

Нет, не плакала, не задавала вселенной вопросы — зачем? почему? в чем нагрешила? Не капризничала. Просто ей все стало неинтересно. Утомительно стало, когда почти известен конец — лучше уж побыстрее.

И конечно, боялась страданий — не из-за себя, из-за него. Все приговаривала:

— Лишь бы тебе не досталось! Лишь бы не мучить тебя!

В который раз он удивлялся — нет, поражался! — ее стойкости и отсутствию эгоизма. Даже в такой ситуации она думала о других.

Илье говорить категорически запретила:

— Только попробуй, из дома уйду. Он не может помочь, так зачем его тревожить, зачем мучить?

Нет, в чем-то права. Но как же так? Правильно ли это? Ведь сын тоже имеет право хотя бы знать, что происходит. Александр ему про диагноз не рассказал, а вот приехать попросил:

— Мать хандрит, плохо себя чувствует. Да нет, ничего страшного! Честное слово. Возраст, сынок. А как ты хотел?

— Я хотел, чтобы вы приехали, чтобы мы были рядом! — жестко ответил Илья. — И тогда все было бы проще! Вот чего я хотел!

«Проще, — подумал Александр, — или тяжелее. Для вас». Илья приехал за месяц до Зоиного ухода. Она была уже совсем плоха, почти не вставала, но тут встала, попросила вызвать парикмахера и маникюршу. Впервые в жизни — на дом.

Он сбегал в соседнюю парикмахерскую и, все объяснив, договорился с девочками.

Пыталась что-то приготовить, но сил не хватило. Тогда он купил все готовое. Илья у них человек неприхотливый. Пенка тоже не из кулинарок — едят просто, без затей, почти не замечая того, что едят.

Сын все понял, хотя Зоя держалась. Держалась изо всех сил. Он рвался что-то сделать, звонил в Америку друзьям, писал письма в госпитали. Пока Зоя его не остановила:

— Не суетись, сынок! Все будет так, как должно.

И Александр впервые увидел, как его сильный, мужественный взрослый сын разрыдался.

Зоя взяла Илью за руку. Александр вышел из комнаты, чтобы они попрощались. Мать и сын. Самые близкие люди. Сейчас им не нужно мешать.

Илья уехал. А Зоя ушла почти сразу после его отъезда. Кое-как продержалась неделю, и те последние крохи жизненных сил, которые ее удерживали еще на этом свете, сразу исчезли, испарились, как испаряется влага на стекле после дождя. Теперь она не вставала. Совсем.

Александра она попросила:

— Ты, Шура, только меня не трогай! Все же понятно. И никого не зови. Дай мне уйти спокойно. Пожалуйста.

Он все исполнил. Никаких врачей, никакой родни. Никаких известий и новостей. Илья звонил ежедневно, но Зоя трубку брать отказалась.

Александр понял: храбриться больше сил нет, а пищать еле слышным ослабленным и «мертвым» голосом — зачем?

Лишняя боль сыну.

Накануне Зоиного ухода — оба понимали, что уже близко, уже вот-вот — она попросила Александра посидеть возле нее.

Обычно в последнее время гнала: «Иди ради бога! Мне одной легче». А здесь попросила:

— Шура! Сядь, пожалуйста, рядом.

Он взял ее за руку. Она дремала. Теперь она вообще постоянно дремала, и было непонятно, где она — там или здесь. Скорее всего, на переходе. На переходе, на стыке двух миров. Немного здесь, немного там.

Между «там» и «здесь» — наверное, так.

Он с тревогой вглядывался в ее лицо — слава богу, оно было спокойно и безмятежно. Никакой боли, никакой тоски. Это было другое лицо, не Зоино. Ее лицо всегда было милым, серьезным или смешливым. Но всегда очень живым. А здесь... Не маска, нет! Просто лицо человека, который... готовится. Который... *готов*.

Покой, умиротворение, вечная тишина... Это она с лихвой заслужила.

К половине первого Зоя очнулась — чуть приоткрылись глаза, дрогнули ресницы.

— Шура, ты еще здесь? Иди спать, дорогой.

Он кивнул. Затекла рука, болела спина, гудели ноги. Очень хотелось лечь на кровать, вытянуться, закрыть глаза. Отдохнуть.

Так он и сделал. Правда, постель не разбирал и одежды не снял — мало ли что? Вдруг? Например, понадобится «Скорая помощь».

Проснулся через пару часов. Глянул на будильник и вздрогнул — было полпятого утра.

Быстро вскочил с кровати и бросился в Зоину комнату.

Понял, как только приоткрыл дверь, — ее больше не было. Всё.

Тишина стояла такая, что ему стало страшно.

«Все кончилось, — подумал он. — И как страшно тихо! Нет ничего — даже ее дыхания, ее тихих стонов. И Зои тоже нет».

Александр подошел к ней. Она подготовилась к уходу — даже руки, бледные, истонченные, почти прозрачные, лежали поверх одеяла, сложенные крест-накрест — так, как и следовало. Он сел на стул возле кровати. Даже глаза закрыла — никого не беспокоить, никому не причинять хлопот.

Он просидел так долго, часа три или больше. Время летело незаметно — только за окном сделалось совсем светло и весело расчирикались воробьи. Солнце набирало яркость и тепло, по асфальту стучали чьи-то каблучки, и громко капризничал ребенок, не желая идти в детский сад.

Александр очнулся, погладил Зою по руке и вышел из комнаты.

Теперь надо было заниматься *делами*. Вот ведь слово-то, а? Ему стало нехорошо — замутило, закружилась голова и стали ватными ноги.

Он распахнул кухонное окно, и в него с новой силой ворвались запахи и звуки жизни.

«А я живу», — мелькнуло у него в голове. И ему стало стыдно, неловко.

А потом начались хлопоты, звонки друзьям и родным, звонки в поликлинику и в ритуальное агентство.

«Жизнь продолжается, — горько усмехнулся он. — Такие дела».

Илье он не позвонил — Зоя так решила: ни к чему, он только уехал из Москвы, взять снова отпуск — невероятная сложность. Нет, конечно, отпустят. Но ему придется потратить деньги на билет и потерять в зарплате. «Нет, ни к чему, — решила Зоя. — Попрощались же, верно?»

Пришла Зоина подруга, соседка по лестничной клетке. Ее двоюродная сестра, которую Александр видел лет десять назад. Не узнал — как постарела, господи! Да и все постарели... Старики, старики... Все — старики.

Женщины обсуждали поминки, составляли списки продуктов, о чем-то тихо шептались и даже спорили. Он ушел к себе. Видеть все это, слышать было невыносимо.

В день похорон пошел дождь. Кто-то обмолвился: «Хорошая примета». Александр дернулся: «Ну что за бред, что за чушь? Какая примета? И что тут хорошего? Зое, что ли, так будет легче? Или мне?» В автобусе он сел рядом с женой — последнее совместное путешествие. Уловил краем уха разговоры присутствующих — вполголоса обсуждали весенние дачные посадки, делились опытом. Кто-то рассказывал о внуках, кто-то жаловался на сноху или зятя.

«А мы с тобой тут одни», — усмехнулся он и погладил крышку гроба.

Александр не помнил, кто держал прощальную речь, как будто ему отключили слух и даже зрение. Не помнил, кто стоял рядом.

В последнюю минуту перед прощанием — окончательным прощанием — он почему-то посмотрел на небо. Оно было свинцово-серым, набрякшим и сердитым. Где-то дурным голосом прокричала ворона. Он сморщился, словно от сильной физической боли, сгорбился и в последний раз посмотрел на Зою — ее лицо было совершенно чужим. Отстраненным. Равнодушным к этому оставленному миру. И что утешало — очень спокойным...

* * *

В квартире было шумно, влажно и душно. Пахло подгоревшими блинами, какими-то маринадами и почему-то лавровым листом.

Стол был накрыт — на парадной белой скатерти стояли приборы, едва умещаясь между плотно поставленными салатниками, селедочницами и блюдами с прочей закуской. Выглядело все это как-то слишком нарядно, что ли? Как будто собрались что-то отпраздновать. Александр поморщился и вышел из комнаты.

Невыносимо было смотреть, как эти почти чужие женщины хозяйничают в Зоином пространстве, ставят ее тарелки и рюмки, суетятся в ее фартуке.

Женщины, отвечающие за стол, молча проводили его испуганным взглядом. У себя он рассердился на самого себя: «Какая чушь! Вместо того чтобы сказать им спасибо... Они же старались!»

Он взял себя в руки.

Все уже сидели за столом, была налита первая рюмка.

На комоде стояла Зоина фотография — ей было двадцать пять лет, и она была так хороша и так молода! Рядом стояла стопка с куском черного хлеба. Все как положено, все правильно. Живым — жить.

После трех рюмок Александр вдруг почувствовал такую колоссальную усталость, что, извинившись, вышел из комнаты и еле дополз до кровати.

Перед тем как провалиться в сон, подумал: «А что будет завтра? Как я буду жить? Все будет. Жизнь будет. Я буду. Только не будет ее. И к этому еще надо будет привыкнуть. Если к такому вообще можно привыкнуть».

Раздавалось легкое бряцанье ножей и вилок, звон стаканов и шум воды — видимо, женщины прибирались после поминок.

Больше он ничего не услышал — уснул.

* * *

Жизнь стала брать свое, как ни крути, как ни сопротивляйся. Как ни желай и ни отвергай это.

Уже спустя три дня он пропылесосил квартиру, вымыл окно на кухне и пошел в магазин.

Как-то разом исчезли те дела, к которым он привык за последнее время — аптека, поликлиника, суп, компот, смена постельного белья. Покормить, поменять, причесать. Вылить судно, сменить памперс.

Он ходил по квартире, ища себе занятие. Не читалось и не спалось. Телевизор раздражал. Радио тоже. Звуки бесили, равно как и тишина. Казалось, что все всё делают против него. Словно хотят извести.

А может, и к лучшему?

Илья, конечно, обиделся. «Как так, похоронили маму без меня?» Но смирился. Воля матери. И тут же стал звать отца к себе:

— Как ты теперь один? Время работает против тебя. Здесь мы, здесь внуки. Я знаю, что ты всегда этого хотел! Это мама не хотела. И нечего обсуждать — надо действовать. Сделай это ради меня, я прошу тебя! В конце концов, мы давно должны были быть вместе. И возможно бы, с мамой тогда все бы было не так!

Александр перебил сына:

— Ты же прекрасно знаешь, что это не так! Ты же сам узнавал. Ты хочешь кого-нибудь обвинить? Себя? Меня?

Сын смутился и попросил прощения.

Но эта мысль все же угнездилась у Александра в голове — а если бы? Если бы они были там? Если бы вовремя спохватились, заметили?

Сначала сопротивлялся. А потом стало жалко сына — понял, как тот страдает оттого, что не смогли спасти его мать. Теперь остался только он, отец. Ну и надо, чтобы было все под контролем. Это понятно.

И он согласился. Слышал, как обрадовался Илья, как облегченно выдохнул, как крикнул жене:

— Пенка! Все отлично! Отец согласился!

Стали обсуждать детали. А проблем было много!

Попросил сына только об одном: не продавать квартиру и дачу. Пока не продавать.

— Готовишь пути к отступлению? — усмехнулся Илья.

— Нет, — спокойно ответил он. — Просто не могу пока это сделать. Там слишком много маминого. Дай мне время, пожалуйста! Может быть, потом.

Билет был куплен, чемодан почти собран. До вылета оставалось три дня.

И тогда Александр решил: «Вряд ли я вернусь в этот город. Значит, нужно попрощаться со всем и со всеми — вот так».

Начал с «Динамо». Зашел во двор, сел на скамейку. Посмотрел на их прежние окна. Сейчас, разумеется, там было все по-другому — новые стеклопакеты, приметы времени, а он помнил старые рамы, скрипучие, рассохшиеся, неплотно закрывающиеся — мать всегда с ними мучилась. А эти новые, похожие на пустые глазницы, нелепые в своей белой назойливости... Нет, конечно, удобные, что там говорить. Хранящие тепло и гасящие уличный шум. Но они смотрелись как заплатки на солидном и темном фоне кирпичных стен дома — монументального, сильного, крепкого, уверенного, что он не временник, стоит здесь на века. На новых окнах были плотные темные шторы. Мать не любила закрывать окна такими — занавески у них были легкими, светлыми: «Нам не от кого закрываться. И еще — так больше света».

Да и двор изменился — не было двух старых и мощных лип, между которыми летом вывешивали качели. Извели. Не было круглой клумбы с флоксами — их высаживала вредная тетка Дуся, известный садовод. Не было дворника Федьки — горького пьяницы и страшного скандалиста. И при этом отчаянного поборника чистоты. Не было шумной ватаги ребят — кое-как одетых, вечно расхристанных, сопливых и шумных. Не было тихих девочек в школьных платьишках и пышных бантах, бросающих тяжелую жестяную биту, набитую песком, на разлинованный мелом асфальт — бита тяжело падала и глухо гремела. Не было мамочек с тяжелыми, глубокими и низкими колясками.

Никого не было — пустота. Зато стояло полно машин, плотно притертых друг к другу.

И дверь подъезда была другой — металлической, серьезной, с кучей блестящих кнопок — взамен прежней, старой, тяжелой, деревянной, темно-коричневой, в меловых разводах.

Не было старух — вечных сплетниц, «ока» двора, его верных стражей.

Не было. Не было ничего из *той* его жизни, из прошлого.

Александр встал, поднял воротник куртки — набежал довольно холодный ветер — и пошел прочь. С двором он попрощался.

Быстро дошел до школы, где когда-то учился. Ее давно не было — здесь была теперь редакция глянцевого журнала. Да и здание — прежде коричнево-бордовое, темное, с белыми наличниками, суровое, но при этом нарядное, исчезло. Теперь оно было обшито какими то новыми, незнакомыми ему материалами, и казалось, что оно из серого кирпича. Крыша была темно-зеленой. У двери стоял охранник, посмотревший на него с подозрением.

Футбольного поля тоже не было — теперь здесь устроили стоянку.

Александр вздохнул и пошел к метро. Здесь тоже отметился!

Следующий маршрут — институт. Вот он сохранился прекрасно. То же здание, тот же двор. Только прибавились бетонные и уродливые урны и такие же скамьи — монументальные, серые, словно слоны. Не унесешь и не перенесешь, как делали они когда-то, сдвигая скамейки в кружок.

Деревья, толстоствольные ясени, тоже исчезли. Вместо них стояли хилые деревца в бетонных кадках. Сжалось сердце — да что за вандализм, ей-богу? Выкорчевывать вековые деревья, чтобы посадить эту хворь? Кому они помешали?

Конечно же, не было и палатки с мороженым, тогда она стояла у входа во двор института. Фруктовое, пломбир, трубочка, вафельный рожок. За пончиками и пирожками бегали к метро, семь минут — и ты пообедал!

«Там и испортили желудки, — подумал Александр. — И где были мозги?»

Вспомнил, как они с Зоей сидели на траве под этими самыми ясенями. Пили ситро из бутылки — она, он и снова она.

Он всхлипнул, достал носовой платок, оглянулся и высморкался. Девчонки, сидящие на скамейке, даже не глянули в его сторону. Кому интересен старик?

Александр быстро вышел из двора — заныло сердце. Иногда трудно вспоминать свою молодость. Иногда просто невыносимо. И еще — невыносимо думать, что все уже позади, а впереди только прибавляющиеся хвори, проблемы, одиночество и тоска. Все.

«Ну, может, хватит?» — спросил он себя.

И не раздумывая, качнул головой, прощальная гастроль, как он назвал эту поездку, продолжается!

Тасин дом... Тасин дом на Башиловке.

Он тоже из того времени. Но не в пример его дому, серьезному и напыщенному, этот был грузный, словно осевший от тяжести лет и вечного бремени. Не покосившийся, нет. Именно осевший — он казался древним и дряхлым стариком, ждущим только одного — ухода, освобождения. А его все никак не оставляли в покое. Жильцов давно расселили, а дом все никак не сносили, окна второго и третьего этажей были нежилыми, мутными от пыли, мертвыми. Из их темноты, словно зубья, торчали острые осколки разбитых стекол.

На первом этаже еще доживали свой век какие-то конторы, вроде склада постельного белья и посуды из огнеупорного стекла.

Тася жила на втором этаже. Два узких и длинных окна с краю.

Он вспомнил, как стоял под этими окнами с поднятой головой, надеясь увидеть ее, хотя бы увидеть. Вдруг мелькнет за занавеской ее тонкий, почти бестелесный силуэт. Если что-то мелькало, он вздрагивал и слышал частое биение своего сердца.

Дверь подъезда — в те времена густо-коричневая, почти черная, а сейчас дешевая, но металлическая — еще из последних сил держалась. Как же — склады! Та, старая, дверь жутко скрипела, и он от этого звука вздрагивал. Тася выходила и торопливо оглядывалась — боялась быть увиденной, узнанной.

Потом попросила его «не торчать у подъезда» — стоять за углом.

Он, конечно, обиделся, хотя виду не подал.

Куда расселили жильцов? Ее вечно нервную, издерганную мать, живущего на две семьи, а потом сильно пьющего, беззубого, заросшего щетиной отца, хмурого и недоверчивого брата, жену этого брата с недовольной, будто приклеенной навеки недоброй ухмылкой. Александр не знал, куда они девались. Да и зачем? Они уехали уже после смерти Таси. Тогда он считал их врагами — своими врагами. Это они мучили его Тасю!

Двор был завален каким-то строительным барахлом, кажется, никому не нужным, скамеек не было. Он оглянулся и увидел бетонный столб или остов. Присел на него. Посидел еще минут десять, вспоминая.

Подумал: Тася осталась в его сердце навсегда. Он помнил Тасю всю жизнь. Всегда. Каждый день. Даже когда был очень счастлив. Даже в свои лучшие дни. Даже рядом с Зоей — лучшей женщиной на планете. Даже в те минуты, когда понимал, как ему повезло.

Почему? Потому, что это его первая любовь и первая женщина? И как все было бы, если бы не ее трагический уход и его чувство вины?

Почему-то он впервые засомневался, что мог бы быть счастлив с Тасей. А если бы они сошлись, прожили бы какое-то время, как обычные супруги: пили чай по утрам, торопились на работу, ужинали вместе, ходили по магазинам. Закрывались, наконец, в туалете, мылись в ванной. Ворчали друг на друга, цапались по пустякам. Даже скандалили! А кто не скандалит?

Он бы видел ее растрепанной, неприбранной. Сморкающейся, чистящей зубы и сплевывающей воду в раковину. Заспанной, припухшей после сна по утрам. Недовольной. Усталой. Расстроенной. У плиты в фартуке, пахнущей жареным луком.

Любил бы он ее такой? Любил бы, как прежде?

Или он *придумал* Тасю? Создал образ, в котором нуждался? Которого требовал его восторженный, нежный возраст?

Он видел бы, как она беспощадно старела. Хмурилась перед зеркалом, подтягивала пальцами морщинки у рта — «как было раньше».

И ревновала бы его. Ревновала, когда перехватывала его взгляд вслед красивой и юной девице. Устраивала бы ему сцены ревности, твердила про загубленную жизнь. Заламывала бы руки: «Ах, зачем я на это пошла! Зачем я сошлась с желторотым юнцом? Зачем я себя загубила!»

Да нет, пожалуй, Тася бы так не смогла. Хотя кто знает? Он вспомнил стареющую сестру Людмилу. С ней было все именно так.

Придумал? Он все придумал? Всю жизнь носился с этой любовью, как с писаной торбой. Жил со своей детской фантазией, утопией, химерой? И все было пшиком? Или оказалось бы пшиком...

Он создал себе образ богини. А жена — жена была реальностью. Обыкновенной женщиной, из плоти и крови.

Нет, он ценил Зою. Восхищался ею. Но как человеком, а не как женщиной. Именно человеком. Понимал, как ему повезло.

А Тася была вечной женщиной, вечной принцессой из сказки — хрупкой, капризной, переменчивой, как весенняя погода. Плаксивой, изнеженной, и это при ее-то суровой жизни — смешно... И сказку эту Александр сам и придумал.

А Зоя... Тогда, женившись на ней, он считал, что делает ей одолжение. Так, слегка. Слегка уступает. Нет, не как милостыню — как милость. Дурак. Дурак и сволочь. Вот так получается.

А как они прожили! Дом, сын. И все это дала ему она, Зоя.

Александр и представить не мог Тасю матерью — какая из нее мать? Сама вечный и беззащитный ребенок. Впрочем, у нее и не могло быть детей после той жуткой истории. Значит, Тася была бы ему ребенком, причем тяжелым ребенком.

А через несколько лет? Когда бы он стал заглядывать в детские коляски, мечтать о сыне? Он всегда хотел сына. И Зоя ему его родила. И воспитала отличного парня тоже Зоя. Это она возила Илюшу на бесконечные кружки и в спортивные секции. Водила в театры и в музеи. Она делала с ним уроки, подбирала литературу. Рассказывала на ночь сказки. Рисовала с ним акварельными красками — она!

Нет, Александр, конечно, принимал участие. Но именно так — принимал участие. По-другому не скажешь.

А дом? Их красивый и теплый дом? Где всегда было уютно и вкусно. Разве Тася бы так могла? Да нет, просто смешно! Тася ничего не умела — к порядку и уюту приучена не была, в семье их было все наспех, кое-как, некрасиво и неопрятно.

«Пролетарский быт» — так говорила она сама: скупо, неряшливо и плохо пахнет — вываркой с бельем, щами, ваксой для башмаков, запаренным веником.

И уж точно не было бы в их с Тасей доме гостей с пирогами — людей Тася остерегалась и, пожалуй, не любила.

А Зоя любила «справлять» — так и говорила: «Скоро майские! Как будем справлять? Ох, Новый год! Кого позовем?» И затевались холодцы, пироги. Пахло свежевымытыми полами, душистой мастикой, накрахмаленной скатертью. Пахло жизнью...

И Александр пошел прочь от Тасиного дома. Быстро пошел. Раздавленный, обескураженный, словно сегодня, сейчас, он узнал страшную тайну. Страшную тайну про себя самого.

Мишка. Дальше был Мишка...

Кстати! Именно Мишка говорил: выбрось ты весь этот бред из своей головы! Тасю свою. Носишься с ней, а у тебя рядом Зоя...

Потом понял: Мишка, лучший друг, был влюблен в его жену. Всю жизнь был влюблен. Жену свою, Беллочку, любил, а в Зою был влюблен. Так тоже бывает. Такие дела...

Ах, как глупо все получилось... Не просто глупо — кошмарно глупо. Глупо, бестолково, нелепо. И еще — некрасиво.

Мишка, друг юности. Хранитель Шуркиных тайн. Они, казалось, знали друг про друга все. Но Александр потом понял — не все! Про то, что Мишка влюблен в Зою, — не знал. Тот хорошо скрывал свои чувства и симпатию.

Дружили они с далекой молодости. Дружили взахлеб — встречались каждую неделю в сквере на Патриках и шли пить пиво. Или кофе. Или чай. На что были деньги, какая разница? Главное — шли! Чтобы выговориться, наговориться. Поведать о том, что на душе. Пожаловаться, наконец, на начальника, на детей, на жену. Последнее бывало совсем редко — у Александра так никогда. О Зое — плохо сказать? Смешно!

Мишкина жена Белла была «той еще штучкой». «Та еще штучка, эта Белинда!» — говорила Мишкина мама, тетя Рахиль, затягиваясь «Беломором». С юмором у нее было прекрасно.

Тетя Рахиль — фронтовичка. Вдова с тридцати шести лет. И больше — ни-ни! «После моего Сени? Вы что, смеетесь?»

Мишка и мать были большие друзья. И Шурка, лучший Мишкин друг, обожал тетю Рахиль.

А ее фаршированная рыба и орешки в меду? А пирожки с ливером? Крохотные, с палец, жаренные на сковородке. А юмор тети Рахили, ее фронтовые рассказы и байки?

Мишка мать обожал. Ах, как он смотрел на нее! Так не смотрят на девушку.

Это тетя Рахиль сказала Александру, увидев Зою:

— Ох, Шурка, не будь дураком! Хватай и беги! Упустишь такую девчонку — будешь полный дрек мит фефер! Идиёт будешь, как говорила моя бабушка Песя. Думаешь, я хочу в невестки только еврейку? Нет! Нет и нет! Даже скорее всего не хочу! Почему? — спрашивала она и, не дожидаясь ответа, тут же продолжала: — А вот почему! Еврейки любят болеть! Нет, конечно, не все, но большинство. Еще они очень самолюбивы, капризны, избалованы, очень любят поныть. Распоряжаются семейным бюджетом. Портят детей — мамаши из них сумасшедшие. Готовят, конечно, прекрасно. Правда, почти все умные. Почти! И налево не шляются. Тоже — почти! — И она начинала заливисто смеяться. — Ну и всякое другое, — добавляла она.

— Какое другое? — уточнял Александр.

— Многое! — уклончиво и многозначительно отвечала тетя Рахиль.

— А вы? — не сдавался он. — Вот вы никогда не болеете! Мишку вы не испортили. А поныть — я ни разу не слышал!

Тетя Рахиль смеялась:

— Нет, Шурка! Я ною! Только ною я про себя.

Невесту Мишка привел именно такую, которой остерегалась тетя Рахиль. Беллочка была капризна, избалована и обожала пожаловаться на жизнь. А самое главное, что она постоянно болела. Приходя к Мишке, Александр видел закрытую дверь в супружескую спальню.

— А Беллочка? — спрашивал он.

— Ей нездоровится, — грустно вздыхал верный друг.

— Что-нибудь серьезное? — интересовался поначалу Александр.

Мишка отводил глаза:

— Ничего. Просто недомогание.

Что такое недомогание, Александр не понимал. Совсем не понимал.

Словом, напророчила мудрая Мишкина мать.

И еще — Беллочка не готовила. Совсем не готовила, говорила, что кухню не любит.

Питались полуфабрикатами из кулинарии и тем, что приготовит неловкий Мишка.

Зоя тогда рассмеялась:

— А кто ж эту кухню любит, господи? Ведь каторжный труд! Монотонный и осточертевший! Придешь с работы — к плите. Как приговоренная. В выходные — к плите! Посадили на цепь и сиди!

Но Беллочку на цепь не посадили. И за готовку, и за все остальное отвечал бедный Мишка. Звонил матери уточнить рецепт. Поначалу тетя Рахиль воодушевленно рассказывала и диктовала. А потом, когда сообразила, что готовить будет не сноха, а любимый сын, швыряла трубку.

— С таким идиётом я даже говорить не хочу!

На красивом и бледном Беллочкином лице навсегда застыла гримаса страдания.

Как-то отправились семьями в Прибалтику, в Юрмалу. Сняли полдома в Майори — всем по комнате, общая кухня. Решили так — два дня готовит Зоя на всех. А два дня — «вы уж там сами решите, как у вас принято, — предложила она Мишке. — Я же тоже в отпуске, правда?».

Но увидев поутру Мишку на кухне, схватила из его рук нож и взялась крошить капусту на борщ.

— Иди уж, бедолага! Я справлюсь.

Понятно, дружбы с Беллочкой у Зои не получилось. Но — терпела ее мужественно ради мужа.

Спустя восемь лет брака Беллочка «сделала одолжение» и родила Мишке дочь. Надо ли говорить, кто стирал и гладил пеленки, варил кашу и водил дочку в сад?

Но самое главное — делал все это Мишка с превеликим удовольствием, именно он оказался «еврейской трепетной матерью».

А Беллочка продолжала хворать.

Конфликт у Александра с Мишкой вышел глупым. Нет — глупейшим! Сцепились по поводу политической обстановки — ну не придурки? А вот заклинило их накрепко, причем обоих сразу. Разобиделись друг на друга страшно и, как оказалось, навсегда.

Сколько Зоя ни билась, чтобы их помирить, — безуспешно.

Конечно, каждый в душе ждал, что первым придет мириться другой. И у обоих ума не хватило.

Однажды услышал, как Зоя шепотом разговаривает с Мишкой — уговаривает его, увещевает. О чем — понял сразу. Распетушился, устроил скандал — что ты лезешь? Справимся и без тебя.

А ведь не справились. Так и бодались сами с собой.

С тех пор прошло много лет. Постепенно обида и боль отошли. Почти отошли. Почти забылись.

Сын женился, уехал, родились внучки. Александр вылетел с работы и впал в депрессию. А потом заболела Зоя.

В день похорон вспомнил о Мишке — правда, уже в автобусе, едущем на кладбище.

«Надо было позвонить, — подумал он. — Такой повод. Мишка бы не отказался прийти». И тут же устыдился своих мыслей и дурацкой фразы про «повод».

Разве когда почти прожита жизнь и «продружено» тысяча лет, нужен повод? Два идиота, два кретина, два мудака. Как много они друг у друга украли! Как много украли они у себя...

Не восполнить, не возвратить...

Решил — сегодня к Мишке, а завтра — завтра роддом и кладбища, где отец, мать, сестра. Тася, тетя Рахиль.

Послезавтра — деревня. Погост с Зоиными стариками.

А уж потом — последние и окончательные сборы. Да какие там сборы? Два чемодана с тряпьем, со стопкой книг, с лекарствами и фотографиями. Их, кстати, надо еще подобрать. В смысле — взять с собой те, без которых нельзя. Невозможно.

Мишка и Беллочка жили на Краснопресненской.

Доехал быстро. Лучший транспорт — метро. А уж с московскими немыслимыми пробками нечего и говорить.

Восьмиэтажный дом-башенка в один подъезд. Район, конечно, шумный и грязный, но — самый центр. Старый-престарый кооператив, купленный тетей Рахилью молодым — свадебный подарок.

— Только порознь! — кричала она. — Если я буду жить с *этой*, я ее придушу! А в мои годы я уже из тюрьмы не выйду! И зачем это мне?

Отдала все, что собирала всю жизнь, все до копейки! Только бы не видеть этот «живой труп», как говорила она про сноху.

На двери, разумеется, был домофон. Хотел вспомнить номер квартиры — забыл... Господи, разве мог он подумать, что забудет номер Мишкиной квартиры? А вот забыл же...

К счастью, дверь отворилась и, чуть не сбив его, выскочила девочка с собакой. Он тут же следом юркнул в подъезд.

Шестой этаж, да. Слава богу, что помнил хоть это. Старая дверь, обитая синей клеенкой.

Постоял пару минут, сдерживая волнение, и наконец нажал на кнопку звонка. Услышал знакомую мелодию — тогда так звонили все звонки без исключения, в каждой квартире. Выбора не было — это сейчас он бескрайний.

Послышались шаги. Александр радостно выдохнул — значит, на месте! Значит...

— Кто там? — он услышал Беллочкин голос.

— Белл, это я! — хрипло ответил он. — Шура.

Молчание. Тишина. Наконец долгая возня с замком. Дверь открылась.

Он не узнал ее. Точнее — не узнавал. Перед ним стояла дряхлая старуха, опирающаяся на костыль. С большим трудом в ней угадывалась Белла. Красавица Белла.

Они молчали, разглядывая друг друга.

Наконец она произнесла:

— Ну что ж, заходи, раз уж пришел.

И, чуть покачнувшись, отступила назад, дав ему пройти.

Александр вошел, огляделся. Все было как-то... По-другому, что ли? Запущено, захламлено больше обычного. На вешалке висели зимние вещи, болтались меховые шапки, на полу стояла зимняя обувь. И это в разгар поздней весны.

— А где хозяин? — бодрым голосом спросил он и посмотрел на Беллочку.

Та не сводила с него взгляда — тяжелого, пронизывающего, холодного.

— На кладбище, — коротко ответила она, — делаешь вид, что не знал?

Александр, потрясенный, молчал. Стало вдруг трудно дышать, и он рванул ворот рубашки.

— Когда? — коротко спросил он.

— Два года тому, — прозвучало в ответ.

— Я... не знал! — почти выкрикнул он. — Ты что, мне не веришь? Я правда не знал!

Белла равнодушно посмотрела на него.

— Да какая разница, верю — не верю! Знал — не знал. Теперь-то какая разница? Ему все равно, когда он в могиле. — И она заплакала, ойкая и курлыча, совсем как в молодости. Тогда они смеялись над ее смехом и слезами — плакала и смеялась она с одинаковыми звуками и интонациями кудахтающей курицы.

Держась за стенку, Белла медленно пошла в комнату. Александр двинулся за ней. Там тоже был совершеннейший беспорядок — разобранная несвежая постель, на мебели пыль толщиной в палец, мутные, сто лет не мытые окна и грязный, в пятнах, ковер, потерявший свой первоначальный цвет. Вспомнил — ковер они доставали с Мишкой, ездили к черту на кулички, куда-то в Люберцы по чьей-то наводке.

Зеленые уже закончились — оставались одни красные, и Мишка переживал, что Беллочке он не понравится.

Дурацкий, надо сказать, был ковер. Зоя говорила — мещанский.

А Беллочке, как ни странно, он очень понравился, хотя у нее был прекрасный вкус.

Ковер, потертый и грязный, лежал. А Мишки и Зои уже не было на этом свете. Сели. Долго молчали. Первым начал Александр:

— А я Зою похоронил. Тяжело уходила — не приведи бог. Онкология. К сыну вот собираюсь. Думал, приду к вам и... Не успел.

Он замолчал, чувствуя, как закипают слезы.

Беллочка равнодушно кивнула:

— Да, не успел. Видно, не торопился. Да что уж тут... — Она громко вздохнула. — Вот, теперь я одна. Никого. Ходит социальный работник, носит хлеб, молоко. Картошку. — Она перечисляла, словно припоминала. — А что еще? Соседи иногда помогают. Врач участковый. В общем — живу. Скорее бы туда, к Мише. Устала я очень. И совсем одна — никого! Вот видишь, в кого я превратилась. В полного инвалида! По квартире еще кое-как шастаю на костылях. А на улице года три не была. — И она заплакала.

Александр подумал про бутылку коньяка, оставленную в кармане ветровки. Надо было бы продуктов, фруктов, еды! А тут эта бутылка. Ладно, сейчас схожу — должен же тут поблизости быть магазин?

Значит, с дочкой она не общается. Конфликт случился давно, когда дочь вышла замуж за воинствующего антисемита. Отвратительное было животное, надо сказать. Мишка тогда чуть с ума не сошел.

Странная девочка, да. Очень странная. Что-то там было с головой — определенно.

Наконец решился:

— А как там Марина? У нее все в порядке?

— Марина лежит вместе с отцом. Только она пораньше забронировала местечко. Сердце остановилось. Скажешь, тоже не знал?

— Я не знал, Белла! Ты что, мне не веришь? Да если б я знал...

— Ну ладно, — примирительно проговорила она. — Теперь ничего не изменишь. Что теперь говорить? Ты иди, ладно? Мне надо лечь. Я теперь все время лежу. Раньше, — она трескуче рассмеялась, — раньше просто любила полежать, а сейчас... Сейчас мне это необходимо. Вот и лежу себе — то засну, то проснусь. То снова усну. И так день напролет, ночь напролет. Что за жизнь? Для чего? Не пойму. Одинокая старость это, Шура, не приведи господи, а? Вот ты едешь к сыну. Счастливый!

Он кивнул и встал:

— Белл, а где Миша лежит?

— На Востряковском, где ж еще? Рядом с Рахилью.

Хотел приобнять ее на прощание, но не решился. Просто кивнул и надел куртку.

— Я пошел, да? В общем, желаю тебе...

— Чего? — перебила она. — Долгой жизни? Ну так это зря, дорогой! Я-то прошу совершенно обратного! И поскорее.

В этот момент на долю секунды у нее вспыхнули

глаза, и Александр увидел прежнюю Беллу — яркую, красивую, притягательную, капризную — ту, которую полюбил его друг. Его Мишка.

Он кивнул и, не поднимая на нее глаз, боком, неловко вышел за дверь и, не дожидаясь лифта, стал быстро спускаться по лестнице.

К метро шел тоже быстро, словно торопясь поскорее уйти от того места, где раньше жил его Мишка.

Подойдя к метро, он вспомнил, что забыл про продукты. Остановился, задумался, оглянулся. Нет, глупость полная снова туда возвращаться. Глупость и невозможность. Еще раз увидеть Беллу и, скорее всего, услышать ее гневную отповедь про подачку — она всегда была гордой и несдержанной на язык. К тому же разве ее спасет кусок колбасы или сыра? Полная чушь! Ну на пару дней хватит. На неделю, допустим. А дальше? Дальше он уезжает — через несколько дней. И Белле уже никто не поможет в ее одиночестве и беде. Никого у нее нет. Ни дочери, ни мужа, ни родни. Человек доживает, и доживает ужасно, моля об одном — о скором уходе.

Вот так получилось. Выходит, что он — счастливчик? Он на ногах и с руками, у него есть семья — сын, внучки, невестка. И они его ждут! Кажется... ждут.

Александр поехал домой, отложив все визиты на завтра.

Завтра прощальная гастроль продолжится. Завтра — деревня, их дом и погост. А послезавтра — последние юдоли. Там, где успокоились и обрели покой его самые близкие люди.

Дома было хорошо. Ах, как хорошо было дома! Он бродил по квартире, рассматривал книги, доставал альбомы с семейными фото — с этим он разберется позже. Опять отложил на потом. Слишком страшно было начинать. Слишком страшно. Там вся его жизнь. Вся его долгая жизнь.

Спал с таблеткой снотворного — испугался бессонницы и воспоминаний. Счастье, что есть такая возможность — полная отключка от всего. Как не воспользоваться?

Утром, наспех выпив чаю, поехал на Казанский.

В поезде слегка задремал и чуть не проспал свою остановку.

Погода стояла прекрасная. Он вышел на перрон, вдохнул свежего, чистого и душистого воздуха и двинулся в путь. Май. Расцветает, просыпается природа. В воздухе свежесть и ощущение начала жизни.

До деревни было не близко — раньше, в молодости, он проходил этот путь за полчаса. Шел резво и радостно. Впереди его ждали сплошные радости — встреча с семьей, маленький сын, тещины пироги и бутылочка с тестем. А еще теплый вечер возле костра, который они с Зоей любили разжечь. И ее плечо рядом — совсем рядом, в нескольких сантиметрах. А потом будет ночь, и ее теплое бедро, и нежные руки, и запах, исходящий от волос, — до боли родной и знакомый, другого не надо. И ощущение, что все это — его. Эта женщина, спящая рядом. Кудрявый мальчик в кроватке, что стоит в углу комнатки.

Этот старый и крепкий дом со своими запахами — печки, теста, душистого укропа и сельдерея, висящих в толстых связках в сенях.

Храп тестя за стенкой, утренняя суета тещи, гремящей кастрюлями.

Сад за окном — богатый и пышный. И звук падающих в ночи яблок — чуть приглушенный, но отчетливо слышный.

И пение птиц по утрам — заливистых, звонких, бесцеремонных.

И завтрак на улице, под самодельным навесом, лавки и стол — простые, рубленые, ничем не покрытые и оттого еще более уютные. И теплое молоко в глиняной крынке, и пышные, кисловатые, по-деревенски большие, с ладонь, оладьи, только что испеченные заботливой и хлопотливой тещей.

И мычание коров где-то вдалеке, на лугу.

И счастье, счастье, которое разлито в воздухе и в пространстве — везде, везде, без зазоров и трещин. Везде.

Он дошел. Огляделся — все изменилось. Как все изменилось! Нет, несколько старых домов еще доживали свой век. Но остальные были новыми. Крепкими, обитыми вагонкой или сайдингом. Сделанными из кирпича, с разноцветными пестрыми крышами — зелеными, синими, красными.

Высоченные заборы, скрывающие жизнь обитателей. Разве раньше такое было возможно? Он вспомнил хилый штакетник у их дома. И точно такой же был у всех остальных.

Другие времена, другие нравы. А может, и правильно все? Жизнь ведь диктует. Это личное, частное пространство. Чужим вход воспрещен. Люди не хотят видеть и слышать других.

Их дома почти не было. Александр остановился как вкопанный. Замер. И тут же стряхнул с себя морок — а чего он, собственно, ждал?

Дом почти завалился. Нет, не так — здорово накренился, скособочился, сполз на левый бок, как старик с радикулитом. Грустное зрелище. Кусок жести на крыше слетел — ветер?

Сад зарос и казался лохматым, непричесанным. Брошенным. Калитка висела на нижней петле и поскрипывала, постанывала, качаясь от ветра.

Он вздохнул и шагнул на участок.

Поднялся по шатким и скрипучим ступенькам, с трудом открыл разбухшую дверь и вошел в дом. В нос ударили запахи сырости и плесени. Подумав с минуту, ботинки снимать не стал, прошел внутрь. Распахнул окна в зале, как называла главную комнату теща. Ворвался свежий ветерок, и задышалось полегче.

Он опустился на стул и потер виски — начинала болеть голова.

Стол под цветастой, давно выцветшей клеенкой. На столе вазочка с засохшим прутиком вербы. Старый буфет с посудой — еще той, стариковской. Чашки из толстого сероватого фаянса в крупный красный горох. Граненые стаканы и стопки. Прозрачная сахарница с окаменелым песком. Вазочка с карамельками — наверняка тоже каменными.

Фотографии на стенах — молодая теща, молодой тесть. Юная Зоя — тоненькая, с прекрасным задумчивым взглядом и толстой косой, перекинутой через круглое плечо.

Илюша в заснеженном саду, с лопаткой, в шубке из черной цигейки, перехваченной солдатским поясом с металлической пряжкой со звездой.

В школьной форме с букетом — первый класс. Свадебные — сын с Пенкой, — серьезные, нарядные, строгие. Смешные в своей серьезности.

Их свадебная с Зоей — она прислонилась к его плечу и чуть опустила ресницы, смутилась. Белое платье, короткая фата. Он сам в черном костюме и галстуке. Оба с напряженной улыбкой.

Вся жизнь...

Александр вздрогнул — в дверь постучали.

— Хозяин! Есть кто живой?

Он вышел в сени. На пороге стоял высокий, тощий мужичок в ватнике и резиновых сапогах.

— Не узнаешь? — осклабился он. — Петрович я! С соседнего дома. Ну, чё? Не признал?

Александр кивнул:

— Признал, наверное.

— Слышь, я по делу! — продолжил Петрович. — Хату свою продаешь или как?

— Пока — или как. Не продаю. А чего ты хотел?

— Как чего? — удивился Петрович его несообразительности. — Купить, чего же еще? Не в Сочи ж с тобой поехать! — И он усмехнулся беззубым ртом.

— Понятно. Нет, Петрович. Время пока не пришло. Может, позже. Не знаю. Жена моя умерла.

Жить тут и вправду некому. Но продавать я пока не готов.

— А чего ждать-то? — удивился сосед. — Хотя дом ваш никому не нужен — говно, а не дом. Нет, был хороший, еще при Иван Максимыче! Но столько лет прошло! А с домом так нельзя, следить надо, поддерживать. Живой организьм! Мне он не нужен, твой дом! А вот сад — это да. И вообще — земелька! Ну чтоб расшириться. Дочь у меня, внуки. Поставил бы им здесь избушку — и пусть живут, а?

— Понял, да. Но извини.

Петрович смущенно кашлянул.

— А про Зойку я знаю. Жалко ее! Хорошая баба была, тебе повезло!

— Повезло. Да, мне повезло. Мне несказанно повезло — это правда.

Петрович сунул ему в руку обрывок газеты.

— Здеся мой мобильный. Возьми. Ну, если надумаешь, слышь? Я первым буду — сосед все-таки, а?

— Хорошо. Если надумаю, позвоню. Слушай, Петрович! А ты бы не смог подлатать нашу крышу? Ну куском шифера, что ли? Или на крайний случай — толем прикрыть? Я тебе заплачу.

Петрович сдвинул на затылок кепчонку и задумался.

— А чего? Починю! Мы же соседи!

Александр порылся в кармане и протянул Петровичу деньги.

— Столько хватит?

Тот кивнул, почесал затылок, закурил папироску и протянул ему руку.

— Бывай! Если что, жду звонка! — с какой-то угрозой добавил он и неспешно, вразвалочку, пошел к калитке.

А Александр закрыл окно и вышел на крыльцо — прибираться глупо, какая уж тут уборка, когда всюду прах и тлен. До деревенского погоста было всего ничего — минут пятнадцать ходьбы.

Тропа была раздолбана, грязь чавкала под ногами — накануне прошел дождь, — ботинки проваливались и моментально обрастали вязкой и жирной глиной. Сквозь деревья проглядывали кресты и оградки. Цветными пятнами просвечивали венки с остатками пластиковых цветов.

Могила тестя и тещи была, по счастью, у самой дороги — крест и небольшая гранитная доска с именами, фамилиями, датами жизни и смерти. На кресте была фотография — тесть и теща, голова к голове, она — с гладкой прической на пробор, у воротника платья — круглая брошь. Он — «сурьезный», при галстуке и в белой рубахе, в очках. Фотографию сделали на пятидесятилетие тещи — специально ездили в ближайший поселок.

Единственная совместная фотография — нашла ее Зоя.

Он вспомнил — нашла, взяла и долго плакала. А она была не из плаксивых.

Прибрался немного — убрал сухие ветки, кое-как сгреб старые листья. Эх, надо бы покрасить оградку... Все ведь в последний момент! Ни на что не хватило времени...

Ни на что не хватает жизни...

С болезнью жены все стало ветхим, заброшенным. Брошенным. Словно вместе с Зоей отовсюду ушла сама жизнь.

Все покрылось пылью, тоской.

Все изменилось.

Он погладил рукой фотографию на кресте и сказал:

— Ну все. Уезжаю. Вы уж простите, мои дорогие! Спите спокойно, вы... заслужили. — И быстро пошел прочь, напролом, не обращая внимания на дорогу и грязь. Шел и плакал. Он любил их, этих простых, незатейливых, чудесных людей, которые жили без злобы, без зависти, без камня за пазухой. Жили просто — сажали огород, следили за садом. Держали скотину. Работали. Теща в поселковой библиотеке, тесть, Максимыч, ветеринаром в совхозе.

Крестьянский труд был изнурительным, но они никогда не роптали. Никогда. Ни одной жалобы Александр от них не слышал — за всю жизнь. Они его уважали. А как же — городской, образованный, из хорошей семьи, мирный, непьющий. Повезло нашей дочке. Ох, повезло!

Илюша каждое лето жил здесь, в деревне, и, кажется, больше всего на свете любил это время. Рвался — к деду и бабке. Все волновался:

— Папа! А когда мы в деревню?

В деревне он становился абсолютно деревенским мальчишкой — бегал в одних трусах, босиком. На речку, в лес, к бабке в поселок, к деду в совхоз.

Вместе с дедом мастерил что-то в сарае. Помогал с дровами, в коровнике. Странно даже — их интеллигентный и утонченный Илюша в деревне преображался. Он был счастлив здесь, в Знаменке. Как-то сказал ему, уже будучи взрослым:

— Лучшие месяцы, пап! Именно там, в деревне. У бабы и деда.

Хорошие люди. Просто хорошие русские люди. Это про них говорят: «На таких земля держится». Без пафоса, чистая правда.

Теща, Анастасия Павловна, несмотря на долгую жизнь в деревне, утомительный постоянный труд, была человеком интересующимся. Ее волновали совершенно небанальные вещи — она просила привезти ей проигрыватель и обновлять пластинки с классической музыкой. Была она ярой поклонницей оперетты — знала наизусть основные арии, всех солистов и звезд и даже переписывалась с Татьяной Шмыгой. Любила Чехова и Бунина. Позже восхищалась Трифоновым, Солженицыным. Вот как бывает...

А тесть, Иван Максимович, маленький и сухонький, в круглых допотопных очочках на остром носу, был вообще знатоком всего. Он собрал приличную библиотеку. Зоя привозила ему толстые журналы, которых он ждал как манны небесной.

Неплохо разбирался он и в физике, и в астрономии. А уж про биологию и зоологию нечего и говорить. Много они дали своему внуку. Кажется, не меньше родителей.

Словом, не были они типично деревенскими жителями. Александр удивлялся — и откуда все это? Деревня по-прежнему сильно пила, подворовывала с колхозных полей «ничейные» урожаи — капусту, свеклу, морковь и горошек. Собирали все мешками, тащили, не стесняясь друг друга.

Тесть качал головой.

— И зачем они тащат! — восклицал он, стоя у окна и наблюдая за этими «непотребностями». — У всех огороды, земля! Разве крестьянин не может вырастить такую примитивную ерунду? Даже в наших краях рискованного земледелия? К тому же колхозное — почти всегда кормовое, невкусное, слишком крупное. А свое можно удобрить, окучить, полить. Зачем им свекла по килограмму? Гнилая картошка? Морковь длиной в руку? Нет, я не могу этого понять! — расстраивался он. — Ладно бы то, чего ты сам не можешь! А это... Позор!

Кажется, больше воровства он осуждал только лень и нежелание жить вековым крестьянским трудом.

Зоиных родителей, конечно, в деревне считали чудаками, звали презрительно — «интеллихенция»!

Зоя уговаривала стариков переехать в Москву. Но они отказывались. Да и в гости приезжали нечасто — «нам у вас трудно дышать. Да и где Илюша будет на каникулах? В городе мотаться, по подъездам курить?». Такие вот были у них аргументы.

Первым ушел тесть — взялся рукой за сердце, охнул и... легкая смерть. Теща, вернувшись с работы, решила, что он уснул, и не стала его будить. А когда, переделав все домашние дела, прилегла рядом, поняла, что муж уже остывает. Не испугалась, не заголосила, не бросилась к соседям. Просто легла рядом и обняла его, словно хотела согреть. Так пролежали они до утра. А потом она поднялась и пошла на почту — звонить дочери.

Сама Анастасия Павловна ушла через полтора года — осела прямо на грядках, в огороде. Только успела крикнуть соседке:

— Маша! Позвони моей Зое!

Александр шумно выдохнул и пошел к станции. Шел медленно: от глины ботинки отяжелели, словно пудовые. Надо бы вымыть. А где? По дороге попалась колонка.

На полпути оглянулся — деревня оставалась позади. Деревня, жизнь... Все позади.

Со Знаменкой он попрощался. Еще один пункт охвачен и вычеркнут. Но еще кое-что осталось.

Гастроль продолжалась.

До дома еле доехал — в электричке так крепко уснул, буквально провалился, что не слышал ничего — ни монотонного голоса, объявляющего станции, ни разговоры соседей, ни пьяную бабу, «желающую скандала», как она заявляла. Ни плача грудничка у него за спиной. Конечно, устал. Такие перегоны уже не для его возраста.

Наверняка подскочит давление.

От вокзала взял такси — черт с ними, с деньгами! Доехали быстро — время-то позднее.

А дома захотелось есть. Да как захотелось! В шкафу нашлась банка шпрот и кусок подсохшего батона — вот и была ему радость. Да еще и со сладким чаем.

Утром разбудил звонок сына — как дела, что успел, что осталось?

Отчитался. Кое-что утаил — зачем ему знать?

Илья волновался, переживал, тревожился по любому поводу и все ругал себя за то, что не приехал за ним — не помог собраться, разобраться, решить все проблемы.

Он успокаивал его — я же вполне в разуме и на ногах! Все будет нормально, Илюша!

Подумал — а хорошо, что сын не приехал. При нем он бы не смог осуществить свою «прощальную гастроль» — постеснялся бы.

Утром поехал на «Сокол», в роддом, где родился их сын. Подумал — а ведь никого у меня больше нет, кому бы я смог это все рассказать! Нет такого близкого человека, который бы понял. Мишки нет, Зои нет. А все остальные... Так, приятели. Им не расскажешь — они не поймут.

Роддом стоял в узком переулке, в Поселке художников. Старое здание было, конечно, подновлено и выглядело вполне респектабельно. Но он помнил его другим — слегка обшарпанным, но почему-то уютным. Зоя махала ему из окна, что-то пытаясь сказать, но слышно не было. Слишком много собралось желающих — несколько женщин высовывались из окон и что-то кричали своим мужчинам.

Зоя, поняв, что он ничего не слышит, засмеялась, махнула рукой и пальцем написала по воздуху. Он понял, что надо ждать письма.

Письмо принесла нянечка, и он с волнением, тут же, на клеенчатой потертой банкетке, взялся читать.

Это письмо он сохранил на всю жизнь. Показал восемнадцатилетнему сыну — аккурат в день его рождения.

Сын смутился — за столом сидели его друзья и девушки.

Зоя чуть качнула головой с укоризной — дескать, дело тонкое, семейное! «А ты... Зачем, Шура?»

Но он прочел. Зоя писала, что мальчик славный и очень красивый. Тельце длинное и стройное. Попка слегка красноватая — о чем она беспокоится.

Молодежь засмеялась.

Лишь одна девушка чуть нахмурила брови и резко сказала:

— А у вас, думаете, не было красной задницы?

Девушку звали Пенкой. Она и стала их любимой невесткой.

Он постоял возле входа, поднял голову, оглядел окна, посчитал — да, вон то, на втором этаже! Именно оттуда он впервые после родов увидел свою жену. Именно оттуда она ему помахала.

Сейчас никто не стоял под окнами и никто не высовывался в окно — понятно, мобильные телефоны. Да и говорят, что сейчас родню пропускают — считается, так лучше для мамочек и малышей. А в те времена — что вы, ни-ни! Об этом даже подумать не смели. Всех пугали какими-то инфекциями, стафилококками и стрептококками.

Александр дошел до метро и поехал в Парк культуры. Почему-то ему захотелось глянуть на парк, где они так любили гулять по воскресеньям или субботам все вместе, втроем.

Распорядок был привычный и почти не меняющийся — прогулка по набережной, конечно, колесо обозрения. Какая-нибудь карусель для Ильи, обязательно — комната смеха, или кривых зеркал, они ее обожали, особенно Зоя. Остановившись перед кривым зеркалом, уродующим ее, прибавляющим килограммов тридцать или убавляющим не меньше, она заливалась от хохота.

Однажды, отсмеявшись, спросила:

— А ты бы меня продолжал любить, если бы я стала такой, как в этом зеркале?

Он покачал головой:

— Ну и фантазии у вас, матушка! Нормальному человеку и в голову бы не пришло.

Жена смотрела на него внимательно и серьезно и потребовала:

— Нет, ты ответь!

— Эх, мать, — ответил он. — Да разумеется! Только ту, что побольше! А не ту, тощую, прямо как смерть без косы. Боишься поправиться? А ты не бойся! Ты ж знаешь — я все сочное люблю: мясо, грушу, арбуз. Поправляйся, Зоинька! Ешь на здоровье!

Сын смотрел на них с удивлением — ничего не поняв из их диалога.

— Успокоилась? — ехидно осведомился Александр. — Ну тогда вперед! В шашлычную, подзаправиться!

Эта шашлычная, маленькая и довольно задрипанная, была их любимым местом. Все они были мясоедами — лучшей и любимой едой для них было мясо.

Заказывали обычно четыре шампура шашлыка — один сыну, три им на двоих с Зоей — и бутылку белого сухого вина. Да, еще, разумеется, хлеб.

А уж после шашлычной полагался десерт — на улице, присев на лавочку, если позволяла погода, ели мороженое.

Зоя закрывала блаженно глаза и откидывала голову. Улыбалась.

— Что с тобой? — однажды спросил он. — Все нормально?

Не открывая глаз, она чуть кивнула:

— А ты как думаешь? Просто ловлю минуты счастья! Понимаю, что такого однажды, возможно, уже не будет.

Александр испугался:

— Как так — не будет? Ты что, мать, рехнулась? У нас впереди с тобой целая долгая жизнь!

Жена открыла глаза и внимательно посмотрела на него.

— Жизнь — да, бывает долгой. А вот счастье — оно на минуту! Раз — и нет, — рассмеялась она. — Ты что, никогда этого не замечал?

Потом, когда уехал Илья и заболела Зоя, Александр вспомнил ее слова — «на минуту». Да, на минуту. И никак по-другому.

Если пересчитать все эти минуты, вряд ли получится больше, чем день. День за всю «целую и долгую» жизнь. Не пробовали? Такого истинного, настоящего, острого счастья... Если сложить все минуты... Ей-богу, не больше! День на всю жизнь. Ну пусть даже два.

А тогда и вправду было счастье. Молодость, здоровье, надежды. Легкая бесшабашность. Все тогда давалось легко. Или — ему это кажется сейчас, в старости?

Молодая жена, маленький сын. Молодой он, Александр. Еще такой молодой.

Сколько ж воды утекло!

Ему казалось тогда, что впереди огромная жизнь — бесконечная. Сколько можно еще успеть — не перечесть! Да-да, они все успеют! И на все у них времени хватит, и столько еще впереди.

Он ни на что не жалуется, бога не гневит. И все-таки... Как быстро все пролетело... Как беспощадно и стремительно быстро!

И как много он не успел. Например, сказать Зое самое главное.

Сидя на лавочке в совершенно другом, незнакомом ему Парке Горького, он вспоминал поход в Карелию с Мишкой и маленькой Маринкой. Белла, конечно, пойти отказалась.

Вспоминал, как, стоя у реки, оглянулся — Зоя, присев на корточки, озабоченно прикусив губу, разводила костер. На газете лежали очищенные грибы — отборные белые, один в один.

Она не смотрела на мужа — костерок не разгорался. На обед планировалась грибная похлебка. Она злилась, кажется, чертыхнулась, с раздражением бросила коробок и подняла голову в поисках помощников. И тут увидела его.

— Что? Смотришь, вместо того чтобы помочь?

Он согласился:

— Ага. Смотрю вот. И все не могу насмотреться.

И увидел, как Зоя смутилась, зарделась, чуть нахмурилась от смущения. И повторила решительно:

— Лучше бы ты помог. Тоже, смотритель нашелся!

Вот эти минуты, которые потом и складывались в калейдоскоп человеческого счастья. Те самые минуты, которые набирались на эти пару «дней счастья». Теплый день, сосновый бор позади. Прозрачная и мелкая речка с белым песчаным дном. Косые лучи солнца, падающие на ее густые волосы. Кучка грибов, котелок над костром.

Зеленый брезент палатки и их сын, копошащийся с лопаткой на берегу.

Что еще? Что было еще? Ах да! Каток, был каток! Три скучных, холодных, коротких зимних месяца были раскрашены этим волшебным действом. Каток вокруг спортивной арены в Лужниках. Фонари. Снежинки под ними, снежинки вокруг. Кружат свой неспешный танец — крошечные, еле заметные балеринки.

Музыка. Сладкий кофе в буфете. Конечно же, с коржиком. Коржик крошится, опадает на куртки, обметывает губы — хрупкий, ломкий, отдающий содой.

Сын просит второй. Кофе не пьет — требует лимонаду. Чуть отогревшись, снова выскакивают на лед.

Александр чуть задерживается — снимает с канадок чехлы. Зою хорошо освещает желтоватый фонарь — круглая синяя шапочка, из которой вырвался локон, голубая куртка с опушкой. Белые варежки из козьей шерсти — конечно, любовно связанные тещей. Зоя поправляет Илюшке шапку — он недовольно мотает головой. Кажется, у них назревает скандал. Жена продолжает на чем-то настаивать. А, все понятно! Сын игнорирует варежки и в знак протеста продолжает крутить головой. Зоя огорченно машет рукой и отталкивается. «Да бог с тобой!» И плавно едет вперед.

Илья смотрит ей вслед, натягивает рукавицы и бросается следом. Догоняет ее, обхватывает за талию, и она, обернувшись к нему, прижимает его к груди и чмокает в лоб. Взявшись за руки, теперь они едут вместе.

Два самых любимых и дорогих человека.

В эти минуты Александр чувствует, что оглушительно счастлив. Счастье переполняет его, и ему становится страшно. Он выскакивает на лед и мчится вперед. Через два быстрых круга этот страх проходит. Страх того, что *этого* может не быть. *Это* может исчезнуть.

Что еще? Ах да! Море! Конечно же, море! Палатка на берегу под сомнительной тенью пирамидального тополя-одиночки, странным образом затесавшегося на берег.

Все еще спят. Александр выходит наружу — на часах почти шесть. Рассвет. Море спокойно и безмятежно — полный штиль. Солнце еще нежное, щадящее, не обжигает, ждет своего часа.

Довольно прохладно. И — никого! В отдалении несколько палаток таких же туристов-дикарей, не признающих тесных и густонаселенных, словно термитники, съемных квартир.

Семья из Питера, молодые ребята из Смоленска, пожилая пара из Кременчуга. Все спят. И правильно делают! А ему вот не спится. Он смотрит на горизонт, который тонет в тумане. На небо в легкой светло-серой дымке. И думает о том, что рядом, в душной палатке спят его близкие. Самые близкие, самые-самые.

Скоро тишина оборвется гвалтом прожорливых чаек, криками проснувшихся детей, женщины станут хлопотать, готовить завтрак. Поднимется суета, начнется день. Продолжится жизнь. А сейчас он наслаждается этими мгновениями тишины и покоя и ловит себя на мысли, что вот сейчас, именно сейчас, он совершенно счастлив.

«Ну что еще?» — Александр задумался.

Неужели так мало? Неужели это все? Все, что подсказала уже далеко не услужливая память? Не может быть! Здесь не наберется и на один день...

А, вот! Маленький Илюшка — лет семь, не больше. И поход в Художественный. Конечно, на «Синюю птицу».

Почему-то пошел он, а не Зоя. Почему — да разве сейчас вспомнишь. Сидели в амфитеатре, но видно все было прекрасно.

Заметив глаза замершего от восторга сына, Александр почти не смотрел на сцену — так было интересно наблюдать за Ильей.

Парень, казалось, оцепенел. Сидел как натянутая струна, не шелохнулся. Даже отказался в антракте идти в буфет, видимо, чтобы не спугнуть сказочные, дивные ощущения.

В его распахнутых глазах светились и восторг, и потрясение, и растерянность. Потом молча шли по бульвару. Сын крепко держал его за руку. Молчали.

Наконец Александр не выдержал.

— Илюша, что-то ты больно молчалив, а? Не болит ли чего? — спросил с мягкой иронией, пытаясь вернуть сына в реальность.

Мальчик вздрогнул:

— Папа, потом поговорим. Сейчас не могу. Или не хочу. — И печально вздохнул.

Нет, конечно, все понятно: спектакль завораживал, удивлял — декорациями, необычностью сюжета, игрой актеров. И все же было очень интересно, что же потрясло Илью больше всего?

Спустя пару дней сын ему объяснил: загробный мир, вот что так его потрясло. Оказывается, туда можно попасть? Можно проникнуть? И самое главное — он был, этот мир! Существовал! Там тоже жили? Просто в другом измерении, да? Просто не так, как здесь, на земле?

Тогда они с женой переглянулись — вот ведь как, оказывается.

Но запомнился этот путь — путь из театра. Сначала по бульварам, потом по набережной. Шли они долго — сын отказался от поездки в метро.

— Давай погуляем, а, пап?

Эта длинная дорога, эта молчаливая прогулка была почему-то очень счастливой. Александр, наверное, не смог бы и объяснить почему.

Да и зачем объяснять? Не все, что прекрасно и счастливо, не все, что ощутимо, не все, что осязаемо, нуждается в объяснении.

Просто ощущение — и все. Может быть, теплая ладошка сына, держащая его крепко, словно Илья боялся отпустить отца и оказаться беззащитным в этом пока еще непонятном мире. И его собственные ощущения — защитника, способного оградить.

Может быть, дело в Москве, его родном городе, майском, почти уже полностью укрытом сиренью.

Или дело в пароходике, идущем по Москве-реке, — медленном, изящном, игрушечном.

Или так подействовали теплый вечер, мечты о скором лете и поездке в деревню.

А может быть, дело в предвкушении дома, встречи с женой, в ожидании тихого семейного ужина — все вместе, втроем.

Непонятно. Да что разбираться? Главное — что это было, что он помнил это всю жизнь.

И еще — слова сына. Остановились на набережной передохнуть.

Долго и молча смотрели на темную, маслянистую воду.

И слова его мальчика:

— Папа! Спасибо тебе!

— За что, Илюша?

— За этот вечер.

Александр смутился и незаметно смахнул слезу, чтобы Илья не увидел.

А, да! Вот еще! Как он мог забыть? Зоя улетела в командировку в Петрозаводск. А утром сообщение по «Новостям» — самолет потерпел крушение. Он метался по квартире, не в силах даже присесть, остановиться.

В голове вихрем: «Нет, нет! Нет! Не может быть! Такого не может быть! Она не могла!»

И вдруг телефонный звонок.

Дрожащими руками схватил телефон.

Голос Зои. Его гробовое молчание.

— Шура! Ты меня слышишь? — испугалась она.

— Да, — только и смог выдавить он. И через секунду добавил: — С тобой все в порядке?

Она удивилась:

— Конечно! А что?

Он едва не разрыдался.

Потом все выяснилось — ошибка. Ошибся диктор — не Петрозаводск, а Петропавловск.

Но это время, эти минуты — двадцать, не больше — показались ему вечностью. Он запомнил их навсегда.

А если бы Зоя не позвонила? В ту минуту не позвонила? Он бы рехнулся.

Через три дня поехал встречать ее в аэропорт. Купил цветы. Ждал ее так, как ждут, наверное, сына с войны. Увидев, прижал к себе и долго не мог отпустить.

Она улыбалась и гладила его по голове:

— Ну хорошо же все, Шурка! Ну что ты? Все ж хорошо!

Вот тогда, в эти минуты, он был абсолютно и безгранично счастлив. Так остро, так ощутимо, так болезненно счастлив.

Почему, почему, когда мы счастливы, оглушительно счастливы, непременно присутствует страх? Словно они неразделимы — счастье и страх, как брат и сестра. Чтобы мы понимали? Чтобы ценили эти минуты? Чтобы поняли, как все хрупко и непостоянно? Чтобы затаили дыхание, не спугнули?

Все, все. Пора с этим заканчивать. «Гастроль» не окончена, так что — вперед!

Мать и сестра лежали на престижном Ваганьковском, там, где похоронили в далекие годы отца.

Стоял у могилы и смотрел на их фотографии — точнее фотографию. Общую. Так предложила Зоя — и была, конечно, права как всегда. Мать и Людмила вместе были всю жизнь. Это их выбор, общий.

Жизнь свою Людке устроить так и не удалось: материнская отбраковка кавалеров имела сильное воздействие.

Были иногда слабые попытки вырваться из-под материнской вечной опеки — пару раз Людмила уходила из дома. Но через какое-то время мать вдруг начинала хворать. Людмила, как заботливая дочь, конечно же, тут же возвращалась домой — выхаживать матушку. Всем были понятны эти манипуляции, но только не Людмиле! Однажды она свято поверила, что мать без нее абсолютно беспомощна. Уехав, пусть ненадолго, названивала по сто раз на дню. И в результате очень скоро оказывалась снова дома, под маминым крылышком.

Ну а следом за этим поправлялась и мать.

Так и прожили они жизнь — вдвоем, вместе. И лежали сейчас вдвоем. «Интересно, — подумал Александр. — А там? Там они по-прежнему цапаются? Дуются друг на друга, предъявляют претензии? Не разговаривают друг с другом? И не могут жить порознь? Хотя какое там — «жить»!»

Мать и сестра смотрели на него с улыбкой — фотография с Людмилиного выпускного. Все счастливы. Мать гордится дочерью, дочь ждет перемен и дальнейшего счастья, словно спрашивает: «Оно ведь будет, да? Точно будет?»

В ее жизни было так мало счастья. Так ничтожно мало. Бедная Людмила! Она не оправдала материнских надежд — блестящей карьеры, удачного брака, талантливых внуков.

А жизнь обманула саму Людмилу — жестоко, коварно ее обманула.

Зоино благородство не имело границ — предложила однажды забрать мать к себе, пусть Людмила устраивает свою жизнь.

Мать отказалась:

— Еще чего! Пойти к вам в примачки? Да никогда!

Людмила не однажды вытаскивала мать, ухаживала за ней, как за младенцем, реализовывая, видимо, свой материнский инстинкт. А после ее смерти быстро стала затухать. Пропал интерес к жизни — совсем. Уговаривали ее отдохнуть, поехать на море. Нет, отказывалась: «Не поеду, неинтересно. Ничего уже не хочу — без нее!»

Казалось бы — освобождение от тирана. А вышло — стокгольмский синдром. Хотя сложно все объяснить.

Ушла сестра через пару лет после матери, так и не оправившись. Теперь они снова были вместе, соединились — уже навсегда.

Он провел ладонью по фотографии — рука стала серой от пыли. Достал носовой платок, протер камень, обтер руку и пошел к выходу. Увидел себя со стороны — шаркал, как древний старик. Впрочем, он и был стариком. Вот пошутил, право слово. Самому стало смешно.

Следующий был Мишка. Дружок. Мишка лежал на Востряковском, недалеко от «Юго-Западной».

Место Александр помнил приблизительно — справа от входа, там лежала Мишкина мать — тетя Рахиль. Ездили они с Мишкой туда довольно часто — раз в полгода наверняка.

Он был уверен, что могилу найдет.

Нашел. Правда, не сразу. Памятник стоял все тот же, который они поставили еще с Мишкой тете Рахили.

Маленькая досточка Маринке — низкая, почти сровнявшаяся с землей: Мариночка Рахлина, даты рождения и смерти.

Мишкиного памятника не было, словно и не лежал он там вместе с матерью и дочкой. Лежал только ржавый остов от одинокого венка — пара пластиковых гвоздик, потерявших свой цвет.

Могила осела, памятник Рахили покосился и завалился набок, ограда окривела, и краска с нее давно осыпалась.

Все понятно — Белла следить за своими не может. Да и за собой-то... Бедная Беллочка, бедная Маринка. Бедный Мишка. Бедные все. Одинокие и оставленные — людьми и Господом Богом.

И он тоже хорош: из-за такой ерунды, из-за такого пустяка перечеркнуть свою прежнюю жизнь. Какая нелепость, какая глупость. Какой позор.

Он положил на могилу цветы и попросил у Мишки прощения.

Стало легче? Едва ли...

У метро зашел в кафе — перекусить. Впереди была еще долгая дорога к Тасе и к Зое.

Жевал жесткий и безвкусный бифштекс, запивал сладким чаем и смотрел на улицу — там, конечно, кипела жизнь. Торопливо сновал народ, взвизгивали шины, раздавались автомобильные гудки, яростно и пронзительно свистел полицейский свисток.

Александр почувствовал, что сильно устал. Поехать домой? Отложить поездку на завтра? Нет, не выйдет. Завтра последний день. Последний день сборов. Последний день его здешней жизни. Значит, надо спешить.

Тася лежала на старом Хованском. Он шел знакомой дорогой, сжимая в руке букет из ромашек — ее любимых цветов.

Он всегда дарил ей ромашки. Сначала живой, а потом — потом мертвой.

На Тасиной могиле был, как ни странно, порядок — чисто, ухоженно, даже опрятно. Интересно, кто здесь следит? Родителей давно нет, да и стали бы они... Кажется, после Тасиной смерти они ее почти возненавидели — такой позор, уйти добровольно, Бог не простит! Как будто Бога они когда-то боялись! Наверное, следят племянницы, дочери брата. Из земли торчали какие-то кустики — кажется, нарциссы. А, нет! Настурция! В цветах он разбирался плохо. Зоя посмеивалась — всю жизнь ездишь в деревню, а ни черта не смыслишь!

Тася смотрела на него с фотографии серьезно — впрочем, она всегда смотрела серьезно. Он редко видел ее улыбающейся. А уж смеющейся, кажется, никогда. Взгляд ее словно спрашивал — а почему? Почему все так вышло? Так нелепо и страшно?

Тасенька... Он провел рукой по ее фотографии. Тасенька, бедная... Бедная девочка. И в который раз спросил:

— Ну зачем же ты так?

Вспомнились слова сестры: «Ее судьба была предрешена. Жить ей было печально и трудно».

Что ж, Людмила права. Именно так — печально и трудно.

Он попрощался с Тасей, веером на земле разложил ромашки и пошел прочь.

Выйдя на тропинку, ведущую к выходу, обернулся и махнул ей. Все. Прощай. Прощай, моя милая. И еще раз прости.

До Зои было совсем недалеко, на новое Хованское, полчаса ходу. Петлял среди могил — так быстрее. Подумал, что многих тут *знает*. В смысле — многие памятники запомнил.

— Ну вот, здравствуй, родная! Вот, я пришел. Пришел к тебе попрощаться. Илюша, знаешь ли, уговорил! Да ты тоже мне говорила, помнишь? «Не будет меня — быстро к Илье! А то мне там бу-

дет плохо и неуютно — буду за тебя беспокоиться!»
Вот, я исполняю твою волю, Зоенька! — Он присел
на лавочку и стал смотреть на ее фотографию. — Со
всеми попрощался, да. Даже съездил к твоим ста-
рикам. Домик наш почти завалился. Ты уж прости.
Надо, конечно, продать. Но мне не под силу, пусть
уж Илюша, как он решит. Да и с квартирой тоже...
Я не могу. Тоже пусть он... Им, молодым, это легче.
А я не могу — ведь там вся наша жизнь прошла. В общем, собрался, поеду. Куда мне деваться? Как-нибудь
долечу. А там уж как будет. Да нет, не волнуйся —
все будет отлично! Уверен. Илюша не подведет. Да
и сноха... И девочки будут рядом — такая радость,
внученьки наши. А здесь я зачахну один, Илюша
прав. Да и ему будет спокойнее. Как он переживал,
что нас нет рядом! Надо его пожалеть. А так — так
все в порядке. Ем, сплю, хожу. Давление в норме.
Ну, или почти. Лекарства пью. Конечно, пью, куда
мы без них? Эх, дела.

Нет, ты не волнуйся — все будет отлично, я тебе
обещаю! — Посидев с час, наконец поднялся. — Ну,
прощай, моя дорогая! Прощай. Надеюсь, что... —
Он заплакал, махнул рукой и быстрым шагом пошел к выходу, что-то тихо бормоча, опустив голову
и спотыкаясь на абсолютно ровном асфальте.

По дороге домой понял, что страшно голоден.
Вот ведь человек как устроен! Такой день, такие
мысли, такие воспоминания. Казалось бы, не до
земного. Ан нет! Живой? Ну значит, вперед! За ося-
заемым, за живым. Необходимым. В магазине купил
какой-то быстрой еды и заторопился домой.

Последние хлопоты, чемоданные хлопоты. Завтра все закончится. Завтра дорога. Завтра новая жизнь.

Только вопрос: а нужна ли ему эта новая жизнь?

Перекусив быстро, неопрятно и наспех, подумал, что Зоя бы точно за это осудила. Аккуратистка, она не терпела еды «на газете».

Лег на диван и уснул.

Проснулся, когда за окном было темно — полдевятого вечера.

Увидел раскрытый чемодан и поднялся с дивана.

Позвонил сын — все те же вопросы, все то же волнение в голосе:

— Как ты? Как себя чувствуешь? Как давление? Спишь? Очень устал? Я понимаю... Говорил же тебе — давай я приеду! Ну да, что теперь. Ладно, осталось чуть-чуть, и ты будешь рядом. Собрался? Почти? Ну, пап, ты даешь! Какое «почти»? Давай соберись! Собери себя, слышишь?

Рассмеялись оба. Ну да — каламбур.

Александр положил трубку и уставился в стену. Ах да! Фотографии, как он мог забыть? Открыл комод и замер, остановился. Рука не тянулась к альбомам — страшно. Там вся жизнь. Вся его жизнь.

Справился. Разумеется, справился — куда было деваться? Совсем мало времени, Илья прав.

Альбомы лежали плотной стопкой — зеленый, коричневый, синий.

Зеленый — родители, деревня, маленький сын.

Коричневый — их отпуска, их поездки.

И синий — из нового времени. Илюша с семьей. Внучки, невестка.

Их поездки туда — совместные фото. Таких полно там, у Илюши. Их брать не стоит.

Открыл зеленый. Мать, сестра. Он — совсем клоп. Детский сад, первый класс. Последний звонок. Свадьба. Их с Зоей свадьба. Молодые и радостные лица. Смущенные теща и тесть. Строгая мать, сестра со слегка надменным взглядом — Людка, она такая!

У загса, у дома. На Воробьевых горах. Зоино платье — тонкий шифон, цветок у ворота. Сама смастерила. Белые туфли на шпильке — сколько же сил, чтобы достать!

И ее лицо — теперь крупным планом. Какая счастливая! И не скрывает, вся светится.

Роддом, сын. У него в руках туго спеленутый сверток. Синие атласные ленты. Младенца не видно. А вот Зоя — замученная, бледная, похудевшая. Тяжелые роды. Сестра Людка смотрит с восторгом — первый младенец! Наверняка уверена, что следующая — она.

Мать улыбается расслабленно, светло, с ней редко такое бывало.

Куча фотографий сына — детский сад, первый класс, последний звонок. Как все повторяется! Как все идет по спирали, каждая жизнь.

Деревня, тесть читает газету — на носу все те же очки — старенькие «окуляры», перетянутые синей изолентой. Сколько ни привозили ему новых — не носил. Любил только этих «калек».

Теща над тазиком с пирогами — довольная, румяная, усталая. Теща в огороде — полет клубнику. Илюша стоит рядом и клянчит ягоды. Позади — сад, дальше поле и лес.

Зоя с корзинкой, полной грибов. Смеется. Очень довольна — такой урожай! В брезентовых отцовских штанах, в резиновых сапогах, в старой куртке и в платке на голове, повязанном по-деревенски, почти по глаза.

Рядом снова Илюша — смотрит в корзину, на лице удивление и восторг. Ах, как Зоя искала грибы...

Карелия, палатка, в котелке уха. Мишка с гитарой. Смеющаяся Зоя. Смеющаяся и счастливая.

Снова счастливая! Какой у нее был редкий дар — уметь быть счастливой.

Отец. Он так и запомнил его молодым. Лицо помнил плохо, а вот запах — прекрасно! Табак и кожа — хромовые блестящие скрипучие сапоги. «Тройной» одеколон после бритья. Отец подхватывал его на руки, и сын целовал его в щеку — тут же на губах становилось горько от одеколона.

Маленький Шурка кривился и начинал пищать, а отец громко и раскатисто смеялся. Он вообще был человеком громким, его отец...

Александр захлопнул альбом. Что брать? Альбомы немыслимо — вес. Выходит, что нужно выбрать, отобрать. Самые дорогие.

Он пошел на кухню, попил воды, постоял у окна. Потом вздохнул и пошел проверять чемодан. За альбомы решил взяться в последнюю очередь. Слишком тяжело, просто невыносимо тяжело... Нет, точно — потом.

Наконец чемоданы были собраны. Уж как, все равно. Что взял, про что вспомнил, то и сойдет. Какая разница? И много ли ему теперь надо?

Глянул на часы — полвторого. Отступать было некуда.

Сел на диван, взял альбомы и...

Того, что он решил непременно забрать, оказалось довольно много — целая пачка. Еще раз перелистал — нет, брать надо все! Никакой цензуры — и так здесь самая малость.

Сложил фото в пакет и положил на дно чемодана. Альбомы аккуратно убрал обратно в комод.

Надо идти ложиться, завтра самолет. Завтра... Уже завтра?

Что его ждет? Новая жизнь?

Он не лег, а снова подошел к окну. За окном был его город. Его родной город, где прошла вся его жизнь, счастливая и не очень. Хорошая и плохая. Трудная и беззаботная. Его.

«Куда я собрался, зачем? Я спятил, наверное. Здесь все, что мне дорого. Все то, к чему я привык. Здесь все могилы тех, без кого я не мог. Здесь мои все! И здесь мое всё. Эта квартира. Где прошла целая жизнь, которой все же немножко осталось».

Ночь, ночь. Ночь. И у него впереди — ночь. Совсем мало рассветов. Мало закатов. Мало всего! Так зачем же тогда?

Зачем напрягаться, переламывать себя? Зачем что-то менять, когда так тяжело? Просто невыносимо. Он — обязан? Да глупости. То, что он был обязан, — он давно всем вернул.

Никого уже нет. Тех, что шли вместе с ним. Никого.

Так зачем?

Всё. Больше нет у него долгов. Нет обязательств. Он свободен от всех и всего.

Освободиться бы еще от себя. Вот было бы счастье! Когда сам себе в тягость...

Рука потянулась к трубке — позвонить. Позвонить сыну и все объяснить. Он поймет! Он же умница, сын!

Да, обидится. Будет кричать. Громко будет кричать. Но он его убедит — ведь это его жизнь, и только его. В конце концов, у вас же там свобода слова? Свобода мысли, свобода поступков?

Отпусти меня, сын! Пожалуйста, не неволь! Ничего, сын успокоится, свыкнется. Приедет сюда в отпуск, он съездит к Америку. Если, конечно, найдутся силы.

Все, он решил. И ему стало легче. Словно камень с души. В конце концов, он еще за себя отвечает. Он вполне дееспособен.

«Странно, — подумал Александр. — Больше всего раньше я боялся одиночества. А теперь не боюсь. Совсем не боюсь. Вот чудеса!»

А Зоя... Перед ней он извинится. И она, конечно, поймет. Она всегда его понимала, его жена. Его прекрасная и умная жена. Как же ему повезло...

Он лег в кровать и тут же уснул. Надо же отдохнуть — впереди разговор с сыном. Очень тяжелый разговор с сыном. Но и это пройдет... Жизнь, считай, прошла, а уж разговор, пускай самый сложный...

Утром разбудил телефон, а так бы спал и спал. Страшно устал за эти несколько дней.

Сын сыпал вопросами. Все понятно, он волновался.

— Все успел, все закончил? Папа, не слышу!

Александр собирался с духом. Подбирал слова. Страдал.

— Папа? — почти кричал Илья. — У тебя все хорошо? Да? Ты не волнуйся, долетишь — не заметишь. Удобные кресла — я взял тебе место, где можно вытянуть ноги. У аварийного выхода, слышишь? Выпей вина — и станет полегче. Да! Пенка печет твою любимую банницу! Слышишь, па?

Он угукнул.

— А девчонки украшают твою комнату, слышишь? — продолжал Илья. — Шариками украшают! И мы купили новый плед и тапки. Слышишь, пап?

— Слышу, — ответил он. — Я тебя слышу, Илюша. — Он замолчал. Молчал долго, пару минут. Целую вечность.

А потом повторил:

— Я тебя слышу, Илья! Да, я все понял. И ты не волнуйся. Долечу — куда денусь? И выпью вина. А за пирог Пенке спасибо. Помнит, умница, что я люблю. И тебе спасибо, сынок! И не волнуйся. Будет все хорошо. А как может быть по-другому? Ведь я еду к сыну. Илья! Я еду к детям! Ты меня слышишь, сынок?

— Слышу, — глухо ответил сын. — И очень жду! Мы все тебя ждем, слышишь, пап? Скорее бы, а?

Александр смутился. Его Илья был не из тех, кто бросался словами. И, кашлянув от смущения, ответил:

— И вправду, скорее бы!

«Не обременять», — вспомнились слова жены. А если он не поедет... Именно тогда он обременит своего замечательного, заботливого сына.

Именно так — если он не поедет! Значит, он решил все правильно, да.

И, посмотрев на часы, бросился в ванную. «Вот ведь болван! Надо успеть побриться! Чуть не забыл».

Его самолет взлетал через пять часов.

Содержание

Литературно-художественное издание

Метлицкая Мария
Я БУДУ ЛЮБИТЬ ТЕБЯ ВЕЧНО

Ответственный редактор *Ю. Раутборт*
Младший редактор *Е. Долматова*
Художественный редактор *П. Петров*
Технический редактор *О. Лёвкин*
Компьютерная верстка *Е. Кумшаева*
Корректор *Е. Сахарова*

ООО «Издательство «Э»
123308, Москва, ул. Зорге, д. 1. Тел. 8 (495) 411-68-86.
Өндіруші: «Э» АҚБ Баспасы, 123308, Мәскеу, Ресей, Зорге көшесі, 1 үй.
Тел. 8 (495) 411-68-86.
Тауар белгісі: «Э»
Қазақстан Республикасында дистрибьютор және өнім бойынша арыз-талаптарды қабылдаушының өкілі «РДЦ-Алматы» ЖШС, Алматы қ., Домбровский көш., 3«а», литер Б, офис 1.
Тел.: 8 (727) 251-59-89/90/91/92, факс: 8 (727) 251 58 12 вн. 107.
Өнімнің жарамдылық мерзімі шектелмеген.
Сертификация туралы ақпарат сайтта Өндіруші «Э»

Сведения о подтверждении соответствия издания согласно законодательству РФ о техническом регулировании можно получить на сайте Издательства «Э»

Өндірген мемлекет: Ресей
Сертификация қарастырылмаған

Подписано в печать 14.12.2017. Формат 84x108 $^1/_{32}$.
Гарнитура «NewBaskerville». Печать офсетная. Усл. печ. л. 18,48.
Доп. тираж 5000 экз. Заказ № 11605.

Отпечатано с готовых файлов заказчика
в АО «Первая Образцовая типография»,
филиал «УЛЬЯНОВСКИЙ ДОМ ПЕЧАТИ»
432980, г. Ульяновск, ул. Гончарова, 14

ISBN 978-5-699-99058-0

9 785699 990580 >

BOOK24.RU

BOOK24.RU

16+

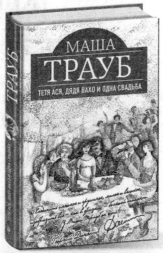
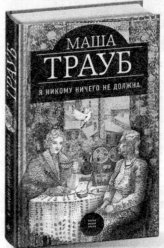
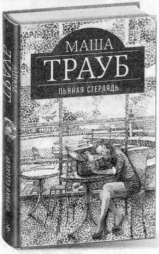

Соединить смешное и грустное, малое и великое, изобразить все как в жизни – большой талант. У Маши Трауб он есть!

Георгий ДАНЕЛИЯ

2016-067